Selena
Yang

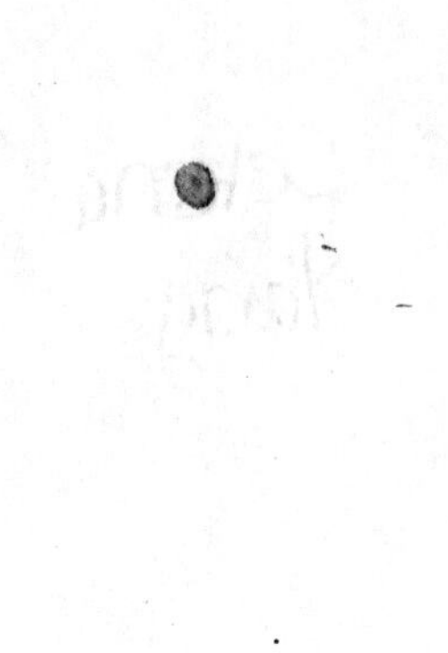

Les Chevaliers d'Émeraude

TOME XI

La justice céleste

Du même auteur

Parus

- *Qui est Terra Wilder ?*
- *Les Chevaliers d'Émeraude*
  - *tome I : Le feu dans le ciel*
  - *tome II : Les dragons de l'Empereur Noir*
  - *tome III : Piège au Royaume des Ombres*
  - *tome IV : La princesse rebelle*
  - *tome V : L'île des Lézards*
  - *tome VI : Le journal d'Onyx*
  - *tome VII : L'enlèvement*
  - *tome VIII : Les dieux déchus*
  - *tome IX : L'héritage de Danalieth*
  - *tome X : Représailles*

À paraître bientôt

- *Les Chevaliers d'Émeraude*
  - *tome XII*

Anne Robillard

Les Chevaliers d'Émeraude

TOME XI

La justice céleste

Données de catalogage avant publication (Canada)

Robillard, Anne

Les Chevaliers d'Émeraude

Sommaire : t. 11. La justice céleste.

ISBN 978-2-89074-690-9 (v. 11)

I. Titre. II. Titre: La justice céleste.

PS8585.O325C43 2002 C843'.6 C2002-941612-4
PS9585.O325C43 2002

Édition
Les Éditions de Mortagne
Case postale 116
Boucherville (Québec)
J4B 5E6

Distribution
Tél. : 450 641-2387
Téléc. : 450 655-6092
Courriel : edm@editionsdemortagne.com

Dépôt légal
Bibliothèque nationale du Canada
Bibliothèque nationale du Québec
Bibliothèque Nationale de France
4e trimestre 2007

ISBN : 978-2-89074-690-9

1 2 3 4 5 – 07 – 11 10 09 08 07

Imprimé au Canada

Nous reconnaissons l'aide financière du gouvernement du Canada par l'entremise du Programme d'aide au développement de l'industrie de l'édition (PADIÉ) et celle du gouvernement du Québec par l'entremise de la Société de développement des entreprises culturelles (SODEC) pour nos activités d'édition. Gouvernement du Québec – Programme de crédit d'impôt pour l'édition de livres – Gestion SODEC.

REMERCIEMENTS

Merci à tous mes lecteurs, où que vous soyez. Je ne vous connais pas encore tous, mais j'ai rencontré plusieurs d'entre vous dans les Salons du livre, les séances de signature et autres événements. Vous êtes ma principale motivation.

Merci aussi à ceux qui m'appuient inconditionnellement depuis le début de cette aventure et qui me permettent ainsi de donner le meilleur de moi-même, surtout Claudia. Merci à mon Dream Team qui tient le coup.

Merci à Valérie pour le petit bout de chemin qu'elle a fait avec moi. Merci à Josée-Anne qui est arrivée juste à point pour prendre la relève. Que ferais-je sans tous ces braves Chevaliers qui me soutiennent dans l'adversité ?

Merci à Catherine Mathieu et à Jean-Pierre Lapointe qui, grâce à leurs talents d'illustrateurs, vous permettent de voir ce que je vois. Merci à Marie-Soleil et à tous les membres du forum qui ne manquent aucun de nos événements. Merci à Faëria qui travaille maintenant sur un deuxième CD !

Un gros merci aussi à tous les personnages qui animent mes banquets et mes événements. Stéphanie Chabot, Marie-Jeanne Chaplain-Corriveau, Valérie Chartier, Karyn Décarie, Cindy Girard, Valérie Grenier, Mathieu Hébert, Mélanie Laberge, Joëlle Lafleur, Yanic Lamy, Josée-Anne Lalonde, Jean-Sébastien Lavoie Collin, Francis Lamarre, Julie Laverdière, Catherine Leroux, Kristina Lozanova, Miguel Marceau, Stéphane et Maxime Matte, Guillaume Monty, Jean Paré, Éric Parent, Sébastien Pilon, Xavier Robillard, Gabrièle Rochon, Roger Rochon, Josiane Roy, Sébastien Sauvé, Émilie Simard, Marie-Perle Séguin, Nicolas Vanasse, Joffrey Borgo, Hélène Larant et surtout Claude Gauthier. Je vous aime de tout mon cœur.

Merci à maman, papa, Claudia, Vie, Daniel, Hélène, Xavier, Gabriel, mon adorable Sara Anne et Daphnée, et aussi à David, qui ne cessent de m'encourager.

Merci aux Éditions de Mortagne, à Sophie Ginoux et à Annie Pronovost.

Et surtout, un gros, gros merci à Prologue. Vous avez été ma première famille dans le vaste monde de l'édition et vous continuez de me soutenir et de me faire grandir.

À tous : Courage, Honneur et Justice !

Lassa, Jenifael, Dylan et Liam

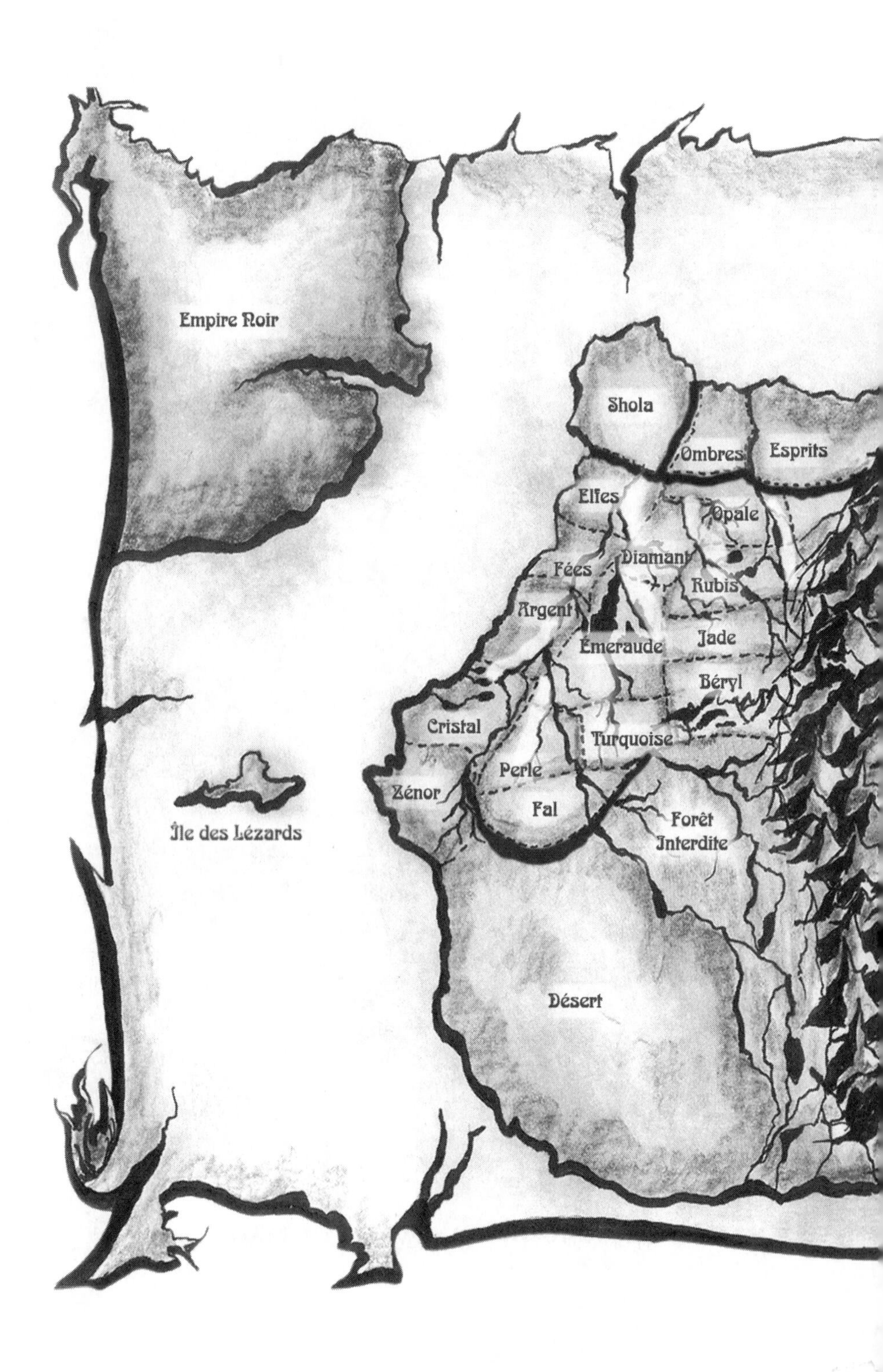
Empire Noir
Shola
Ombres
Esprits
Elfes
Opale
Diamant
Fées
Rubis
Argent
Émeraude
Jade
Béryl
Cristal
Turquoise
Perle
Zénor
Fal
Forêt
Interdite
Île des Lézards
Désert

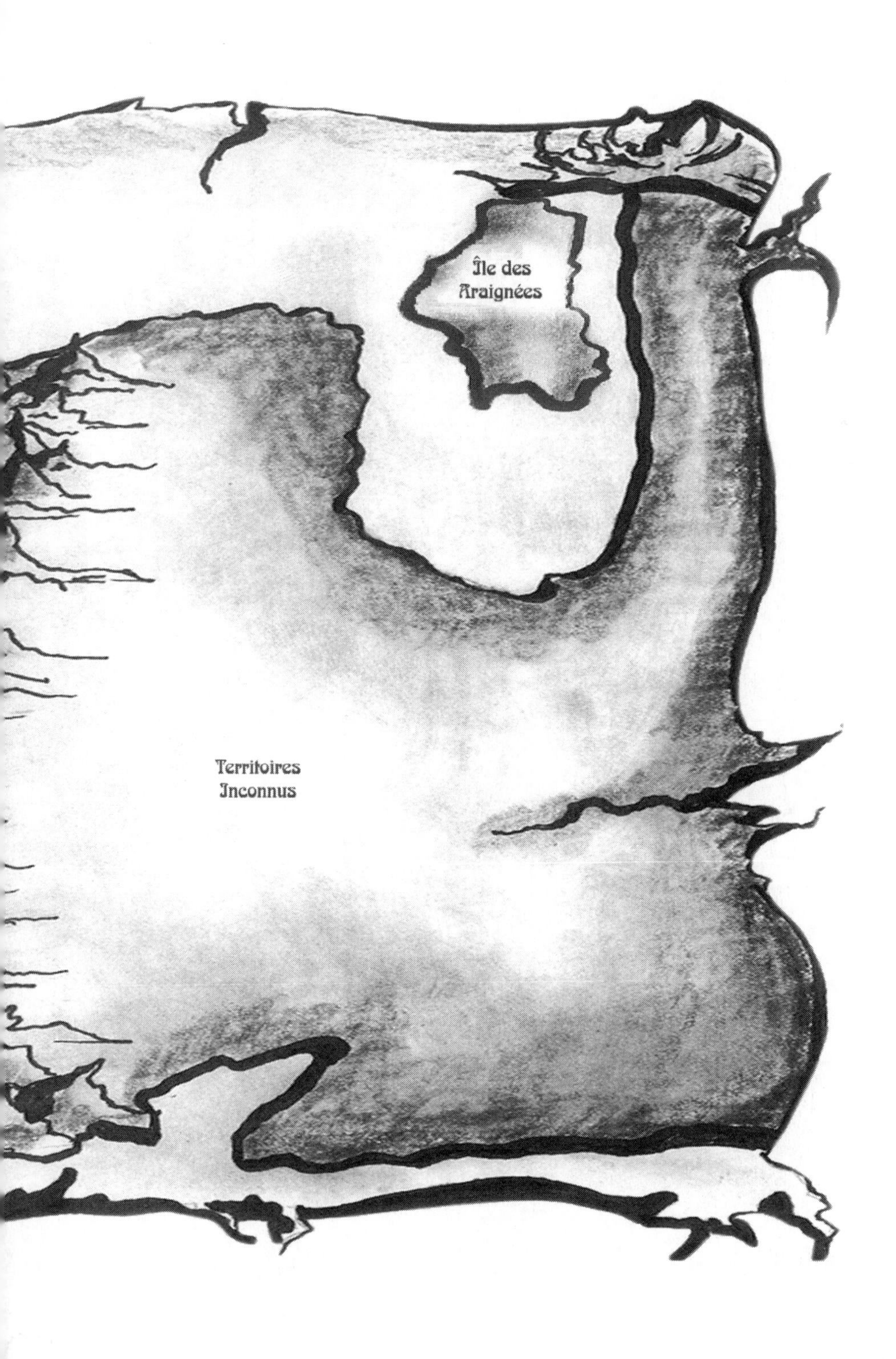
Île des
Araignées
Territoires
Inconnus

L'ordre

Première génération des Chevaliers d'Émeraude

Chevalier Bergeau

Chevalier Chloé

Chevalier Dempsey

Chevalier Falcon

Chevalier Jasson

Chevalier Santo

Chevalier Wellan

L'ordre

Deuxième génération des Chevaliers d'Émeraude

Chevalier Bridgess

Chevalier Kerns

Chevalier Kevin

Chevalier Nogait

Chevalier Wanda

Chevalier Wimme

L'ordre

Troisième génération des Chevaliers d'Émeraude

Chevalier Ariane

Chevalier Brennan

Chevalier Colville

Chevalier Corbin

Chevalier Curtis

Chevalier Derek

Chevalier Hettrick

Chevalier Kagan

Chevalier Kira

Chevalier Milos

Chevalier Morgan

Chevalier Murray

Chevalier Pencer

Chevalier Swan

L'ordre

quatrième génération des Chevaliers d'Émeraude

Chevalier Akers
✧
Chevalier Alisen
✧
Chevalier Amax
✧
Chevalier Arca
✧
Chevalier Atall
✧
Chevalier Bailey
✧
Chevalier Bianchi
✧
Chevalier Botti
✧
Chevalier Brannock
✧
Chevalier Callaan
✧
Chevalier Carlo
✧
Chevalier Chesley
✧
Chevalier Daiklan
✧
Chevalier Davis
✧
Chevalier Dienelt
✧
Chevalier Dillawn
✧
Chevalier Drewry
✧
Chevalier Dyksta
✧
Chevalier Fabrice
✧
Chevalier Fossell
✧
Chevalier Gabrelle
✧
Chevalier Heilder
✧
Chevalier Herrior
✧
Chevalier Hiall
✧
Chevalier Izzly
✧
Chevalier Jana
✧
Chevalier Joslove
✧
Chevalier Kisilin
✧
Chevalier Kowal
✧
Chevalier Kruse
✧

chevalier kumitz

✧

chevalier lornan

✧

chevalier madier

✧

chevalier maïwen

✧

chevalier offman

✧

chevalier prorok

✧

chevalier randan

✧

chevalier reiser

✧

chevalier robyn

✧

chevalier romald

✧

chevalier salmo

✧

chevalier sheehy

✧

chevalier sherman

✧

chevalier silvess

✧

chevalier ursa

✧

chevalier volpel

✧

chevalier winks

✧

chevalier yamina

✧

chevalier yann

✧

chevalier zane

✧

chevalier zerrouk

~

L'ordre

Cinquième génération des Chevaliers d'Émeraude

Chevalier Ada
✧
Chevalier Aidan
✧
Chevalier Alwin
✧
Chevalier Bankston
✧
Chevalier Benson
✧
Chevalier Camilla
✧
Chevalier Dansen
✧
Chevalier Dean
✧
Chevalier Drew
✧
Chevalier Dunkel
✧
Chevalier Ellie
✧
Chevalier Fayden
✧
Chevalier Francis
✧
Chevalier Franklin
✧
Chevalier Gibbs
✧

Chevalier Harrison
✧
Chevalier Honsu
✧
Chevalier Ivy
✧
Chevalier Jonas
✧
Chevalier Kelly
✧
Chevalier Koshof
✧
Chevalier Lavann
✧
Chevalier Linney
✧
Chevalier Mann
✧
Chevalier Mara
✧
Chevalier Moher
✧
Chevalier Nelson
✧
Chevalier Nurik
✧
Chevalier Phelan
✧
Chevalier Pierce
✧

Chevalier Polass

✧

Chevalier Radama

✧

Chevalier Rupert

✧

Chevalier Stone

✧

Chevalier Yancy

✧

Chevalier Quill

✧

Chevalier Rainbow

✧

Chevalier Sagwee

✧

Chevalier Terri

~

L'ORDRE

SIXIÈME GÉNÉRATION DES CHEVALIERS D'ÉMERAUDE

Chevalier Akarina
✧
Chevalier Aldian
✧
Chevalier Alex
✧
Chevalier Ali
✧
Chevalier Allado
✧
Chevalier Ambre
✧
Chevalier Analia
✧
Chevalier Andaraniel
✧
Chevalier Anton
✧
Chevalier Armil
✧
Chevalier Athalée
✧
Chevalier Aurelle
✧
Chevalier Bansal
✧
Chevalier Bélonn
✧
Chevalier Brianna
✧
Chevalier Brit
✧
Chevalier Cassildey
✧
Chevalier Célan
✧
Chevalier Chariff
✧
Chevalier Christer
✧
Chevalier Cidia
✧
Chevalier Cilian
✧
Chevalier Coralie
✧
Chevalier Cristelle
✧
Chevalier Cyril
✧
Chevalier Dalvi
✧
Chevalier Daviel
✧
Chevalier Deleska
✧
Chevalier Dianjin
✧
Chevalier Dollyn
✧

chevalier domenec
✧
chevalier donatey
✧
chevalier edessa
✧
chevalier édul
✧
chevalier émélianne
✧
chevalier esko
✧
chevalier falide
✧
chevalier fanelle
✧
chevalier fideka
✧
chevalier filip
✧
chevalier goran
✧
chevalier haspel
✧
chevalier héliante
✧
chevalier horacio
✧
chevalier indya
✧
chevalier ivanko
✧
chevalier jaake
✧
chevalier jakobe
✧

chevalier jaromir
✧
chevalier jenifael
✧
chevalier jinann
✧
chevalier jolain
✧
chevalier julia
✧
chevalier kaled
✧
chevalier keiko
✧
chevalier kilimiris
✧
chevalier lassa
✧
chevalier léode
✧
chevalier liam
✧
chevalier lianan
✧
chevalier loreli
✧
chevalier madul
✧
chevalier malède
✧
chevalier marika
✧
chevalier maryne
✧
chevalier maxense
✧

Chevalier Mercass

✧

Chevalier Mérine

✧

Chevalier Michal

✧

Chevalier Myung

✧

Chevalier Néda

✧

Chevalier Nikelai

✧

Chevalier Noah

✧

Chevalier Noémie

✧

Chevalier Norikoff

✧

Chevalier Nova

✧

Chevalier Odélie

✧

Chevalier Onill

✧

Chevalier Orlando

✧

Chevalier Osan

✧

Chevalier Otylo

✧

Chevalier Parise

✧

Chevalier Périn

✧

Chevalier Philin

✧

Chevalier Qilliang

✧

Chevalier Ranayelle

✧

Chevalier Romy

✧

Chevalier Ryun

✧

Chevalier Sahill

✧

Chevalier Saphora

✧

Chevalier Sédanie

✧

Chevalier Shandini

✧

Chevalier Shangwi

✧

Chevalier Shizuo

✧

Chevalier Shuhei

✧

Chevalier Sladek

✧

Chevalier Sora

✧

Chevalier Symilde

✧

Chevalier Syrian

✧

Chevalier Tara

✧

Chevalier Tazyel

✧

Chevalier Tédéenne

✧

Chevalier Thalie

✧

Chevalier Théa

✧

Chevalier Tidian

✧

Chevalier Tivador

✧

Chevalier Tomaso

✧

Chevalier Uhwan

✧

Chevalier Valici

✧

Chevalier Vassilios

✧

Chevalier Vélaria

✧

Chevalier Viyay

✧

Chevalier Waxim

✧

Chevalier Xéli

✧

Chevalier Xion

✧

Chevalier Zandor

✧

Chevalier Zoran

~

PROLOGUE

Dans le premier tome, *Le feu dans le ciel,* le Roi Émeraude Ier ressuscite un ancien ordre de chevalerie afin de protéger le continent d'Enkidiev contre les nouvelles tentatives d'invasion d'Amecareth, empereur du continent d'Irianeth et seigneur des hommes-insectes. Dotés de pouvoirs magiques, les nouveaux Chevaliers d'Émeraude sont enfin prêts à combattre l'ennemi.

La Reine Fan de Shola se présente au château qui les abrite et confie à Émeraude Ier sa fille Kira, l'enfant mauve alors âgée de deux ans. Wellan, le chef des Chevaliers, tombe amoureux de Fan, mais le Royaume de Shola subit le premier les attaques féroces des dragons de l'Empereur Noir et tous les Sholiens, y compris la belle reine, sont massacrés.

Les Chevaliers parcourent alors Enkidiev afin de trouver des volontaires pour creuser les pièges qui stopperont l'assaut des monstres.

Le deuxième tome, *Les dragons de l'Empereur Noir,* commence sept années plus tard. Maintenant âgée de neuf ans, Kira désire plus que tout au monde devenir Écuyer. Mais pour l'empêcher de devenir une cible facile pour Amecareth, Wellan et le magicien Élund refusent sa candidature.

Décidant de prendre son destin en main, la princesse mauve conjure le défunt Roi Hadrian d'Argent, jadis chef des anciens Chevaliers d'Émeraude, afin qu'il lui apprenne le maniement des armes.

Pendant ce temps, les dragons d'Amecareth s'infiltrent sur le territoire d'Enkidiev sous forme d'œufs flottant jusqu'aux berges de ses nombreuses rivières, où ils éclosent. Au même moment, Asbeth, le sorcier recouvert de plumes de l'empereur, s'attaque aux Chevaliers.

Comprenant qu'il ne pourra pas le vaincre à l'aide de ses seuls pouvoirs, Wellan se rend au Royaume des Ombres pour y recevoir l'enseignement des maîtres magiciens. Il y découvre des hybrides conçus par Amecareth et protégés par l'Immortel Nomar, qui veut s'assurer que leur père insecte ne les retrouve jamais.

Pendant que Wellan apprend à maîtriser de nouvelles facultés magiques, ses frères et ses sœurs d'armes traquent Asbeth dans les forêts du continent. Le sorcier s'empare alors du corps d'un jeune Elfe et conduit les Chevaliers sur le bord de l'océan pour les y anéantir. Mais, de retour de son exil dans le monde souterrain, Wellan fait échouer les plans de l'homme-oiseau.

Dans le troisième tome, *Piège au Royaume des Ombres*, Kira a quinze ans et ressent les premiers frémissements de l'adolescence. Elle réalise son rêve le plus cher : elle devient enfin Écuyer d'Émeraude.

Ressentant le besoin de s'unir à une compagne, Jasson et Bergeau se marient, imitant ainsi leurs compagnons Dempsey, Chloé et Falcon.

Au moment où Wellan visite le Royaume d'Argent, une magnifique pluie d'étoiles filantes signale la naissance du porteur de lumière, personnage central de la prophétie qui prédit la fin du règne d'Amecareth. L'Immortel Abnar, chargé par les dieux de veiller sur les humains, ramène aussitôt le bébé à Émeraude afin de s'occuper de lui.

Sur la plage d'Argent, la Reine Fan apparaît à Wellan pour l'avertir que les troupes d'Amecareth convergent vers Zénor. Tous les Chevaliers s'y rassemblent en vitesse. C'est après avoir éliminé seule les dragons de l'ennemi que Kira découvre finalement ses origines. Mais elle n'a pas le temps de s'apitoyer sur son sort, car les Chevaliers doivent répondre à un appel de détresse en provenance du Royaume des Ombres.

Aux abords du cratère de ce vaste pays recouvert de glace, Wellan est victime d'un sortilège d'Asbeth, qui a survécu à leur dernier duel et qui entend se venger. Ayant incendié le sanctuaire des hybrides, le sorcier poursuit impitoyablement la princesse mauve dans les galeries. Au moment où elle s'échappe sur les plaines enneigées de Shola, Asbeth est finalement neutralisé par la puissante magie de Nomar.

Ayant accompli leur mission, les Chevaliers rentrent à Émeraude, sans se rendre compte que le jeune Sage qu'ils ramènent avec eux est possédé par l'esprit vengeur du Chevalier Onyx. Sous les traits du jeune paysan innocent, le renégat prononce le serment d'Émeraude dans le château où il a jadis failli perdre la vie et rassemble les objets qui lui redonnent ses pouvoirs d'antan.

Dans le quatrième tome, *La princesse rebelle*, Kira, âgée de dix-neuf ans, devient enfin Chevalier et épouse Sage d'Émeraude, ignorant qu'il est possédé par l'esprit du renégat Onyx. Lorsque ce dernier se décide enfin à se venger d'Abnar, Wellan et les Chevaliers d'Émeraude doivent déployer toute leur force pour l'empêcher de détruire leur allié Immortel. Ils sont alors stupéfiés de constater la puissance qu'Abnar a jadis accordée aux anciens soldats de l'Ordre.

Une fois redevenu lui-même, Sage doit faire face à une vie dont il n'a aucun souvenir, mais Kira lui apprend patiemment tout ce qu'il doit savoir. Soumis à nouveau aux épreuves magiques d'Élund, le jeune guerrier démontre qu'il a toujours de grands pouvoirs, mais qu'il ne sait pas comment les utiliser. Il reviendra donc à Wellan de le guider.

Au milieu des célébrations organisées en l'honneur de Parandar, le chef des dieux, un homme agonisant se précipite dans la grande cour du Château d'Émeraude et annonce aux Chevaliers que des créatures inconnues dévastent la côte. N'écoutant que leur cœur, les valeureux soldats se précipitent au secours des villages éprouvés. Ils découvrent que des hommes-lézards ont enlevé les femmes et les fillettes du Royaume de Cristal et qu'ils continuent de remonter la côte. Les Chevaliers leur tendent donc un piège au Royaume d'Argent et les repoussent vers la mer.

De retour au château, Wellan épouse enfin Bridgess. Après la grande fête donnée en leur honneur, ils s'échappent d'Émeraude pour aller passer quelques jours seuls sur le bord de l'océan.

Dans le cinquième tome, *L'Île des Lézards*, guidés par leur courage et leur sens de la justice, les Chevaliers d'Émeraude se lancent au secours des femmes et des fillettes kidnappées au Royaume de Cristal par les lézards et emportées sur leur île lointaine.

Wellan n'emmène avec lui que quelques-uns de ses soldats, consternant les autres, qui devront rester de garde à Zénor. Les Chevaliers d'Émeraude s'embarquent donc pour cette périlleuse mission, accompagnés du Magicien de Cristal.

Pendant ce temps, dans les ruines du Château de Zénor, Dempsey prend en charge les jeunes Chevaliers et les Écuyers. Ils y affrontent un nouveau serviteur de l'Empereur Noir, encore plus cruel que le sorcier Asbeth. Wellan ayant défendu à ses soldats de communiquer avec lui tandis qu'il s'infiltre sur l'île des lézards, Dempsey et ses frères d'armes affrontent seuls cette nouvelle menace.

Dans le sixième tome, *Le journal d'Onyx*, le Chevalier Wellan découvre grâce à Kira le journal du renégat Onyx, dans lequel il apprend le sort qui sera réservé à ses propres soldats si l'Empereur Noir décide d'adopter la même stratégie militaire que jadis. Effrayé, il tente d'acculer le Magicien de Cristal au pied du mur afin d'obtenir de plus grands pouvoirs magiques.

Pendant ce temps, lancées par le sorcier Asbeth, des abeilles géantes attaquent Enkidiev et les Chevaliers doivent une fois de plus se porter au secours des habitants de toute la côte. Durant l'opération de sauvetage, Wellan règle définitivement ses comptes avec le Roi des Elfes. C'est aussi dans cette belle forêt que les dieux offrent à Bridgess et Wellan l'enfant qu'ils ne pouvaient concevoir.

De retour de cette campagne militaire, c'est un conflit diplomatique qui attend le grand chef de l'Ordre au Château d'Émeraude, car le Chevalier Nogait est amoureux de la Princesse des Elfes.

Dans le septième tome, *L'enlèvement*, la mort du magicien Élund chagrine tous les habitants du Château d'Émeraude. Conformément aux volontés de son ancien maître, Wellan remet les lettres qu'il a écrites à certains des Chevaliers et prononce son dernier discours. Il découvre aussi que le mage lui a légué un curieux bijou. Ce n'est qu'en démasquant une fois de plus Onyx dans le corps de Farrell que Wellan parvient à utiliser ce cadeau. Grâce au médaillon de Danalieth, le grand Chevalier apprend que son père se meurt aussi et il s'empresse de se rendre à son chevet avec toute sa famille.

Pendant que Fan presse Kira de terminer ses études magiques auprès des dieux, Asbeth prépare un autre plan diabolique, avec l'assentiment de l'Empereur Noir. Le sorcier déclenche une attaque sur la côte d'Enkidiev et réussit à s'emparer du Chevalier Kevin, qu'il surveillait depuis longtemps dans son chaudron ensorcelé.

C'est à ce moment que Wellan comprend que la puissante magie et les connaissances d'Onyx sont des atouts pour les Chevaliers dans cette guerre. Avec son aide, il réussit à arracher Kevin des griffes des hommes-insectes, mais il est trop tard : Kevin a déjà été empoisonné et il représente un grand danger pour les siens. C'est Onyx qui intervient cette fois encore pour le soigner. Mais les connaissances du renégat ont des limites et la transformation de Kevin devient inévitable.

Dans le huitième tome, *Les dieux déchus*, Wellan doit affecter les nouveaux Écuyers à des Chevaliers. Il s'aperçoit bien vite qu'il n'y a pas suffisamment de soldats pour tous ces jeunes, surtout que certains de ses hommes n'ont même pas terminé l'éducation militaire de leurs apprentis adolescents. Afin de venir en aide à son père, Jenifael recrute ses amis Liam et Lassa. Ensemble, ils utilisent un vieux sortilège pour faire vieillir ces Écuyers et augmenter le nombre de maîtres potentiels. Cependant, les trois enfants s'y prennent mal et leur magie perturbe le passage du temps à Émeraude.

Sous prétexte de revoir son village, Onyx reconduit la famille de Sutton au sud d'Émeraude. Il profite de ce séjour pour s'emparer de la griffe de toute-puissance façonnée par Danalieth mais cachée par la déesse Cinn pour empêcher les humains de se l'approprier.

Une fois les choses rentrées dans l'ordre à Émeraude, les Chevaliers procèdent à l'attribution des Écuyers dans la cour du château. Ils sont alors attaqués par des hordes de chouettes maléfiques créées par Akuretari. Heureusement, Onyx veille. Son courage et sa grande magie inciteront le peuple à le proclamer roi.

Dans le neuvième tome, *L'héritage de Danalieth*, les Chevaliers d'Émeraude, alertés par les Elfes, se précipitent dans leur royaume où ils font face à une invasion de scarabées bien différents de ceux qu'ils ont affrontés jusqu'à présent. Ils sont également attaqués par un dragon ailé que commande une curieuse créature à la peau bleue. C'est finalement Liam qui s'aperçoit que les nouveaux insectes se réfugient sous la terre pour échapper à leurs épées.

Onyx déniche un recueil ancien qui explique l'utilisation de trois des armes créées par Danalieth. Il arrive même à persuader Wellan de s'emparer de l'une d'elles en lui disant qu'ensemble, ils parviendront à triompher de tous leurs ennemis.

Atlance réussit à s'échapper des griffes d'Akuretari grâce à Jahonne, la mère de Sage, elle aussi emprisonnée par le dieu déchu. L'enfant est aussitôt confié à Armène, qui ne devra plus le laisser sortir de sa tour.

Pendant les combats, les Chevaliers perdent un courageux soldat aux mains des guerriers noirs. Tandis que les Fées emmènent le corps du capitaine Kardey, un homme tombe du ciel dans la cour du Château d'Émeraude. Ses habitants finissent par comprendre qu'il s'agit d'Hadrian d'Argent. Éplorée, Ariane se rend au royaume de son père afin de rendre un dernier hommage à son époux. Elle découvre que le Roi Tilly a réussi à ranimer Kardey en le changeant en Fée et que ce sont les hommes qui portent les enfants dans ce pays magique. Kardey porte en effet leur premier enfant.

Onyx part à la recherche du troisième instrument de pouvoir avec Wellan et Hadrian. Dans la forêt de Turquoise, ils trouvent Danalieth, qui s'y cache depuis des siècles. Malheureusement pour les humains, l'Immortel a déjà fait cadeau des bracelets de foudre à sa propre fille.

Bien décidé à venger l'enlèvement de son fils, Onyx se rend seul dans le nouvel antre d'Akuretari. Il n'arrive pas à vaincre le dieu perfide, mais il parvient tout de même à déménager la prison d'Abnar sous le palais d'Émeraude, où le pauvre Immortel devra demeurer jusqu'à ce que le Roi d'Émeraude trouve une façon de l'en extirper.

Pendant les festivités marquant les mariages de Santo et du magicien Hawke, les habitants du château sont de nouveau attaqués par un dragon ailé, qui enlève Sage.

Dans le dixième tome, *Représailles*, presque au terme de leur incubation, les larves s'apprêtent à sortir de leur sommeil. Après avoir savouré quelques années de paix, les Chevaliers doivent donc se préparer à débarrasser Enkidiev de ce nouveau fléau.

Hadrian, l'ancien Roi d'Argent, devient un personnage de plus en plus important dans la stratégie de défense du continent. Il doit aussi agir à titre de diplomate lorsque son ami Onyx tente de se servir de vieux documents pour s'emparer du Royaume de Diamant.

Le renégat délivre finalement Abnar de sa prison de cristal, mais Hadrian lui fait finalement entendre raison et le prive ainsi de sa vengeance. Enfin libre, Abnar retourne vers ses maîtres célestes pour leur raconter ce qui se passe dans le monde des hommes.

Comme si le réveil des larves n'était pas suffisant, l'Empereur Noir, frustré par les incessants déboires de son sorcier, se décide à passer lui-même à l'attaque. Il détruit la tour du magicien Hawke, alors que ses jeunes élèves sont à l'intérieur, et enlève Liam. En tentant d'échapper à son ravisseur, l'Écuyer dégringole des volcans jusque dans les Territoires inconnus, où il est secouru par un peuple de curieux hommes félins. Mais au lieu de l'aider à rentrer chez lui, ils le vendent à des araignées géantes qui raffolent des humains.

Fou de douleur, Onyx cherche à devancer la prophétie pour mettre fin à la guerre. Malheureusement, Akuretari profitera de sa décision insensée pour enlever Kira et l'emprisonner dans le passé.

1

Le contrechoc

Le vent glacial eut raison de l'immobilité de Kira. Depuis un moment, son esprit analysait la teneur des paroles du dieu déchu : *On peut difficilement cloîtrer la descendante d'un dieu et d'un grand sorcier dans un cachot ordinaire. J'ai donc choisi pour toi une vaste prison que tu ne pourras jamais quitter, malgré tous tes pouvoirs. Je t'ai fait reculer dans le temps. Quand tu seras prête à me servir, tu n'auras qu'à prononcer mon nom.* Kira avait pourtant appris du Magicien de Cristal qu'il était impossible de se déplacer physiquement dans le temps, mais Akuretari possédait des pouvoirs bien plus grands que tous les magiciens du monde réunis. Cependant, lorsqu'il avait emprunté l'aspect de Nomar, jadis, la divinité avait menti à Jahonne, à Wellan et même à Sage. Lui avait-il menti à elle aussi ?

Kira refusa de paniquer même si son épée double venait de disparaître de ses mains. Avec confiance, elle se mit à chercher ses frères d'armes à l'aide de ses sens magiques, puis les appela avec son esprit. Ils n'étaient nulle part.

– C'est donc à moi de trouver du secours, décida-t-elle.

Hathir ne l'ayant pas accompagnée dans sa mésaventure, Kira entreprit à pied le long trajet vers le sud en se frottant les bras pour se réchauffer. À sa grande surprise, elle ne repéra pas, sur la falaise de Shola, le sentier creusé par ses ancêtres pour descendre au pays des Elfes. Abnar lui avait pourtant raconté qu'il avait été façonné par les Sholiens des centaines d'années auparavant pour faire le commerce des pierres précieuses...

Kira fut donc forcée d'utiliser la lévitation pour descendre au pied de l'escarpement. Elle suivit la rivière Mardall jusqu'à la tombée de la nuit et dormit en boule au pied d'un arbre. Au matin, elle cueillit des fruits, but de l'eau et se remit en marche. Son périple dura plusieurs jours. Lorsqu'elle atteignit finalement ce qui aurait dû être la frontière séparant le Royaume d'Argent de celui des Fées, Kira ne vit ni la grande muraille élevée par le Roi Cull, ni les merveilles créées par les ancêtres du Roi Tilly. Elle sonda la région et ne découvrit aucune trace de vie. De plus en plus inquiète, elle piqua vers Émeraude.

La princesse mauve utilisa une fois de plus ses facultés surnaturelles pour franchir le cours d'eau. En avançant d'un bon pas, elle examina la végétation et la maturité des fruits dans les arbres. Elle devina ainsi que la saison chaude s'achevait. Les pluies s'abattraient bientôt sur Enkidiev. Il lui faudrait donc un abri étanche durant les prochains mois si elle n'arrivait pas à se soustraire au sortilège d'Akuretari.

Tandis qu'elle traversait un grand champ dominé par le pic majestueux de la Montagne de Cristal, son estomac se contracta tout à coup : un danger la guettait ! Elle ralentit le pas, tous ses sens en alerte. Les larves l'avaient-elles suivie dans ce cauchemar ? La terre se mit à trembler sous ses pieds.

– Mais qu'est-ce que...

Elle n'avait pas fini de prononcer ces mots qu'au nord se profilèrent les silhouettes d'immenses dragons. Ils se dirigeaient vers le sud au galop. Or, il n'y avait aucune cachette sur cette immense plaine. L'intuition de Kira lui recommanda de ne pas fuir : ce geste aurait tôt fait d'attirer les prédateurs. Elle se laissa donc tomber sur le sol et serra ses jambes contre elle, se faisant aussi petite que possible. Elle ravala un cri de stupeur lorsque les énormes pattes martelèrent le sol à sa gauche et à sa droite. La cavalcade dura de longues minutes. Kira ne respirait plus. Elle n'aurait pas hésité un instant à affronter une seule de ces bêtes, mais pas tout un troupeau. « Comment sont-elles arrivés ici ? » s'étonna-t-elle.

Les secousses cessèrent enfin. La Sholienne releva doucement la tête au-dessus des graminées. La bande de monstres était déjà très loin.

– Il faut que ce soit un rêve, murmura-t-elle pour se rassurer.

Elle hâta le pas vers son pays d'adoption, sans jamais rencontrer de fermes, ni de cultures. L'appréhension qu'elle éprouvait se mua en certitude lorsqu'elle atteignit enfin la base de la montagne. En temps normal, elle aurait dû voir les tours d'Émeraude, mais la trouée où le château s'élevait était vide ! Kira escalada le pan rocheux pour avoir une meilleure vue du pays. Elle s'assit sur une corniche d'où elle pouvait voir aussi loin que les montagnes de Béryl, au sud, et la chaîne de volcans fumants, à l'est. Mais il n'y avait ni forteresse, ni villages...

Incapable de se retenir plus longtemps, la Sholienne éclata en sanglots. Son châtiment était encore pire que la mort. Elle était seule au monde dans un univers qu'elle ne reconnaissait pas.

– Mama..., hoqueta-t-elle.

Elle ne reçut aucune réponse. Elle appela Dylan, Abnar et même Parandar. Le ciel semblait l'avoir abandonnée. Les paroles d'Akuretari résonnèrent alors dans son esprit. Pour sortir de ce mauvais pas, il lui suffisait de prononcer son nom et de devenir sa marionnette.

– Pas question ! se fâcha la Sholienne.

Elle parvint à se calmer afin de raisonner clairement. Elle avait reculé dans le temps, à une époque où les humains n'avaient pas encore bâti leurs châteaux. « Quand était-ce donc ? » Elle remercia intérieurement le Magicien de Cristal de l'avoir obligée à étudier l'histoire. Il y avait peu d'ouvrages sur la période précédant la monarchie d'Enkidiev, mais elle en avait trouvé deux. Les grands chroniqueurs de cette époque s'entendaient pour dire que les premiers habitants, soit les Enkievs, avaient réussi à maîtriser suffisamment leur environnement pour permettre l'édification des premières cités. C'était avant l'arrivée des Fées et des Elfes.

– Il est donc en mon pouvoir de changer le cours des événements, comprit-elle.

Rien ne l'empêchait en effet de débarquer sur Irianeth et d'éliminer l'ancêtre d'Amecareth, sinon toute sa race. Elle sauverait ainsi les futurs humains de sa domination. Mais comment se rendre là-bas sans embarcation ? Ses pouvoirs de lévitation lui permettaient certes de descendre d'une falaise ou de sauter par-dessus une rivière, mais de là à traverser tout un océan... Elle avait appris beaucoup de choses auprès d'Abnar, mais pas à construire un bateau ni à maîtriser les déplacements dans l'espace.

Quelque peu découragée, elle s'endormit sur la pierre froide. Ce fut la faim qui la réveilla. L'absence de paysans tirant du sol tous leurs merveilleux produits lui posait un problème de taille. Kira se souvint alors des vergers qui s'alignaient au sud du château. Mais existaient-ils dans ces temps immémoriaux ? Elle quitta son perchoir pour mener son enquête. Le cœur serré par la tristesse, elle marcha dans un champ qui aurait dû être la grande cour. Les douves étaient inexistantes. Elles avaient donc été creusées par les Émériens.

– Armène avait raison de dire que c'est lorsqu'on perd quelque chose qu'on s'aperçoit à quel point on l'appréciait, soupira-t-elle.

Elle aurait tout donné pour retrouver la sécurité de ses appartements royaux. Le cœur lourd, elle poursuivit sa route vers les arbres fruitiers pour se rendre compte, avec soulagement, qu'ils poussaient déjà à l'état sauvage. Elle se gava de pommes mûres. Au moins elle ne mourrait pas de faim, le temps de trouver une solution pour revenir dans le présent. La chaleur devenant de plus en plus insupportable, elle se défit de son armure et la suspendit à une haute branche, loin des rongeurs.

– Par où commencer ?

En attendant d'avoir une idée brillante, elle retourna à la montagne. À l'aide de ses pouvoirs, elle pourrait certainement creuser une tanière avant l'arrivée de la pluie. Elle trouva l'emplacement parfait, à une hauteur où le plus grand des dragons ne pourrait pas lui arracher le cœur. Utilisant les rayons ardents de ses mains, elle fit exploser le roc. De gros morceaux de pierre s'écrasèrent lourdement au pied de la falaise. Kira ne termina son travail de forage qu'au coucher du soleil. Elle regretta alors d'avoir accroché sa gourde à sa selle plutôt qu'à sa ceinture.

Prudente, elle étudia les alentours à partir de son perchoir avant de se risquer jusqu'à la rivière Wawki. Il n'y avait aucun prédateur en vue, mais ces bêtes se déplaçaient si rapidement... La Sholienne ne devait pas perdre une seconde. Elle se laissa glisser le long de la paroi, freinant sa descente avec ses griffes, puis courut entre les arbres. « Maintenant, je sais comment se sentent les lapins », songea-t-elle. Elle s'accroupit sur le bord de l'eau et but tout son saoul. Derrière elle, les derniers rayons de l'astre du jour coloraient la montagne de chaudes teintes. Malgré la beauté du paysage, Kira devait retrouver la sécurité de son sanctuaire avant l'obscurité, car si ces dragons étaient bel et bien les ancêtres de ceux d'Irianeth, ils devaient surtout chasser la nuit.

Elle décrocha son armure de l'arbre pour la ramener dans la caverne qu'elle avait aménagée. Ce n'était pas le matelas dont elle rêvait, mais elle lui permettrait de dormir plus confortablement que sur la pierre froide. Elle se lova autour de la croix de l'Ordre et observa la lune par l'ouverture de la grotte. Les bons soins d'Armène et d'Émeraude Ier, ainsi que les cours d'Abnar, avaient fait d'elle une jeune femme éduquée et son apprentissage auprès de Bridgess et d'Hadrian d'Argent l'avait transformée en une redoutable guerrière. Toutefois, rien de ce qu'elle avait appris ne l'avait préparée à survivre sans les ressources qu'elle avait toujours tenues pour acquises.

– Je sais chasser et apprêter le gibier, se dit-elle pour se consoler.

Elle ne connaissait cependant pas la façon de préparer les peaux de bêtes pour s'en faire des vêtements.

– Je ne sais même pas d'où vient le thé...

Elle s'endormit sur ces sombres pensées.

Des cris stridents la réveillèrent au matin. Elle passa doucement la tête hors de son abri sans apercevoir l'animal qui les avait poussés.

– C'est un peu trop familier, s'alarma-t-elle.

Kira se perdit dans ses souvenirs : elle avait entendu le même cri le soir du mariage de son frère d'armes Santo, lors de l'attaque sournoise du dieu déchu, d'Asbeth et du dragon ailé ! Elle recula vivement pour éviter que le vent ne transporte son odeur jusqu'aux narines du monstre. C'était une créature semblable qui avait enlevé Sage.

– Si je tue tous les dragons du passé, je pourrais sans doute sauver mon mari dans le futur, raisonna-t-elle.

Ses oreilles se rabattirent tristement sur ses cheveux.

– Mais je ne serais plus là pour le serrer dans mes bras...

La blessure de son cœur se rouvrit. Elle bondit sur la corniche avec l'intention de venger le meurtre de l'homme de sa vie. L'énorme mâle tout noir venait de se poser à l'endroit même où, un jour, les humains construiraient le château. Non loin, quelques femelles s'avançaient, en groupe serré, attirées par ses lamentations.

– Il n'est pas question que tu conçoives d'autres assassins ! se hérissa-t-elle.

Un halo violet jaillit de la poitrine de la Sholienne et enveloppa ses bras. Elle le laissa partir sans sourciller, frappant le dos du mâle. Il s'écrasa en faisant trembler la terre. Effrayées, les femelles voulurent prendre la fuite. Un torrent de larmes coulant sur ses joues, Kira les foudroya. Elle multiplia les salves jusqu'à ce que les bêtes ne soient plus que des carcasses fumantes au fond d'une profonde crevasse. Vidée de ses forces, la femme Chevalier tomba sur les genoux. « C'est moi qui ai creusé les fondations du palais », comprit-elle en contemplant le ravage.

Elle demeura un long moment sur l'étroit tablier de pierre, tremblant de tous ses membres, sans se rendre compte que de nombreux yeux l'épiaient. Se sentant incapable de redescendre sur le sol, elle retourna dans la grotte. Au bord du désespoir, elle se servit de sa magie pour faire connaître son sort à ceux qu'elle aimait. Avec un petit rayon très concentré, elle grava ces mots sur la paroi rocheuse :

J'ai été emprisonnée dans le passé.
Je ne sais plus comment revenir parmi vous.

Kira

Elle s'affaissa sur sa cuirasse. Ses pensées la ramenèrent aussitôt à sa mère. Le seul moyen de sortir de ce mauvais pas était-il vraiment la mort ? Kira refusait cette solution. Elle avait été entraînée à se battre, pas à capituler. De toute façon, rien ne prouvait qu'elle retrouverait la Reine Fan dans l'au-delà. En son absence, qui lui enseignerait son rôle de maître magicien ? Abnar n'existait pas encore. Danalieth ? Elle ignorait l'année exacte de son apparition dans le monde.

– Il ne me reste qu'une chose à faire : détruire les hommes-insectes avant qu'ils ne soient légion.

Elle dormit encore quelques heures. Son estomac la tira finalement du sommeil : elle était affamée. Elle sortit de la caverne en se demandant s'il restait suffisamment de viande sur les cadavres brûlés des dragons pour s'en rassasier. Elle s'arrêta net en trouvant, au pied de la montagne, une table de bois chargée de victuailles. Kira sonda le périmètre du cratère sans trouver qui que ce soit.

– Un présent de mon grand-père détrôné ? railla-t-elle.

Elle dévala la pente abrupte pour examiner l'offrande de plus près. Des bols de terre cuite contenaient des baies, des pommes, des œufs et de tout petits poissons argentés. Elle passa la main au-dessus de cet autel de fortune. Il n'avait pas été fabriqué par Akuretari. Elle y capta plutôt l'énergie d'êtres humains.

– Des Enkievs ? se réjouit-elle.

Les livres d'histoire prétendaient que ces premiers habitants du continent étaient pacifiques et ingénieux. Ils avaient jeté les bases de la monarchie au Royaume de Rubis.

– Qui se trouve à l'est d'Émeraude, se rappela la femme Chevalier.

Elle avala d'abord la nourriture pour faire taire son ventre, ses yeux épiant sans cesse l'orée des bois. Les Enkievs lui avaient-ils apporté ce festin pour la remercier d'avoir occis les dragons ? Une fois repue, elle alla boire de l'eau à la rivière. Un mouvement dans les fougères attira son attention.

– Qui êtes-vous ? cria-t-elle en se redressant.

Ses sens magiques l'informèrent qu'une dizaine de personnes la surveillaient derrière les arbres de la rive opposée.

– J'ai besoin de vous !

Après une longue hésitation, une jeune femme sortit de sa cachette. Menue et pas plus grande que Kira, elle portait ses cheveux noirs en une longue natte dans son dos. Sa tunique aux tons de terre semblait faite de nombreuses peaux d'animaux cousues ensemble. Son trait le plus marquant était un tatouage qui partait de sa joue droite, couvrait tout son front et s'arrêtait sur l'autre joue. La Sholienne était encore trop loin pour en distinguer les motifs.

– Je vous en prie, aidez-moi, supplia Kira.

L'étrangère entra dans l'eau avec précaution. Des protestations s'élevèrent derrière elle. Apparemment, les gens de son clan ne partageaient pas sa fascination pour le soldat mauve. L'Enkiev traversa tout de même la rivière à la nage et grimpa sur la berge. Elle s'approcha lentement de Kira, émerveillée de se trouver en sa présence.

– Vous êtes venue, lui dit-elle dans la langue des Anciens.

– Ce n'était pas mon idée, avoua la guerrière dans le même langage.

Heureusement qu'elle avait appris ce dialecte auprès du Magicien de Cristal, sinon Kira aurait été incapable de se faire comprendre.

– Le ciel nous a promis de l'aide.

– Moi ?

L'Enkiev hocha doucement la tête.

– Je suis Nouara. Les dieux me parlent dans mes rêves.

– Et moi...

– Vous êtes Kira.

La Sholienne était si stupéfaite que plus aucun son ne voulut sortir de sa gorge.

– Je vous en prie, faites-nous l'honneur de nous suivre jusqu'au village.

Nouara prit sa main et l'entraîna vers la rivière. Sa régression dans le passé ne l'ayant pas guérie de sa peur de l'eau, Kira préféra voler au-dessus des flots en entraînant sa bienfaitrice avec elle. Lorsqu'elles se posèrent sur le sol, les compagnons de l'Enkiev se prosternèrent, face contre terre.

2

UN SOUVERAIN CONTRARIÉ

Les Chevaliers d'Émeraude cherchèrent Kira, en vain. Elle n'était ni sur le continent, ni ailleurs. Pour éviter que la prophétie ne s'accomplisse, Akuretari avait donc tout mis en œuvre. Lassa se sentit soulagé de ne pas être précipité sur Irianeth avant d'avoir terminé sa formation d'apprenti, mais la disparition de sa bonne amie et protectrice le plongea dans un grand désarroi.

La gorge serrée, il suivit Wellan et son groupe dans le vortex étincelant. Les imagos faisaient désormais surface dans tous les pays. Ce n'était donc pas le moment de s'attarder sur la côte. Le porteur de lumière se doutait que son maître ferait bientôt appel à la Reine Fan pour retrouver Kira. Seul un maître magicien, ou un Immortel, pouvait savoir ce qui se tramait dans les mondes invisibles. Si le dieu déchu s'était emparé de la Sholienne, Fan serait en mesure de faire quelque chose.

Swan vit sur le visage de son époux le signe qu'il n'acceptait pas cette défaite. Onyx était un homme extrêmement ambitieux. Il allait toujours au bout de ses plans. Il ne comprenait pas comment la Sholienne avait disparu. Toutefois, il n'avait pas l'intention de laisser un sorcier, un empereur ou un dieu déchu l'empêcher de mettre fin au règne de terreur des hommes-insectes. Swan choisit alors de se joindre à sa troupe, plutôt que d'accompagner son mari. Elle serait effectivement plus utile à ses enfants en empêchant les larves affamées de les atteindre au Royaume d'Émeraude. Elle ne suivit donc pas Onyx lorsqu'il annonça qu'il rentrait au château.

Le souverain contrarié apparut dans le vestibule du palais. Ses arrivées à l'improviste indisposaient sa horde de serviteurs, mais Onyx ne s'en rendait pas compte. Lorsqu'il revenait ainsi chez lui, son esprit était préoccupé et n'enregistrait plus rien. Cette fois, par contre, il sursauta en arrivant face à face avec Hadrian. L'ancien roi avait revêtu l'armure des Chevaliers et s'apprêtait à rejoindre ses hommes.

– À en juger par ton expression, les choses ne se sont pas passées comme prévu, remarqua ce dernier.

Piqué au vif, Onyx voulut poursuivre sa route, mais Hadrian lui saisit fermement le bras.

– Tu es le seul homme à pouvoir faire ce geste sans perdre la vie, grommela le renégat.

– Je suis aussi le seul qui sache faire appel à ta raison. Tu n'es plus un soldat, Onyx. Tu es un roi. Commence à te comporter comme un roi.

– Je ne resterai pas écrasé sur mon trône jusqu'à ce que mes os s'y soudent.

– Est-ce ce que j'ai fait ?

– Je ne pourrai jamais être comme toi. Quand le comprendras-tu ?

– Ce n'est pas ce que je te demande. Je veux seulement que tu prennes le temps de m'écouter.

Onyx libéra son bras.

– Lorsqu'on tente de devancer les événements, on court irrémédiablement à la catastrophe, lui rappela son ami.

– Je veux sauver mon peuple et ma famille pendant que je le peux.

– Tu y parviendras en respectant la volonté des dieux. Ils nous promettent la victoire : c'est écrit dans le ciel. Ils nous ont même fait cadeau des deux personnages qui détruiront Amecareth.

Le renégat poussa un cri de rage qui fit fuir les servantes qui s'apprêtaient à traverser le vestibule.

– Tu ne peux pas les emmener sur Irianeth avant que les astres ne soient au bon endroit, poursuivit Hadrian, nullement impressionné par la mauvaise humeur du souverain.

– En ce moment, ce n'est pas envisageable : Kira a disparu.

– Quoi ?

Onyx lui raconta ce qui s'était passé à Shola.

– En l'absence de la princesse sans royaume, nous avons un sérieux problème, convint Hadrian.

Le Roi d'Émeraude commença à monter l'escalier, sous le regard étonné de son vieux copain.

– Où vas-tu comme ça ?

– Je m'en vais réfléchir, lança Onyx. N'est-ce pas ce que tu veux ?

Il poursuivit sa route sans qu'Hadrian l'arrête, ce dernier ne pouvant pas se permettre de rester plus longtemps au château. Falcon et ses soldats avaient besoin de lui sur les terres de Diamant. Il fit un pas en direction de la sortie, puis se ravisa. Une alarme venait de retentir dans son esprit. L'air provocant d'Onyx venait de lui rappeler tous les gestes téméraires de son ancien lieutenant. « La même flamme de défi brillait dans ses yeux jadis », s'alarma-t-il.

Falcon, comment vous débrouillez-vous ? demanda-t-il par télépathie.

Plus nous en fauchons, plus il en vient d'autres, l'informa le Chevalier découragé. *C'est un véritable cauchemar.* Pour la première fois en cinq cents ans, Hadrian se sentit déchiré intérieurement entre son devoir de soldat et son amitié pour Onyx.

Êtes-vous capables de tenir encore un peu sans moi ? poursuivit-il. Il ressentit l'inquiétude de Falcon dans sa réponse et le rassura immédiatement, en lui promettant d'être à ses côtés dès qu'il aurait réglé un petit problème domestique. L'ancien roi ne voulait surtout pas tourmenter le reste de l'armée, qui entendait leurs paroles. Il conserva par conséquent un ton jovial qui apaisa aussi son lieutenant.

Hadrian grimpa ensuite à l'étage royal. Personne n'avait vu Sa Majesté. « S'est-il arrêté juste en dessous, à la bibliothèque ? » s'interrogea-t-il. Il sonda tout le palais avec ses sens surnaturels. Il capta effectivement une présence magique dans la bibliothèque et s'y rendit sur-le-champ. Sur place, Hawke tapait du pied devant Cameron et Nartrach. Assis à une petite table de bois, les deux enfants ne semblaient pas très heureux de leur sort.

– Il y a aussi Atlance et Fabian, protesta Cameron.

– Vous reprendrez vos études lorsque l'empereur sera mort, répliqua l'Elfe magicien.

– Nous voulons devenir des Écuyers et servir les Chevaliers, réclama Nartrach. Nous ne pourrons jamais le faire si nous ne maîtrisons pas la magie.

– Je suis désolé, les enfants, mais mon devoir est maintenant de seconder sire Wellan.

Hadrian remarqua avec surprise que le professeur ne portait plus la longue robe blanche des mages. Il avait revêtu une cuirasse en tous points semblable à la sienne.

– Pardonnez-moi, les interrompit l'ancien roi.

Hawke fit volte-face, comme s'il s'attendait à trouver Amecareth derrière lui. Il fut soulagé de reconnaître les traits d'un ami.

– Pourquoi portez-vous cet uniforme ? voulut savoir ce dernier.

– J'ai décidé de participer.

– Vous avez subi de graves blessures, maître Hawke.

– Les guérisseurs de l'Ordre m'ont habilement rapiécé, comme vous pouvez le constater.

– Ce serait une grande perte pour nous si vous deviez tomber au combat.

– On le lui a répété au moins cent fois, grommela Cameron.

Hadrian observa le charmant minois du demi-Elfe.

– Et je leur ai répondu cent fois que je n'avais pas l'intention de mourir, affirma Hawke en jetant un regard rempli d'avertissements aux garçons. Je ne peux plus rester ici alors que les insectes s'emparent de nos terres.

– J'imagine que Wellan sera mieux placé que moi pour juger de votre aptitude à vous battre, déclara Hadrian avec diplomatie. Pour l'instant, je cherche le Roi Onyx.

– Il est venu tout à l'heure, l'informa Nartrach. Il semblait pressé.

– Il a pris quelque chose et il a disparu, ajouta Cameron.

– Et moi qui pensais que vous m'écoutiez, leur reprocha Hawke.

– L'un de vous a-t-il vu cet objet ? poursuivit Hadrian.

Cameron sauta avec souplesse sur le sol et mena son aîné jusqu'à une table, où un livre était ouvert.

– Je pensais qu'il s'agissait d'un coffre, avoua l'enfant, déconcerté. Il a plongé la main dedans et quand il l'a ressortie, il tenait une sorte de petite toupie.

L'ancien monarque retourna le vieil ouvrage vers lui. L'écriture semblait être de l'elfique, mais il fut incapable d'en déchiffrer le sens. Il ne s'agissait pas non plus de la langue des Anciens. Hadrian leva un regard interrogateur sur Hawke.

– Reconnaissez-vous ce livre ?

– Je l'ai déjà vu sur la table de travail de maître Élund, autrefois, indiqua Hawke. Je crois qu'il faisait partie de sa collection privée.

– Je ne parviens pas à identifier cette écriture.

– C'est du Sholien.

– Vous pouvez me traduire ce passage ?

– Malheureusement, non. Je n'ai pas eu le temps d'apprendre cette langue unique au monde.

– On dirait que le roi la connaît, lui, commenta Nartrach.

– Il a appris beaucoup de choses après la première invasion, en effet, soupira Hadrian. Y a-t-il quelqu'un ici qui puisse m'éclairer ?

La pièce devint glaciale. Craignant une nouvelle attaque, les garçons se collèrent sur les jambes de leur professeur. Toutefois, au lieu d'un maléfique coléoptère, une ravissante femme toute blanche apparut au milieu d'une gerbe d'étincelles argentées.

– Est-ce que c'est elle ? chuchota Cameron dans l'oreille de Nartrach.

Le garçon se contenta de hausser les épaules.

– *Sire Hadrian*, le salua le fantôme d'une voix sépulcrale. *Je suis le maître magicien Fan de Shola.*

– Avez-vous entendu ma requête ? s'émerveilla l'ancien roi.

Jamais il n'avait vu un visage aussi gracieux. Les longs cheveux de la défunte reine atteignaient sa taille. Ils ondulaient doucement, agités par une brise venant de l'au-delà. Ses iris argentés étaient hypnotiques.

– *Je traversais ce royaume, à la recherche de ma fille.*

– Nous venons justement d'apprendre qu'elle a été enlevée par Akuretari, le dieu déchu. Nous ignorons où il l'a emmenée.

Cette nouvelle déconcerta Fan pendant un instant et, même si elle se donna tout de suite une contenance, Hadrian ressentit sa vive inquiétude.

– *Ce renseignement me sera fort utile, sire. En retour, je vous accorde ce que vous avez demandé.*

Elle se dématérialisa sans même battre d'un cil. Hadrian baissa les yeux sur le vieux livre. Les mots en Sholien s'étaient transformés en mots de la langue moderne. Il les parcourut rapidement et éprouva un vertige.

– Je vais lui casser le cou, maugréa-t-il à voix basse.

Puis il planta ses yeux d'acier dans ceux de l'Elfe.

– Si vous désirez vraiment jouer un rôle plus actif dans cette guerre, suivez-moi, ordonna-t-il.

Hawke accepta d'un vif hochement de la tête. Hadrian appuya sa main sur la croix gravée dans la cuirasse du magicien. Ils disparurent aussitôt, laissant les garçons pantois.

3

Le facteur de croissance

Toute la journée, le groupe de Chloé et de Dempsey tenta d'empêcher les larves d'atteindre les murailles de la forteresse d'Opale, avec l'aide des soldats du roi. La carapace des imagos durcissait cependant rapidement et les Chevaliers n'avaient aucun doute sur l'efficacité de leurs longues griffes, même si elles étaient molles à leur sortie du sol. Les larves comprendraient assez rapidement la façon de s'en servir pour escalader la pierre.

Les Écuyers, maintenant âgés de seize ans, avaient acquis tellement d'expérience depuis l'infestation ennemie que leurs maîtres n'étaient pas forcés de les surveiller étroitement. Il incombait plutôt aux apprentis de ne pas perdre leur Chevalier de vue.

Jenifael se faisait un devoir de se battre de la même façon que ses amis : avec son épée ou des rayons incandescents. Elle craignait toutefois d'utiliser ses facultés incendiaires sur cette vaste plaine d'herbe jaune. Swan ne la poussait pas non plus à s'en servir, car le but des soldats était de freiner la poussée des larves, pas de détruire tout le pays. Dirigeant habilement son cheval au galop, la jeune déesse balançait donc sa lame et fauchait les têtes et les bras des scarabées tandis que leurs articulations étaient encore tendres. Elle évitait ainsi de s'infliger des blessures inutiles.

Curieusement, au coucher du soleil, les imagos retournèrent sous terre. Dempsey étudiait le champ de bataille, où il n'y avait plus que des humains, lorsque le capitaine de la garde d'Opale fit trotter son cheval jusqu'à lui.

– Ils étaient bien trop nombreux pour que nous les ayons tous tués, s'énerva-t-il.

– En effet, répondit calmement Dempsey. Nous ne comprenons pas encore leur comportement. Nous n'avions affronté, jusqu'à aujourd'hui, que des scarabées ayant atteint leur pleine maturité. Ces spécimens plus jeunes sont vraiment déroutants.

– Sortiront-ils de leurs trous, cette nuit ?

– Je ne le crois pas, mais il est plus prudent de demeurer sur nos gardes jusqu'au lever du soleil.

Les Opaliens ramenèrent les Chevaliers à l'intérieur des remparts, où ils pourraient dormir en sûreté. Le Roi Nathan leur offrit tout de suite l'hospitalité dans son palais, mais les vaillants soldats déclinèrent son invitation. Ils préférèrent établir leur campement près des grandes portes, afin de réagir rapidement en cas d'attaque. Les paysans leur apportèrent donc du bois et allumèrent un feu. Ils leur firent ensuite rôtir de la viande.

Une fois qu'ils eurent dessellé leurs chevaux, les Écuyers s'empressèrent de rejoindre leurs maîtres, heureux de profiter d'un repas chaud.

– À mon avis, le cycle nocturne des guerriers noirs leur est inculqué par la force, lança Nogait après avoir avalé tout le contenu d'un hanap de vin.

– Je suis d'accord, l'appuya Chloé. Sans entraînement militaire, ces créatures suivent davantage leur instinct.

– Il peut aussi s'agir d'un subterfuge, riposta Dempsey. Soyons prudents.

Swan vida son écuelle en écoutant les commentaires de ses compagnons au sujet du traitement que l'empereur réservait à ses serviteurs. Nogait avait raison de prétendre que cette bataille ressemblait davantage à une partie de chasse. Ces coléoptères ne se comportaient pas comme une armée déterminée à conquérir un nouveau territoire. S'ils avaient eu un soupçon de discipline, Enkidiev aurait été forcée de capituler après à peine quelques jours de combats. Ces imagos ne voulaient que se nourrir.

– Comme les rats géants, jadis, se rappela Jenifael, assise près d'elle.

La fougueuse femme Chevalier ne se souvenait que trop bien de cet épisode, car ces rongeurs avaient attaqué le royaume où elle avait vu le jour, celui-là même qu'elle défendait encore.

– Sans Kira pour les éliminer d'un seul coup, les larves feront sans doute beaucoup de dommages avant que nous n'arrivions à les stopper, déplora Swan.

– Si vous le jugez nécessaire, j'utiliserai mes flammes pour les faire griller, offrit Jenifael.

– Sa Majesté Onyx ne nous a-t-elle pas dit que leur chair est délicieuse, une fois leur carapace arrachée ? plaisanta Nogait.

– Sa Majesté s'amuse souvent à nos dépens, rétorqua Swan. Elle aime faire réagir les gens.

– Mais vous ne pourriez pas vivre sans Onyx, n'est-ce pas ? voulut lui faire avouer Jenifael.

La guerrière la fixa dans les yeux un moment.

– Non..., s'étrangla-t-elle.

– Même s'il n'est plus celui que vous avez épousé ?

– J'ai appris à apprécier ses qualités, différentes de celles de Farrell.

– Et ses défauts ? la taquina Nogait.

– Il n'en a qu'un seul : la convoitise.

Chloé lui jeta un regard noir, mais se garda de faire une remarque. Hadrian d'Argent lui avait promis de faire entendre raison à Onyx au sujet du décret qu'il voulait imposer au Royaume de Diamant. Chloé avait donc choisi d'être patiente.

– Il veut devenir l'Empereur d'Enkidiev, n'est-ce pas ? s'enquit Derek.

– Il pense même annexer Irianeth, leur apprit Swan.

Ils éclatèrent tous de rire, ce qui détendit l'atmosphère.

– Donnez-moi une harpe ! exigea Nogait. Je vais vous chanter une chanson sur les extravagances du Roi Onyx !

– Tu ne sais pas jouer de la harpe, lui rappela Herrior.

– C'est juste pour m'accompagner, une corde à la fois.

Un Opalien fonça vers le palais pour lui en trouver une. Swan porta alors son attention sur sa protégée. Elle crut remarquer une subtile transformation de sa physionomie.

– On dirait que tu es à l'étroit tout à coup dans ta tunique, observa-t-elle.

– Mon corps change, chuchota Jenifael, pour que ses amis ne l'entendent pas.

Swan l'obligea à la suivre jusqu'à l'endroit où les Écuyers avaient attaché les chevaux, afin de pouvoir parler en paix. Elle constata que l'adolescente était presque de sa taille.

– Tu es sur le point de devenir une femme, mais il me semble que cette croissance est bien soudaine.

Comme ses compagnons Chevaliers, Swan avait été témoin de son extraordinaire métamorphose de bébé à fillette de six ans en quelques années à peine. Wellan était même persuadé que son poupon avait utilisé sa magie pour grandir jusqu'à atteindre l'âge de ses amis Lassa et Liam.

– Quelque chose provoque ce phénomène, s'inquiéta la guerrière.

Le visage de Jenifael vira au rouge. Son maître recula prestement, de peur qu'elle ne se transforme en boule de feu.

– Pourquoi tentes-tu de vieillir plus vite ? l'interrogea-t-elle.

– C'est plutôt embarrassant...

– Es-tu amoureuse ?

La jeune déesse songea soudain à disparaître. Swan capta ses intentions. Elle lui saisit aussitôt la main pour la forcer à rester avec elle.

– Le code m'oblige à vous dire la vérité, mais je préférerais que personne ne le sache, plaida fébrilement Jenifael. Celui qui fait battre mon cœur ne sait même pas que je l'aime.

– Il risque donc de te faire de la peine.

– Non, ce n'est pas du tout ce genre d'homme.

– S'il n'a pas encore capté ton intérêt, c'est qu'il n'est pas de ta génération. Quel âge devrais-tu avoir pour attirer son attention ?

L'apprentie ne répondit pas. La femme Chevalier fut donc contrainte de sonder son esprit.

– C'est très, très vieux, plaisanta-t-elle.

– Je vous en prie, ne prononcez pas son nom, supplia l'Écuyer.

– Je garderai ton secret, sois sans crainte. Mais il n'y a pas à dire, tu as de l'ambition.

– J'ai toujours su que mon destin serait différent de celui des filles de ma classe. Personne, à part vous, n'a eu la chance d'épouser un homme ayant participé à la première invasion.

– Ces anciens soldats ne sont pas aussi conciliants que tu sembles le croire.

– Votre mari et son ami n'ont pas le même caractère.

– Je te l'accorde. En plus d'être bienveillant, Hadrian est un homme particulièrement séduisant. Un bon parti pour une déesse, j'imagine. Je ne voudrais pas, par contre, qu'il devienne un rêve impossible.

– Rien n'est impossible, maître.

Un sourire fendit le visage de la guerrière, étant donné que c'était elle qui lui répétait souvent cette maxime.

– Mon devoir n'est pas seulement de protéger ta vie, Écuyer. Je veux aussi préserver ton cœur.

– Je sais et je l'apprécie plus que vous ne le croyez.

Swan caressa la joue de l'adolescente.

– Si j'avais eu une fille, j'aurais voulu qu'elle soit exactement comme toi.

– Je suis flattée.

– Maintenant, soyons braves et résignons-nous à écouter la ballade de ce cher Nogait.

Cette dernière phrase prononcée, la femme Chevalier retourna près du feu avec sa protégée.

4

L'INSCRIPTION

La Princesse des Elfes logeait au palais plutôt que dans l'aile des Chevaliers. Cette décision avait été prise par son père, le Roi Hamil, ainsi que par le Roi Émeraude Ier, le jour de son mariage avec le Chevalier Nogait. Le défunt monarque avait également mis des servantes à la disposition du couple. Toutefois, Amayelle tenait à accomplir la plupart des tâches ménagères elle-même, car cela lui faisait oublier ses origines. Pourtant, ce que son mari aimait le plus chez elle, c'étaient ses yeux de la couleur des feuilles, ses longs cheveux blonds, doux comme de la soie, et son accent mélodieux lorsqu'elle parlait la langue des humains. La princesse s'entêtait cependant à porter des vêtements à la mode d'Émeraude. Elle attachait ou tressait ses cheveux et apprenait même l'art exquis de la tapisserie.

Nogait était un homme compréhensif, mais il voulait aussi que son seul fils bénéficie des cultures de ses deux parents. Il avait donc finalement convaincu Amayelle d'enseigner la langue elfique à leur petit Cameron. Quant à celle des hommes, l'enfant n'avait eu aucune difficulté à la maîtriser en s'amusant avec les enfants du château.

Ce jour-là, la femme Elfe pliait elle-même les vêtements fraîchement lavés de son fils. Cameron aimait jouer dans la grande cour mais, très souvent, ses jeux se terminaient dans l'étang ou dans les charrettes qui faisaient la navette entre la forteresse et les champs. L'enfant salissait donc ses vêtements assez régulièrement.

Quelques heures plus tôt, Amayelle avait capté les appels des Chevaliers qui cherchaient Kira. Nogait l'avait avertie de ne pas communiquer avec lui lorsqu'il se battait avec ses compagnons, car c'était beaucoup trop dangereux pour lui. Alors la princesse s'occupa de son mieux en attendant le bon moment de s'informer du sort de son amie mauve.

Elle venait de déposer une pile de tuniques propres sur une étagère lorsqu'elle entendit les pas pressés du jeune prince de neuf ans. Depuis que la tour de son professeur avait été détruite et que ce dernier avait été grièvement blessé, le petit ne savait plus comment s'occuper. Souvent, la nuit, il faisait même d'horribles cauchemars, dans lesquels il entendait ses défunts amis hurler de terreur...

Ses petites oreilles pointues fusant de ses cheveux châtains, Cameron fit irruption dans la chambre. Il arrêta sa course en glissant sur les tuiles brillantes du plancher. À cause de cette vilaine habitude, ses parents devaient remplacer ses sandales tous les mois. Amayelle se demandait souvent si l'éducation d'une fille aurait été moins coûteuse.

– Maman, maman, j'ai vu un maître magicien ! s'écria-t-il avec enthousiasme. Un vrai de vrai ! Belle comme une statue de la chapelle, et immaculée comme la neige !

– Tu n'as jamais vu de neige.

– C'est faux. Un jour, Morrison s'est aperçu qu'il n'y avait pas de brouillard au sommet de la Montagne de Cristal.

Il est tout de suite venu nous chercher pour que nous puissions contempler le pic enneigé. Il était encore plus blanc que les nuages !

– Parle-moi de ton maître magicien, exigea la mère en se croisant les bras. C'était une femme ?

– Oui. Quand elle est arrivée, il a fait très froid dans la bibliothèque.

– Est-ce qu'elle a un nom ?

– Fan, je crois.

Amayelle saisit les mains de son enfant et le fit asseoir sur le lit. Elle le laissa raconter cette rencontre à sa façon et releva les éléments les plus importants de son récit.

– Est-ce que j'aurais dû empêcher maître Hawke et sire Hadrian de partir ? s'inquiéta Cameron en voyant l'air soucieux de sa mère.

– Ces hommes savent ce qu'ils font, mon chéri.

– Alors, ils retrouveront Lady Kira ?

– C'est certain.

Elle l'embrassa sur le front avec tendresse.

– Profite de ce congé forcé pour jouer avec tes amis. Mais ne fais surtout pas sortir Atlance et Fabian de leur tour.

– Ils ont besoin de prendre l'air comme tout le monde.

– Je t'ai déjà expliqué pourquoi ils doivent rester auprès d'Armène. Obéis-moi, jeune homme.

– Sinon, tu le diras à papa ?

– Je n'attendrai pas son retour pour t'imposer les pires corvées.

– Tu m'aimes trop pour me punir !

Il la serra très fort, avant de sauter sur le plancher et de gambader jusqu'à la porte. Amayelle attendit qu'il ait quitté l'étage pour se perdre dans ses pensées, car son fils avait le don de les capter.

Elle avait préparé avec Jahonne un plan d'évacuation du château et même une stratégie de résistance que les deux femmes pourraient opposer aux larves. « Mais que faire contre un dieu déchu ? » se découragea-t-elle. Elle quitta ses appartements et dévala le grand escalier. Prudemment, elle entrebâilla la porte. Cameron n'avait pas encore atteint la tour d'Armène. Nartrach sautillait autour de lui en babillant. La princesse les surveilla jusqu'à ce qu'ils disparaissent dans l'ouverture du bâtiment circulaire. De cette façon, les garçons ne seraient pas tentés de la suivre.

Sans perdre de temps, Amayelle fonça vers la maison de Morrison. Le forgeron était au travail. Avec l'aide de sa fille, il fabriquait des épées et des javelots depuis des années pour que les Chevaliers soient toujours bien armés. La princesse risqua un œil dans leur chaumière. Dans la pièce centrale, Élizabelle discutait avec Jahonne. Elles étaient assises à une belle table, décorée d'une magnifique mosaïque, et buvaient du thé.

– Vous n'êtes pas avec votre père ? s'étonna Amayelle.

– Jahonne a entendu d'inquiétantes communications entre les Chevaliers, expliqua Élizabelle. Apparemment, Lady Kira a disparu.

– Je les ai captées aussi, affirma Amayelle. Mais il y a plus encore.

Elle leur relata la courte visite de la défunte Reine de Shola.

– Le dieu déchu est tenace, déplora Jahonne. Nous devrons redoubler d'attention lors de nos tours de garde magiques.

– Il n'y a plus que nous deux, puisque Maître Hawke entend se rendre sur les champs de bataille, lui rappela Amayelle.

– Cela reste à voir, riposta Élizabelle. Mon mari n'a reçu aucun entraînement militaire. Pourquoi ne pas demander à quelques Chevaliers de revenir à Émeraude ?

– Ils ont leur propre tâche à accomplir, répliqua Jahonne. Nous les solliciterons en dernier recours. Cette nuit, c'est moi qui veillerai.

– Cela suffira-t-il à nous protéger de la colère d'un dieu ? osa demander Élizabelle.

– Il le faudra, décida la Princesse des Elfes.

Cette dernière quitta ses amies pour aller prévenir les serviteurs de se tenir prêts à fuir par les passages secrets. Elle leur recommanda de procéder avec calme dès qu'ils entendraient son signal. Une fois convaincue qu'ils avaient bien compris ses directives, Amayelle se posta devant une fenêtre et contempla le ciel. Il était impossible de deviner les intentions d'une divinité qui avait perdu la raison.

Amayelle ressentit alors une curieuse énergie. Elle n'était pas maléfique, mais certainement magique. La princesse se concentra comme Nogait le lui avait enseigné et découvrit que les vibrations provenaient de la Montagne de Cristal ! Ce mystère éveilla tout de suite sa méfiance. Elle enfila un pantalon et une tunique courte de son mari, attacha une ceinture autour de sa taille et se découvrit, dans la glace, un véritable air de guerrière.

Les palefreniers furent également très surpris de voir arriver la femme Elfe dans un tel accoutrement. Aussi, lorsqu'elle exigea qu'on lui prépare une monture, aucun d'eux ne bougea.

– Je sais monter à cheval, affirma-t-elle.

– Il y a de graves dangers à l'extérieur de ces murs, milady.

– J'ai appris à me défendre.

Les jeunes hommes échangèrent un regard hésitant.

– Si vous le préférez, je peux demander à Sa Majesté de vous en donner l'ordre à ma place, les menaça-t-elle.

Ils se précipitèrent aussitôt vers la stalle d'une bête suffisamment docile pour la princesse. Amayelle se hissa en selle. Ce n'était pas un sport qu'elle pratiquait fréquemment, mais Nogait l'avait quelques fois emmenée en balade pour qu'elle sache maîtriser un destrier. La jument qu'on lui avait choisie était obéissante. Elle galopa avec entrain vers le pic rocheux. Or, plus Amayelle s'en approchait, plus les pulsations familières augmentaient. Elle laissa bientôt brouter le cheval et appuya les paumes sur la pierre de la falaise.

– Kira ? s'alarma-t-elle.

Les Elfes étaient des êtres agiles. Durant leur enfance, les filles apprenaient à grimper aux arbres, tout comme les garçons. Plus tard, elles ne les escaladaient que pour échapper à une attaque ou à une menace. Amayelle y avait suivi les siens une seule fois, lors de la dévastation de Shola.

Sans se presser, elle gravit la montagne, choisissant soigneusement ses appuis. Elle voulait élucider cette énigme et non y laisser la vie. Les habitants du château comptaient sur elle, son fils aussi. Au bout d'un moment, elle atteignit une corniche suffisamment grande pour s'y agenouiller. Une ouverture avait été pratiquée dans la paroi. Amayelle s'y faufila avec précaution. Elle illumina ses paumes pour y voir clair. Sur le mur de la caverne, elle découvrit alors une curieuse inscription :

J'ai été emprisonnée dans le passé.
Je ne sais plus comment revenir parmi vous.

Kira

– Comment est-ce possible ? s'énerva Amayelle.

Elle poursuivit son enquête et trouva des restes de vêtements au fond de la grotte. Ils s'effritèrent lorsqu'elle tenta de les soulever. Elle fit de plus prudentes tentatives pour en récupérer un morceau et toucha quelque chose de froid. Fouillant dans la poussière, elle trouva des améthystes. L'une d'elles était enchâssée dans une petite griffe de métal.

– C'était son armure...

Malgré l'agitation qui s'était emparée d'elle, Amayelle s'efforça de redescendre de la falaise avec lenteur. Les yeux embués par les larmes, elle remonta en selle et retourna au château au galop.

Les Elfes ne consignaient plus leurs légendes et leur histoire depuis leur arrivée sur le continent. Elles étaient désormais transmises oralement d'une génération à l'autre. Amayelle se souvenait d'avoir entendu un récit raconté jadis à un de leurs ancêtres par un chasseur Enkiev au sujet de leur déesse : un sorcier l'avait emprisonnée dans le passé pour la punir ! « Parlait-il de Kira ? » se chagrina la princesse.

En chevauchant sur la route de terre qui menait au pont-levis, elle communiqua enfin sa trouvaille à son mari. Nogait ne fut évidemment pas le seul à l'entendre. Tous ses compagnons s'affligèrent en apprenant le sort qu'Akuretari avait réservé à leur sœur d'armes.

5

Le village

Désemparée, Kira suivit les Enkievs à travers la forêt. Ces anciens habitants du continent étaient silencieux et extrêmement prudents. Ils avançaient très rapidement en file indienne, épiant sans cesse le sous-bois. « Qui ne serait pas méfiant dans un pays infesté par des monstres ? » songea la Sholienne. Tandis qu'elle marchait derrière Nouara, Kira tenta de se rappeler tout ce que le Magicien de Cristal lui avait raconté au sujet des Enkievs. N'ayant pas grand-chose à se mettre sous la dent, certains historiens avaient cru utile d'inventer ce qu'ils ne savaient pas. D'autres, qui s'étaient longtemps penchés sur les quelques vestiges de ce peuple retrouvés au Royaume de Rubis, s'étaient montrés plus prudents. On disait que les Enkievs avaient été déposés sur Enkidiev par les dieux eux-mêmes, et qu'ils avaient été les premiers êtres magiques du continent. Les enfants du futur, qui possédaient des facultés surnaturelles, étaient vraisemblablement leurs descendants. Les magiciens prétendaient, pour leur part, que c'étaient les Enkievs qui avaient réuni des rochers géants pour les placer en rond à des endroits spécifiques. Toutefois, ils ignoraient à quoi ils avaient pu servir, jadis. « Je vais donc enfin le savoir », comprit Kira.

Ils descendirent dans un ravin creusé par l'érosion d'une rivière qui n'existait plus. Il était trop profond pour que le cou des dragons atteigne les voyageurs et trop étroit pour leurs larges épaules. Le soleil aveugla soudain la Sholienne. Elle se protégea les yeux avec sa main et vit qu'ils étaient arrivés dans une petite clairière au pied d'une falaise. « Une ancienne chute », soupçonna-t-elle. Une ouverture avait-elle été pratiquée dans la paroi, ou était-ce l'œuvre de l'eau ?

Les Enkievs grimpèrent sur des pierres empilées qui servaient d'escalier, puis s'engouffrèrent un à un dans le tunnel. Kira les suivit en dressant les oreilles, à l'affût de tout son suspect. Au bout d'un moment, ils débouchèrent dans un grand cratère, au fond duquel s'élevaient une multitude de huttes. « Si nous sommes bien à la frontière du Royaume de Rubis, comme je le pense, pourquoi personne ne nous a-t-il jamais parlé de cet endroit ? » s'étonna-t-elle. Elle ignorait cependant qu'après l'exode des Enkievs, le vent et les éboulements avaient rempli cette crevasse de terre et de sédiments.

Les chasseurs n'avaient pas ramené de viande fraîche, ce jour-là. Tous les habitants sortirent de leurs habitations, ou mirent fin à leurs occupations, pour observer le cortège. Le nez fin de la Sholienne captait des odeurs intéressantes. Il y avait des animaux quelque part dans ce village. Des potages chauffaient dans des marmites. Kira arriva devant un petit cercle de pierres, au milieu de la place centrale. Nouara lui demanda de s'asseoir. La Sholienne ne put s'empêcher de remarquer, en prenant place sur le sol, qu'il était recouvert de sable fin, comme celui de la grande cour du château.

Les Enkievs qui l'avaient ramenée chez eux se dispersèrent dans la foule. Bientôt, des murmures d'admiration s'en élevèrent.

– Que se passe-t-il ? s'enquit Kira, inquiète.

– Ils attendent ce moment depuis si longtemps, expliqua Nouara, rayonnante de bonheur. L'arrivée parmi nous de la fille du Grand Maître du ciel souligne le commencement d'une nouvelle ère.

– Je ne saisis pas tout à fait mon rôle dans cette histoire.

– Il vous a envoyée pour tuer tous les dragons et permettre à mon peuple de vivre enfin sur les vastes étendues de leur domaine.

– Combien y a-t-il de dragons ?

– Nous en avons vu des centaines autour de la montagne, mais Kittriya prétend qu'il y en a beaucoup d'autres jusqu'aux rochers qui crachent le feu et l'immense lac d'eau salée.

« Tout le continent, quoi », se découragea la princesse. Elle étudia les traits de sa nouvelle alliée. Comme tous les autres Enkievs qui se resserraient autour d'elle pour l'examiner, Nouara avait de longs cheveux noirs et des yeux sombres et sa peau avait une teinte dorée, comme celle de Keiko ! En fait, les Anciens ressemblaient beaucoup aux Jadois ! Elle eut beau regarder partout, Kira ne trouva nulle part de chevelures blondes ou rousses.

Elle n'eut pas le temps de se questionner bien longtemps sur les caprices de l'évolution. Les Enkievs se turent graduellement et formèrent une haie d'honneur pour laisser passer une jeune femme, à première vue semblable à toutes les autres. Elle marchait avec la grâce d'une biche. Kira ne put s'empêcher de la sonder : ce n'était pas un être magique. Le peuple semblait par contre attendre qu'elle parle ou leur fasse un signe quelconque. Leurs yeux ne regardaient qu'elle.

– Qui est-ce ? chuchota Kira à Nouara.

– C'est Kittriya, la souveraine.

– Le chef de ce village, ou de toute la région ?

Nouara n'eut pas le temps de lui répondre. Kittriya venait de s'arrêter de l'autre côté du cercle de pierres. Ses sujets se prosternèrent face contre terre en psalmodiant des paroles incompréhensibles. La souveraine attendit qu'ils se taisent avant de s'approcher davantage de Kira. Avec beaucoup de douceur, elle s'agenouilla devant la nouvelle venue. Ses gestes élégants rappelaient ceux des Elfes.

– Je suis Kittriya, annonça-t-elle d'une voix mélodieuse.

Kira remarqua tout de suite ses yeux bleus comme le ciel. Elle était si surprise qu'elle en oublia ses leçons de politesse : elle ne s'inclina pas devant elle et ne répondit rien.

– Notre monde est sûrement déconcertant pour une déesse tombée du ciel, poursuivit la souveraine sans s'alarmer de son attitude. Venez.

Elle glissa ses doigts entre ceux de la Sholienne et l'incita à se lever. Kira la suivit sans hésiter. Il émanait de cette femme une force irrésistible. Elle l'emmena jusqu'à une grande hutte, à l'autre extrémité du cratère. Un vent de fraîcheur balaya le visage de la princesse tandis qu'elle en franchissait l'entrée, recouverte d'une peau de bête. Ses yeux d'insecte n'eurent pas besoin de s'ajuster à l'obscurité de ce curieux palais. Elle distingua tout de suite son agencement circulaire particulier. Les meubles, si c'en était, étaient appuyés sur les murs de paille. Suivaient ensuite des tapis de fourrure qui formaient un autre cercle, puis des tatamis. Un foyer en pierre occupait finalement le centre de la pièce. La fumée du feu qui y brûlait s'élevait jusqu'à une ouverture aménagée au plafond. « Est-ce vraiment prudent dans un pays infesté de dragons ? » ne put s'empêcher de se demander Kira. Elle aurait pourtant dû se rappeler que les mâles ne pourchassaient leurs proies qu'en terrain découvert. En raison de leur corps massif et de leurs ailes, ils ne pouvaient pas descendre dans une crevasse pour saisir leur repas entre deux huttes.

– Comme vous le savez probablement déjà, c'est ici que nous nous réunissons et prions le ciel, lui confia Kittriya.

– Vous nous avez laissé si peu d'informations sur votre civilisation.

La souveraine pencha doucement la tête de côté, signe évident qu'elle ne comprenait pas ses paroles.

– Je viens du futur, précisa la Sholienne.

– Est-ce là qu'habitent les dieux ?

« Excellente question », songea Kira.

– Ils sont partout, choisit-elle de répondre.

Elle ne voulait surtout pas modifier la vision que ces gens entretenaient des membres du panthéon en lui racontant sa mésaventure aux mains d'Akuretari. Les Enkievs ne comprendraient pas non plus sa hâte de les quitter pour aller détruire Irianeth. Elle opta donc pour une stratégie détournée.

– Y a-t-il des magiciens parmi les Enkievs ? s'enquit-elle.

– Je ne connais pas ce mot.

– Un magicien est un homme ou une femme qui fait des choses extraordinaires. Laissez-moi vous montrer.

Kira promena son regard dans la hutte. Elle découvrit une pierre transparente sur un coffre de paille tressée. Elle tendit la main : le gros caillou vola jusqu'à sa paume. Impressionnée, Kittriya secoua vivement la tête pour indiquer que personne au village ne déplaçait quoi que ce soit de cette façon.

– Les magiciens peuvent aussi lire les pensées, faire tomber la pluie ou guérir les blessures avec leurs mains, ajouta Kira.

– Les Gariséors, qui vivent le long de la rivière au pied des montagnes de feu, font disparaître la douleur. Ils arrêtent aussi le sang qui coule des blessures. Ce cristal provient de leur village.

« Ils ont déjà nommé les pierres précieuses », constata Kira. Elle examina l'objet arrondi de plus près. Il était si clair qu'on pouvait voir à travers.

– Pouvez-vous me conduire chez les Gariséors ? réclama Kira. Je dois leur parler.

– La route jusqu'à leur village est dangereuse à cause des dragons, mais puisqu'ils ne vous effraient pas, je vous fournirai un guide.

Kira jugea plus sage de ne pas lui parler de la terreur que lui inspiraient ces bêtes carnivores, surtout lorsqu'elles se déplaçaient en bande.

– Savez-vous fabriquer des bateaux ? s'enquit-elle, plutôt.

Il s'agissait une fois de plus d'un concept nouveau pour la souveraine.

– Ce sont de grandes coquilles qui flottent sur l'eau.

– Je vois mal ce que nous en ferions.

Contrairement aux Enkievs de la clairière, les Gariséors étaient des riverains. « Ils ont sans doute pensé à construire des embarcations pour pêcher ou pour se déplacer », songea Kira. Mais avant même qu'elle n'ait eu le temps de demander sa route à Kittriya, cette dernière lui annonça fièrement que son peuple préparait une fête en son honneur. L'éducation diplomatique de la princesse mauve lui revint alors en mémoire. Elle décida donc de remettre son voyage à plus tard, et écouta plutôt ce que son hôtesse avait à lui dire au sujet de son peuple.

Les Enkievs provenaient des étoiles, où le Grand Maître les avait créés. Ils avaient ensuite été déposés sur cet immense continent par des nuages. Quelques rares Enkievs possédaient le don de communiquer avec le père divin grâce à leurs rêves. Vénérés, ces « rêveurs » transmettaient sa volonté au reste du peuple. Kira se rappela que son défunt mari voyait, lui aussi, le futur dans ses cauchemars...

– Les dieux désirent que nous peuplions ce monde, expliqua Kittriya.

– Mais ils avaient oublié de vous mettre en garde contre les dragons, n'est-ce pas ?

– Le Grand Maître a dit que plusieurs créatures évoluaient déjà dans cet univers, qu'il avait créé pour son épouse. Nous avons découvert l'existence de ces bêtes par nous-mêmes.

– Nouara m'a cependant mentionné que mon arrivée signalait une nouvelle ère.

Des larmes de joie se mirent subitement à couler sur les joues de l'Enkiev. « Je ne peux pas partir sans leur donner un peu d'espoir », comprit Kira. Elle ne pouvait certainement pas débarrasser le continent de tous les dragons noirs, mais elle ne voyait pas de mal à montrer à ces gens comment creuser des pièges. Avant qu'elle ne puisse exposer son plan à Kittriya, un groupe de femmes vint les chercher.

En digne fille des dieux, la Sholienne fut installée sur une tribune, en compagnie de la souveraine et des cinq rêveurs du village. Kira accepta volontiers l'épais potage de légumes, le pain chaud et les fruits qu'on lui présenta. Des enfants vinrent déposer des fleurs à ses pieds en lui disant que le Père céleste les aimait plus que tout au monde. « Cette coutume, que Sage détestait tant, est décidément très ancienne », constata la femme Chevalier. D'autres lui remirent de magnifiques colliers de petites pierres précieuses. Tout le village baignait dans l'allégresse. De belles jeunes filles dansèrent au milieu de la place publique, au son d'instruments primitifs qui ressemblaient aux harpes de Santo.

Soudain, un grand orme s'abattit dans le cratère, écrasant quelques huttes, heureusement désertes. Les petits se réfugièrent dans les bras de leur mère en pleurant, tandis que les chasseurs couraient chercher leurs lances. Obéissant à son entraînement militaire, Kira bondit à leur suite.

Un dragon femelle était en équilibre sur le tronc de l'arbre déraciné et plongeait son long cou dans les décombres des huttes. Il n'eut pas le temps de happer quoi que ce soit. La femme Chevalier bombarda ses yeux rouges de rayons ardents qui le forcèrent à se retirer. Puis, elle sonda tout de suite les hauteurs : cette femelle cherchait en vérité à nourrir ses trois petits.

N'écoutant que son courage, la Sholienne utilisa ses facultés de lévitation pour se hisser sur le plateau. Sans réfléchir, elle tendit les bras devant elle. Un halo violet se forma malgré elle. Il se détacha de sa poitrine, courut le long de ses bras et désintégra les bébés affamés. Leur mère poussa un cri déchirant et, enragée, remonta le long de l'arbre pour foncer sur le petit être mauve qui venait d'annihiler sa famille. Kira ne broncha pas. À la dernière minute, elle tenta de matérialiser son épée double, mais rien ne se produisit. Elle eut juste le temps de s'esquiver. Les puissantes mâchoires claquèrent devant elle. Au lieu de l'attaquer une autre fois avec ses crocs acérés, le monstre leva la patte pour l'écraser.

Kira vit arriver les trois orteils au-dessus d'elle. Elle y projeta tout de suite des rayons enflammés. Rugissant de douleur, la femelle tourna souplement sur elle-même, balançant sa lourde queue hérissée d'épines. La Sholienne évita le coup en sautant dans un arbre. Elle vit alors approcher la tête triangulaire du dragon à une vitesse vertigineuse. Jamais, depuis le début de sa carrière militaire, la femme Chevalier n'avait affronté un animal aussi coriace.

La princesse mauve se laissa tomber sur le sol. Elle sentit une grande chaleur envahir son corps. Cette sensation précédait toujours la formation de son halo meurtrier. Il ne lui restait plus qu'à tendre les bras vers son adversaire. L'intense lumière violette éclata au moment même où la bête allait enfin se régaler du cœur de sa proie, et anéantit le dragon dans une aveuglante explosion lumineuse.

« Il s'en est fallu de peu », s'alarma Kira. Des questions assaillirent son esprit. Pourquoi arrivait-elle à produire cette formidable énergie dans le passé et non dans le futur ? Comment la créait-elle ? Se manifestait-elle de façon instinctive ? Possédait-elle un sens inconnu qui faisait apparaître les halos lorsqu'elle était en danger ?

Elle se remémora également l'enseignement du Roi Hadrian quant à la manière de faire appel à sa terrifiante épée double. Elle s'y était pourtant prise de la bonne façon. Elle fit une seconde tentative : toujours rien.

– Elle n'a pas encore été forgée par les bandits du Désert ! comprit-elle soudain.

Elle se tourna alors vers le cratère. Tout le village l'observait en silence. Elle se rapprocha du bord du précipice en se demandant quoi dire à ces gens sidérés par le spectacle auquel ils avaient assisté.

– Je...

Ils se prosternèrent tous en même temps. Découragée, Kira redescendit parmi eux en utilisant sa magie.

– Relevez-vous, je vous en prie.

Kittriya lui obéit sur-le-champ. Elle ordonna aux siens d'en faire autant. La fête se poursuivit avec un peu plus de prudence. Au lieu d'y participer, les chasseurs gardèrent l'œil sur le plateau. Les Enkievs chuchotaient entre eux, vantant les talents de la déesse. Kira ne pouvait pas les entendre, mais elle captait les vibrations bienveillantes émanant de l'assemblée.

Le soir venu, la souveraine la mena à la hutte spécialement préparée pour elle. Kira y découvrit une couche confortable, réchauffée par un bon feu. Elle s'allongea sur les fourrures, épuisée. Kittriya s'inclina avec respect et la laissa seule.

– Quelle curieuse journée, murmura la Sholienne en observant le plafond troué de sa nouvelle demeure.

En tuant quelques dragons, elle avait conquis le cœur de tout un peuple. Des images surgirent dans ses pensées. Elle revit le doux visage de son époux, ses yeux opalescents, son sourire inquiet. Nostalgique, Kira éclata en sanglots amers. Malgré tous les bons soins dont l'entouraient les Enkievs, jamais elle ne reverrait ceux qu'elle aimait, elle en était certaine.

6

UN SOUTIEN D'OUTRE-TOMBE

Hadrian et Hawke se matérialisèrent dans un tunnel sombre et surtout très humide. D'un geste de la main, l'ancien Roi d'Argent alluma les torches accrochées aux murs. Il y avait des centaines d'années qu'elles n'avaient pas servi. Le feu magique vacilla tout d'abord, puis enflamma la paille tortillée attachée au manche de bois. L'Elfe tourna sur lui-même, ne reconnaissant pas cet endroit sinistre.

– Vous avez grandi ici et vous ignoriez l'existence des tunnels souterrains ? s'étonna Hadrian.

– Je sais qu'il y a des passages secrets dans les murs du palais et que l'un d'eux mène sous l'édifice. J'ai aussi visité une grotte où brille le miroir de la destinée. Mais jamais on ne m'a parlé de ces galeries.

– Comme c'est étrange...

– Pour moi, c'est plutôt frustrant. Il semble que les dirigeants de ce monde aient choisi de nous tenir dans l'ignorance.

– Nous en reparlerons une autre fois. Ce qui presse, maintenant, c'est de retrouver Onyx avant qu'il ne fasse une bêtise.

Hadrian fonça dans le couloir creusé à même le roc. Hawke lui emboîta le pas, constatant que l'ancien roi savait où il allait. Pourtant, il avait été le souverain du Royaume d'Argent, pas d'Émeraude...

– Autrefois, les monarques se rendaient visite, expliqua brièvement l'ancien commandant des Chevaliers, qui lisait dans ses pensées.

Ils aboutirent à un croisement. Hadrian piqua à droite sans la moindre hésitation. Les flambeaux s'allumaient sur son passage, comme s'ils saluaient l'arrivée d'un grand personnage.

Ils parvinrent devant quelques marches usées menant à un étroit palier. Deux larges portes d'acier y freinèrent le progrès des deux hommes. Elles étaient décorées chacune d'une tête de dragon en métal noir. Dans leurs gueules pendaient des anneaux. Hadrian tira sur l'un d'eux. Rien ne se produisit.

– Elles sont scellées par de la magie, constata l'Elfe en passant la paume au-dessus de leur surface.

– Reculez, ordonna l'ancien monarque.

Hawke ne se fit pas prier. Des halos d'un vert éclatant naquirent au niveau des coudes d'Hadrian. Sans crier gare, ils décollèrent et frappèrent le portail de plein fouet. Les gonds en gémirent et tout le tunnel vibra sous le coup. Avec un terrible grincement, les portes s'écrasèrent alors à l'intérieur de la pièce qu'elles étaient censées protéger. Hadrian n'attendit pas qu'elles aient touché le sol : il fonça comme si toute l'armée d'Amecareth le poursuivait. Le magicien d'Émeraude le suivit de près.

Il s'agissait d'une salle de rituel. Des bancs étaient sculptés dans le roc, autour d'un autel qui s'élevait jusqu'à la taille de l'officiant. Onyx s'y tenait, les bras levés vers le ciel, récitant des paroles dans une langue que très peu d'humains et d'Elfes avaient entendue depuis la création du monde. Dans une main, il tenait un objet brillant qui ressemblait à un énorme diamant taillé.

– Arrête ! lui ordonna Hadrian en sautant par-dessus les sièges usés.

Les derniers mots s'étranglèrent dans la gorge du renégat.

– Tu n'as pas le droit d'invoquer ces entités pour satisfaire tes seuls désirs ! lui reprocha Hadrian.

– Il ne s'agit pas de moi, mais de tout un continent ! protesta violemment Onyx.

Hadrian s'immobilisa au pied de la table de pierre.

– Je comprends ce que tu ressens, mon frère, se radoucit l'ancien roi. J'ai gouverné tout un peuple, rappelle-toi. J'ai souvent fait de grands sacrifices pour le bien de mes sujets. Cependant, jamais je n'aurais eu recours à des créatures disparues pour accomplir ma volonté.

– Évidemment, puisque tu ne possédais pas cette magie ! rugit le renégat.

– Même si j'avais été le plus grand sorcier de tous les temps, je n'en aurais rien fait. Sais-tu ce qu'on ressent lorsqu'on nous rappelle aussi agressivement des grandes plaines de lumière ?

Les yeux chargés de colère, Onyx garda le silence. Il ne connaissait évidemment pas ce déchirement, puisqu'il n'était jamais mort.

– Je l'ai vécu chaque fois que Lady Kira glissait l'anneau à son doigt. Une terrible force m'arrachait à mon repos éternel. Les dieux nous récompensent en nous soustrayant à la douleur dans ce paradis qu'ils ont créé pour nous. En revenant dans ce monde, je fus donc assailli non seulement par une grande douleur physique, mais aussi par une effroyable souffrance morale.

– Ces mages n'étaient pas des hommes comme nous, répliqua son ancien lieutenant.

Hawke releva un sourcil, intrigué. Il ne comprenait pas ce qui se passait, car il n'avait pas eu le temps de voir ce que contenait le grimoire qu'Onyx avait consulté.

– C'est exact, acquiesça Hadrian. Dans cette vie, leur sagesse était si grande qu'ils ne pouvaient même pas vivre parmi les humains. Alors, tu peux imaginer le sort enviable que Parandar a dû leur réserver à leur mort. De quel droit les priverais-tu de cette félicité ?

– J'ai besoin de leur aide pour sauver Enkidiev, s'entêta Onyx. Lorsque nous avons détruit les troupes de l'Empereur Noir la première fois, nous n'aurions pas dû en rester là. Au lieu de célébrer notre victoire, il aurait fallu que nous traversions l'océan pour démolir son palais !

– Ma mémoire est sans doute plus fidèle que la tienne, car si tu te rappelles bien, nous avons tous cru que cette cuisante défaite le découragerait de remettre les pieds chez nous. Nous n'avions aucune façon de savoir qu'il reviendrait.

– Ne gaspille pas ta salive, Hadrian. Je ne changerai pas d'idée.

– Pas tant que tu es dans cet état, j'en conviens. Mais je t'ai enseigné, il y a longtemps, que le cerveau d'un homme ne prend jamais de bonne décision sous l'emprise de la colère.

– J'ai perdu mon fils ! hurla le Roi d'Émeraude.

Sa voix se répercuta dans la grotte.

– Cette perte me cause aussi beaucoup de chagrin, affirma Hadrian en faisant très lentement le tour de l'autel.

– Reste où tu es ! l'avertit Onyx. Je ne veux pas te faire de mal !

Mais Hadrian ne pouvait pas le laisser mettre toutes ces âmes en péril. Il marcha plus lentement, de façon presque imperceptible. Onyx le fixait à la manière d'une bête sauvage. Sa rage était si grande qu'il avait du mal à respirer. Croyant qu'Hadrian n'approcherait pas davantage, il reprit le début de l'incantation.

– Je fais appel aux pouvoirs conférés à l'enchanteresse Laetitia ! implora-t-il.

L'énorme joyau dans sa main se mit de nouveau à luire de mille feux. Hawke ne savait pas ce qu'il pouvait faire pour stopper Onyx. Il vit que l'ancien souverain continuait de se rapprocher de lui très lentement. Hadrian allait bientôt avoir contourné la table et serait dès lors en position de mettre fin à ce sacrilège.

– Qu'ils me permettent de rappeler leurs...

Hadrian fonça soudain comme un taureau. Son geste fut si rapide que le renégat n'eut pas le temps de réagir. Il fut brutalement plaqué contre le roc derrière lui.

– Lâche-moi ! fulmina Onyx.

Utilisant toute sa force physique, Hadrian l'écrasa contre le mur.

– Qu'ils me permettent de rappeler leurs plus puissants serviteurs, les...

L'ancien souverain lui enfonça son poing dans l'estomac, lui coupant le souffle. Il devait à tout prix faire en sorte qu'Onyx ne prononce pas ces paroles magiques. Ce dernier toussa violemment, cherchant à remplir d'air ses poumons. Il leva le genou dans l'intention de repousser Hadrian avec le plat de sa botte. Mais il n'en eut pas l'occasion. Son vieil ami lui déroba la pierre étincelante.

– Hawke ! cria-t-il. Attrapez-la !

Hadrian la lança au-dessus de l'autel. Elle atterrit dans les mains de l'Elfe, qui ouvrit de grands yeux effarés. Il ne savait pas comment lui faire perdre sa luminosité ! C'était toutefois le dernier souci du Roi d'Argent, qui faisait maintenant face à toute la fureur de son ancien lieutenant.

– Redonnez-la-moi ! explosa Onyx.

Il se débattait comme un forcené.

– Si tu m'empêches de recourir aux pouvoirs des Sholiens, je trouverai un autre moyen de faire payer à ce scarabée le meurtre de mon enfant ! tonna-t-il.

Finalement, ce fut l'Elfe magicien qui mit fin à son emportement, et ce, bien malgré lui. Les faisceaux lumineux du diamant qui reposait dans sa paume frappèrent ses yeux.

Étranger, qui es-tu et pourquoi fais-tu appel à la sapience des grands mages ? l'interrogea mentalement une voix.

Onyx arrêta net de lutter. Il avait entendu lui aussi la question émanant de la pierre.

– Ne répondez pas ! commanda-t-il au magicien.

– Je suis Hawke..., murmura l'Elfe, obnubilé par l'éclat des mille facettes du joyau.

– Obéissez-moi ! ordonna Onyx.

Il profita de l'inattention d'Hadrian pour se défaire de lui. Avant que ce dernier ne puisse réagir, Onyx sauta sur l'autel, puis sur le sol devant Hawke. D'un geste brusque, il tenta de lui dérober l'instrument magique. Sa griffe poussa alors un cri aigu et se rétracta, lui causant une foudroyante douleur. Onyx s'écrasa sur les genoux, incapable de calmer le petit animal de métal. Hadrian comprit immédiatement qu'il était le seul à pouvoir agir.

– Hawke, déposez la pierre sur l'autel ! exigea-t-il.

Mais les yeux verts du mage étaient captivés par une vision que lui seul pouvait contempler. Il s'agissait d'une femme aux cheveux immaculés le fixant avec curiosité. Hadrian s'élança. Au lieu de tenter de prendre la pierre dans sa main en risquant de subir le même sort que son ami, il opta pour une méthode plus directe : il frappa énergiquement le bras de l'Elfe. Le diamant échappa des mains de ce dernier et roula sur le sol, délivrant le pauvre homme de sa transe. Il battit des paupières, confus.

– Comment vous sentez-vous ? s'alarma Hadrian.

– Différent..., murmura-t-il, incertain.

Le dragon argenté cessa soudain de comprimer le doigt de son propriétaire. Onyx s'appuya contre le socle de l'autel taillé dans le roc. De grosses gouttes de sueur coulaient sur son visage pâle comme la mort. Hadrian s'accroupit près de lui pour vérifier son état de santé.

– Je vais bien, gronda Onyx.

– Pourtant, ta force vitale est très basse, constata son ami. Cet instrument de pouvoir que tu portes en est-il responsable ?

Haletant, le Roi d'Émeraude ne l'écoutait pas. Il cherchait plutôt des yeux la pierre surnaturelle. Voyant qu'il ne démordait pas de sa quête insensée, Hadrian détruisit l'objet d'un seul rayon ardent.

– Non ! protesta violemment le père éploré.

Hadrian agrippa solidement la tunique d'Onyx et toucha Hawke de l'autre main. Utilisant le procédé magique que lui avait enseigné son ami, il les transporta instantanément dans le hall du palais.

– Onyx, écoute-moi ! tonna l'ancien Roi d'Argent.

Il le fit brutalement asseoir sur son trône et l'entoura d'une énergie qui l'obligerait à y rester.

– La mort de Nemeroff m'afflige tout autant que toi, mais c'était la volonté des dieux. Dans ce monde, il y a des choses que nous pouvons changer, et d'autres contre lesquelles nous ne pouvons rien. Ton fils est parti, Onyx. Alors, au lieu de concentrer tous tes efforts à le venger, pense plutôt à ses jeunes frères, qui sont toujours en vie et qui ont besoin de toi. Si tu veux à tout prix passer ta colère sur quelque chose, fais-le sur les larves qui approchent dangereusement de ce château, dans lequel tu crois tes enfants en sûreté !

Le renégat fixait son ami en silence, toujours ivre de rage. Plus loin, Hawke continuait à examiner ses mains avec stupeur, sans se préoccuper des deux hommes.

– Tu avais raison au sujet des femmes, poursuivit Hadrian. Elles sont fort différentes de celles que nous avons connues jadis. Au lieu de s'effondrer devant l'adversité, elles l'affrontent plus bravement que nos meilleurs soldats. Je ne vois pas Swan, par exemple, en train d'éplucher les livres de sorcellerie de la bibliothèque afin de faire payer à l'Empereur Noir le meurtre de son aîné. Elle est, au contraire, sur le champ de bataille, en train d'éliminer systématiquement l'ennemi pour que nous puissions un jour mettre la main sur Amecareth.

– Kira n'est même plus en mesure de l'exterminer, fit Onyx entre ses dents.

– Ce n'est pas d'elle dont parlent les étoiles, mais de Lassa. Kira devait seulement le protéger pour s'assurer qu'il accomplisse son destin.

Amayelle entra en courant dans le hall. L'air effrayé, elle jeta un coup d'œil inquiet à son compatriote magicien, qui chancelait sur ses jambes, et alla à la rencontre des deux anciens combattants.

– Majestés ? les pressa-t-elle.

Hadrian se tourna vers elle. Il avait évidemment entendu ce qu'elle avait raconté à Nogait. Des larmes coulant sur son beau visage, la princesse ouvrit son poing. Des améthystes gisaient sur sa paume.

– Ce ne sont que des pierres, grommela Onyx. Ça ne prouve rien.

– Elle a gravé un message sur le mur de la petite caverne, riposta Amayelle. Elle savait que nous finirions par le trouver.

– A-t-elle aussi inscrit la façon de la faire revenir parmi nous ? lâcha le roi, sarcastique.

Hadrian ne reprocha pas à son ami sa rudesse, ce qu'il aurait fait en temps normal. Pour l'instant, il importait de le détourner de sa vendetta.

– S'il s'agit d'un châtiment imposé par Akuretari, seul Parandar pourra lui venir en aide, conclut l'ancien Roi d'Argent.

Un bruit sourd les fit sursauter. Hawke venait de s'écraser sur le plancher. Amayelle se précipita aussitôt à son secours. Le magicien battit des paupières, l'œil hagard.

– Je sais ce que je dois faire..., murmura-t-il avant de perdre conscience.

7

Le Conseil des Fées

Au Royaume des Fées, les combats avaient cessé aussi abruptement qu'ils avaient commencé. Les Chevaliers d'Émeraude étaient donc partis défendre un autre pays aux prises avec les larves. Ces dernières se déplaçaient maintenant vers l'intérieur du continent, attirées par la Montagne de Cristal. Le jour, elles pourchassaient les humains et les animaux, tentant désespérément de se nourrir. La nuit, elles disparaissaient sous terre. Il était impossible de déterminer si elles dormaient ou si elles poursuivaient leur route. Elles ne pouvaient évidemment pas capturer de Fées, les ailes et la légèreté de ces créatures volantes leur permettant de s'échapper facilement.

Le Roi Tilly avait enfin compris que le retour de la paix dans Enkidiev reposait sur les efforts concertés de tous ses peuples pour repousser les imagos. Au lieu de dissimuler ses sujets aux yeux de l'ennemi, comme son ancêtre l'avait fait lors de la première invasion, il les avait donc exhortés à attaquer ces odieux rejetons de l'Empereur d'Irianeth. Les Fées avaient d'abord bombardé les insectes à partir du ciel, avec des pierres de plus en plus grosses. Puis, le roi lui-même avait mis la main à la pâte. Sa puissante magie lui avait même permis d'utiliser les plantes de son royaume contre l'ennemi.

Malgré sa transformation en homme Fée, le capitaine Kardey ne possédait pas la faculté de voler. Il avait donc combattu les coléoptères au sol, aux côtés des soldats d'Émeraude. Les Chevaliers ignoraient, cependant, que parmi les forces aériennes se trouvaient d'autres hommes Fées. À la différence de leurs compagnes et du roi, ces derniers préféraient en effet demeurer invisibles. Aucun humain ne les avait jamais vus. Timides, ils quittaient rarement le palais de verre. La plupart s'occupaient de leurs bébés, et les autres conseillaient leurs souverains dans les affaires quotidiennes du royaume.

Lorsque les combats prirent fin, Kardey pénétra la pellicule protectrice qui entourait les habitations féeriques. Il était fatigué, couvert de boue et de sang, et traînait les pieds sur le plancher de verre moiré. Il capta alors sa réflexion dans une glace qui se déplaçait à sa guise sur le mur irisé, et fit la grimace. Il était dans un état vraiment pitoyable. Avant de retourner à ses appartements, il s'arrêta dans une grande salle où les Fées se rendaient pour se nettoyer. Elle était déserte.

Kardey ôta ses vêtements et grimpa dans une vasque lumineuse. Juste au-dessus flottait un nuage bleuté. Kardey ferma les yeux. Une pluie drue et chaude se mit à tomber. Il demeura un long moment sous l'eau savonneuse. Lorsqu'il en exprima la volonté, elle se changea en eau claire. Une fois rafraîchi, il mit le pied sur le plancher de marbre. De grosses libellules l'enveloppèrent alors dans un drap de bain et filèrent vers le plafond.

Kardey se sécha et enfila la tunique blanche qui venait d'apparaître sur une tablette de bois pâle. Le souvenir du minois inquiet de sa fille recommença aussitôt à le hanter. Il pressa le pas dans le long couloir qui menait à la tour royale. La porte s'ouvrit par magie devant lui, le laissant entrer dans ses appartements. Améliane reposait dans son petit lit, mais elle ne dormait pas. Assise près d'elle, la Reine Calva jouait une douce mélodie sur une lyre toute blanche. Chaque fois qu'elle effleurait une corde, des étoiles colorées s'en échappaient.

– Papa ! s'exclama l'enfant.

Elle glissa de son lit en forme de nid et courut à sa rencontre. Kardey la prit dans ses bras et ressentit un profond soulagement en humant le doux parfum de ses cheveux. Toutefois, des doutes l'assaillirent. Les imagos ignoraient encore l'existence du Château des Fées, mais que se passerait-il si leurs énormes dragons se remettaient à sillonner la région ? Démoliraient-ils le palais de verre ?

– Tilly nous déplacerait, le rassura sa belle-mère.

– Et si Amecareth s'emparait finalement du continent ? l'interrogea-t-il.

– Nous serions contraints de nous établir ailleurs.

Kardey ramena sa fille à son lit. Lorsqu'il voulut l'y déposer, elle demeura solidement cramponnée à son cou.

– Où est maman ? gémit-elle.

Le couple n'avait jamais eu le courage d'expliquer à Améliane ce qu'ils faisaient avant sa naissance. Or, comme toutes les autres Fées, la Reine Calva s'opposait à la guerre. Elle ne comprenait tout simplement pas le besoin qu'éprouvaient certaines races de dominer ou d'anéantir celles qui ne leur ressemblaient pas. Ce n'était donc pas un sujet dont elle avait entretenu la petite princesse. La grand-mère déposa l'instrument de musique, regarda Kardey dans les yeux un moment, puis quitta la pièce.

– C'est compliqué à expliquer, mon poussin, soupira le père.

– Je ne suis plus un bébé.

– Tu as raison, mais certaines réalités appartiennent au monde des grands. Les adultes doivent taire certaines choses, jusqu'à ce que leurs enfants puissent les comprendre.

– Je veux juste maman...

L'ancien soldat se résigna.

– Maman essaie de repousser les grands insectes chez eux avec ses frères et sœurs Chevaliers.

Améliane se laissa enfin déposer dans son nid.

– Pourquoi sont-ils ici ?

Quand elle se mettait à le questionner, elle prenait toujours des airs d'Ariane.

– Leur papa veut s'emparer de nos terres.

– Pourquoi les nôtres ?

– Parce qu'il a déjà conquis toutes celles qu'il pouvait, j'imagine.

– Pourquoi ne pas juste leur dire de partir ?

– Tu me poses toujours des centaines de questions quand tu ne veux pas te coucher, on dirait, la taquina Kardey.

En guise de réponse, Améliane s'enfonça dans l'épais matelas circulaire qui tapissait le fond du lit, puis remonta la couverture jusqu'à son cou.

– Je suis couchée, mais j'ai d'autres questions, déclara-t-elle.

– Aie pitié de moi, libellule !

– Je m'appelle Améliane. Je ne suis ni une libellule, ni une sauterelle, ni une grenouille ou un poussin.

– Ce ne sont que des mots d'amour, tu le sais bien.

Kardey grimpa dans son propre lit en riant. Il avait déjà expliqué à sa fille qu'il ne s'agissait pas de comparaisons, mais de noms qui exprimaient ses émotions. Elle ne s'en était jamais plainte, jusqu'au jour où elle avait découvert que ces mots désignaient aussi des animaux et des insectes.

– Pourquoi es-tu ici ? poursuivit-elle. Tu devrais être avec maman pour l'aider à reconduire les insectes chez eux.

– Je l'ai fait, quand ils étaient au Royaume des Fées. Ils ont franchi nos frontières, alors je suis rentré chez nous.

L'homme Fée se laissa tomber dans les douces plumes de son lit.

– Pourquoi ? demanda encore la petite fille.

Kardey secoua la tête avec découragement. Il ne se rappelait pas avoir été aussi curieux qu'Améliane au même âge. Cette dernière venait de grimper sur le rebord du nid, les yeux grands ouverts.

– Pour être beaux et en en santé, les enfants ont besoin de dormir, mon lapin, murmura-t-il enfin. Dis-moi ce qui t'aiderait à trouver le sommeil.

– Maman...

Il l'attira dans ses bras et l'étreignit. Lui aussi aurait donné n'importe quoi pour qu'Ariane soit à ses côtés. La résurrection du capitaine était en ce sens à la fois une bénédiction et une malédiction : elle lui avait permis de mettre au monde une adorable fillette mais, du même coup, elle l'avait confiné à un petit territoire sur un vaste continent qui avait besoin plus que jamais de valeureux soldats.

Ce soir-là, en berçant Améliane pour l'apaiser, Kardey se prit alors à désirer intensément que les Chevaliers d'Émeraude anéantissent une fois pour toutes celui qui poussait ses sujets à conquérir les royaumes des humains, des Fées et des Elfes. Kardey voulait vivre une vie paisible dans ce pays de rêve avec sa famille. Il ne voulait pas passer le reste de ses jours à craindre que sa compagne ne soit tuée par l'ennemi.

Au matin, l'ancien capitaine confia son enfant à la reine, qui lui enseignait la musique, les chants célestes et la magie des Fées. Calva lui aurait certes permis d'assister à ces leçons, mais le Roi Tilly venait de convoquer un conseil. Kardey dirigea donc ses pas vers le grand hall, qui bourdonnait déjà d'activité. C'était en effet l'un des rares endroits où les hommes Fées étaient visibles. Kardey en connaissait quelques-uns, dont Jamie, Éleste et Yakoba, qui participaient aux soins des arbres de cristal. Le soldat avait beaucoup appris d'eux à son réveil dans leur monde étrange.

Il prit place près de Jamie, un homme aux longs cheveux dorés et aux iris lunaires. Déjà père de trois filles et d'un garçon, celui-ci avait donné de précieux conseils à Kardey concernant son nouveau rôle dans leur société. Ils allaient entamer une conversation lorsque le Roi Tilly leva un bras pour faire taire ses sujets.

Il commença par les remercier d'avoir débarrassé le royaume des larves impériales.

– Nous ne savons pas si leur géniteur en enverra d'autres sur Enkidiev, continua-t-il. Comme vous le savez d'ailleurs déjà, la plupart d'entre nous ne peuvent pas les harceler jusqu'à Émeraude. Cependant, il vous est permis de couler leurs embarcations avant qu'elles n'atteignent les plages de notre royaume.

Kardey fronça les sourcils. Si son corps était désormais semblable à celui de ces créatures magiques, son cerveau conservait toutefois ses souvenirs militaires. Il estimait que l'effort du nouveau souverain était louable, mais savait qu'Amecareth pouvait tout aussi bien choisir de débarquer ses troupes à Shola ou à Zénor. La restriction territoriale qu'imposait Tilly aux hommes Fées irritait donc beaucoup l'ancien capitaine.

– Que m'arriverait-il si je franchissais la frontière ? demanda-t-il.

Le silence envahit d'un seul coup l'assemblée. Toutes les personnes présentes se tournèrent vers Kardey. Certaines l'observèrent avec inquiétude, d'autres avec un air de reproche. Le Roi Tilly, pour sa part, n'était pas un être agressif, mais il n'aimait pas qu'on le défie.

– Le soleil dessécherait ton corps, qui tomberait en poussière sur le sol, lâcha-t-il.

Tout comme sa fille, Kardey allait lui demander « pourquoi », mais il se ravisa. Améliane était trop jeune pour qu'il tente cette expérience. Elle avait encore besoin de lui.

– Je comprends ton désir de venir en aide aux Chevaliers, Kardey, mais en devenant l'un des nôtres, tu as perdu tes prérogatives d'humain.

– Ce châtiment imposé aux hommes Fées me semble bien cruel.

– Il ne s'agit nullement d'une punition. C'est une mesure de survie. Mes ancêtres ont compris, il y a longtemps, que leur peuple perdrait son identité s'il se mêlait aux autres races. Ils ont donc utilisé leur magie pour empêcher les mâles de quitter cette région.

– Mais pas les femmes, car elles ne peuvent pas avoir d'enfants avec les humains ou les Elfes...

L'ancien soldat ne put s'empêcher de penser à son frère d'armes Kevin, qui se privait de l'amour de Maïwen de peur d'engendrer un monstre. Il se leva, s'inclina respectueusement et quitta la salle du conseil, jetant la consternation dans le cœur de tout le monde.

Assis au fond de la grande pièce, Miyaji, qui s'appelait désormais Éliane, ressentit la tristesse de Kardey plus profondément que les autres Fées. Elle écouta la fin des délibérations sur la reconstruction du royaume d'une oreille distraite. Ce monde était encore plus complexe que celui des humains. Petit à petit, elle se perdit dans ses pensées. Une main se posa sur sa frêle épaule. Le Roi Tilly l'observait avec curiosité.

– Majesté, le salua-t-elle, timidement.

La salle était déserte. Éliane n'avait pas vu sortir les participants !

– La peine de Kardey est réelle, affirma-t-elle.

– Je sais, mais je ne possède pas la magie qui le protégerait contre son propre cœur.

Le monarque s'accroupit souplement pour être à sa hauteur.

– Les Fées azurées sont plus sensibles que nous, admit-il.

Éliane ne le savait que trop bien. Sur Irianeth, elle avait vécu une existence dénuée de tout sentiment, car les insectes étaient simples et prévisibles. Les humains, par contre, avaient réveillé en elle un tourbillon d'émotions conflictuelles.

– Il serait peut-être souhaitable de t'isoler jusqu'à la fin des hostilités.

– Croyez-vous vraiment que cela m'empêcherait de craindre le pire pour mon mari ?

– Les Chevaliers savent ce qu'ils risquent, même ceux qui sont aussi des Elfes. Suis mon conseil, Éliane.

Le roi se leva. Son corps se mit à vibrer, car il allait se dématérialiser.

– Attendez ! s'écria la jeune femme.

Les vibrations cessèrent.

– Dites-moi pourquoi je n'ai pas d'ailes comme les autres Fées.

– On t'a jeté un sort pour qu'elles ne se déploient jamais.

– Est-ce l'empereur qui m'a ainsi privée de cet attribut de mon peuple ?

– Non, ce n'est pas Amecareth.

Il s'évapora sans lui en dire davantage. Éliane demeura seule un moment, à se demander qui était responsable de ce terrible sortilège. S'il s'agissait du roi lui-même, la reine le lui avouerait-elle ? Elle bondit vers la sortie.

8

Les ailes manquantes

Calva marchait lentement entre les petites Fées, qui tentaient de tirer des sons de leurs harpes dorées. Sans se décourager, les enfants grattaient, pinçaient ou frappaient doucement les cordes transparentes. Elles savaient que personne ne maîtrisait un instrument de musique du premier coup. Comme pour beaucoup d'autres techniques, magiques ou autres, seule la pratique leur permettrait de jouer de belles mélodies.

Améliane était assise sur un coussin blanc. Elle se concentrait sur sa tâche, car elle voulait égayer son père grâce à une chanson qui provenait de son royaume natal. La reine l'avait captée pour elle puis, en appliquant ses mains de chaque côté de la tête de la fillette, la lui avait transmise. Améliane avait tout de suite commencé à la fredonner. Pour impressionner davantage Kardey, elle désirait aussi s'accompagner à la harpe. Or cette dernière n'était pas facile à apprivoiser. Améliane avait essayé la douceur, les cajoleries et les supplications pour y parvenir, mais rien ne fonctionnait. Elle se résigna donc à confier à l'instrument les moments douloureux que vivait sa famille.

Éliane s'arrêta dans l'entrée de la salle de cours. Chaque fois qu'elle surprenait les enfants au milieu d'une leçon, elle ne pouvait s'empêcher de penser à tout ce qu'elle avait manqué en grandissant chez les Midjins. Silencieusement, elle marcha jusqu'à la reine et pencha doucement la tête pour la saluer.

– Tu veux apprendre la musique, toi aussi ? s'égaya Calva.

– J'aimerais plutôt vous parler en privé.

La reine informa les jeunes Fées qu'elle devait s'absenter quelques minutes. Elle prit la main d'Éliane, afin de traverser le mur avec elle. Les deux femmes s'installèrent sur des bancs formés de petites perles blanches.

– Qu'y a-t-il, mon enfant ? s'inquiéta Calva.

– Je veux savoir qui m'a empêchée d'avoir des ailes comme vous.

– On croit à tort que c'est le roi qui possède les plus grands pouvoirs parmi les Fées.

– C'est vous ?

– Je laisse mon époux gérer seul les affaires de la cour, la défense du territoire que nous avons choisi pour notre peuple ainsi que les relations avec les autres races. Mon rôle est de voir au bonheur des miens. Lorsque j'ai su que les hommes-insectes t'avaient enlevée, je me suis assurée qu'ils n'utiliseraient jamais tes magnifiques facultés à leurs fins.

– Elles sont donc toujours à l'intérieur de mon corps.

– C'est exact.

Éliane se demanda si son nouvel époux aurait une objection à ce qu'elle réclame son héritage.

– Suis-je la seule Fée sans ailes ? voulut-elle savoir.

Calva secoua doucement la tête, soudainement attristée.

– L'empereur vous a-t-il volé d'autres enfants ? s'alarma Éliane.

– Heureusement, non.

– Alors, qui ?

– Ma seconde fille.

La reine lui raconta alors qu'elle avait eu une aventure sentimentale avec un demi-dieu, jadis. Ils avaient conçu deux enfants ensemble. L'aînée avait grandi parmi les Fées, puis auprès des Chevaliers. La benjamine était demeurée avec son père. Pour rendre sa vie plus facile sur le continent des humains, Calva avait stoppé la croissance de ses ailes transparentes.

– Derek prétend que les héritiers des Immortels sont des maîtres magiciens, se rappela Éliane.

– Il t'a dit la vérité. Ce que les humains et les Elfes ignorent, cependant, c'est qu'un demi-dieu qui parvient à engendrer deux enfants sépare leur pouvoir en deux. Loin l'une de l'autre, mes filles n'ont pas plus de force magique que les soldats d'Émeraude.

– Et réunies ?

– Elles auraient la puissance de leur père.

– Qui est la sœur d'Ariane ?

– Elle s'appelle Dinath.

La reine se redressa vivement. Ses protégées la réclamaient dans la pièce voisine. Éliane l'y suivit immédiatement, craignant qu'il ne soit arrivé un malheur. Elle découvrit avec soulagement qu'il s'agissait en fait d'une grande victoire : Améliane avait réussi à faire vibrer sa harpe !

– Majesté, je suis vraiment magique ! se réjouit l'enfant.

– Tu en doutais, petite Fée ?

– C'est que mon papa n'est pas né ici.

– Mais toi, oui. Allez, montre-nous ce que tu sais faire.

Fièrement, la fille de Kardey effleura les cordes du bout des doigts. Elles se mirent à émettre des notes cristallines. Les enfants applaudirent avec joie. Les Fées n'étaient pas des créatures envieuses. Elles se réjouissaient chaque fois que l'une d'entre elles remportait un succès.

– Maintenant, tu dois apprendre à chanter en même temps que ta harpe, recommanda Calva. Laisse-la te guider.

Éliane détourna son attention. Elle continuait à penser à Ariane et à Dinath. Comment redonner à ces princesses la place qui leur revenait ?

Elle quitta la salle de musique aussi silencieusement qu'elle y était entrée, puis franchit le seuil du palais, se retrouvant instantanément dehors. Sa mère n'était pas retournée sur son île au milieu de la rivière, mais Éliane ne savait pas où la trouver.

Auréane avait cependant déjà senti la détresse de son enfant. Elle sortit d'entre les pommiers chargés de fruits multicolores.

– Je suis ici, ma chérie.

Éliane courut jusqu'à elle et serra ses mains.

– Il y a plusieurs choses que je dois savoir, mère.

– Il était grand temps que tu me questionnes. J'imagine que tu étais trop occupée par ton nouveau mari.

Le sourire moqueur d'Auréane fit comprendre à la dompteuse de dragons qu'elle la taquinait. Toutefois, Éliane était obsédée par autre chose.

– Mère, pouvez-vous m'aider à devenir la Fée que j'aurais dû être, et m'enseigner tout ce que je devrais savoir ?

– Cela pourrait être long.

– J'en suis parfaitement consciente, mais c'est important pour moi.

– Dans ce cas, commençons maintenant.

Les deux Fées s'enfoncèrent dans les vergers.

9

PAR DÉPIT

Comme cela avait été le cas pour le Royaume des Fées, les larves commençaient à quitter le Royaume de Diamant. Wellan, ses Chevaliers et leurs Écuyers les pourchassaient impitoyablement toute la journée afin de les empêcher de s'en prendre aux paysans. La nuit, les guerriers se reposaient. Il s'agissait d'une campagne militaire frustrante et épuisante.

Au petit matin, assis devant le feu, Wellan cherchait à comprendre ce qui arrivait aux imagos. Depuis leur arrivée sur la côte ouest, les jeunes coléoptères n'avaient cessé de progresser à l'intérieur des terres. Le grand chef avait d'abord cru que l'Empereur Noir les avait relâchés pour dévaster Enkidiev. En les voyant se tourner vers Émeraude, il se demandait maintenant si leur géniteur les dirigeait à distance ou s'il avait imprimé dans leur esprit un plan de destruction bien précis.

– Personne ne peut lire leurs pensées, maître, lui rappela Lassa, assis un peu plus loin.

– C'est en étudiant les mouvements d'un adversaire qu'on peut prévoir son prochain geste.

– Nous savons au moins qu'ils ne sont pas à ma recherche.

– Il n'y a pas plus de nourriture pour eux à Émeraude qu'ailleurs, fit remarquer Bridgess en les rejoignant devant les flammes.

Elle prit place près de Wellan. Atalée, son Écuyer, s'assit à deux pas de Lassa. Elle était devenue une belle guerrière élancée, mais les filles n'intéressaient pas vraiment le porteur de lumière. Cassildey, lui, dévorait des yeux l'apprentie de Bridgess. Pour sa part, Lassa ne parlait que de Kira, surtout depuis sa disparition. Il composait sans cesse de nouvelles chansons sur ses exploits, que lui racontaient ses aînés.

– Peut-être que l'empereur ne sait pas que Kira a été enlevée, tenta l'adolescent.

– C'est possible, admit Bridgess. Mais pourquoi enverrait-il ses larves la dévorer ? Car c'est tout ce qu'elles savent faire.

– Et s'il y avait à Émeraude un trésor dont nous ignorons encore l'existence ? suggéra Cassildey.

Wellan n'eut pas le temps d'y songer davantage. Curtis, qui était de garde, sonna l'alarme : les coléoptères revenaient à la charge. « Cette guerre commence vraiment à devenir lassante », pensa le grand chef en se levant. Il attacha sa ceinture d'armes et fonça vers les chevaux, en même temps que ses compagnons. Ils galopèrent jusqu'à l'endroit où la sentinelle avait aperçu des carapaces se déplaçant dans les hautes herbes.

La troupe y découvrit très peu d'imagos. Ceux que les soldats fauchaient semblaient chétifs et désorientés. Bridgess fit observer à son mari que, dans tous les troupeaux d'animaux, les spécimens malades traînaient toujours la patte.

– Les larves sont donc plus au sud ! en déduisit Wellan.

Sans plus attendre, ils s'élancèrent vers Émeraude, ventre à terre. Ils captèrent aussitôt la terreur des habitants dans les villages frontaliers entre les Royaumes de Diamant et d'Émeraude. Les coléoptères émergeaient du sol dans les champs, surprenant les paysans. Ils avaient réussi à en tuer quelques-uns, mais les plus téméraires des Émériens ne pouvaient repousser les prédateurs qu'à coups de faux et de râteaux.

Wellan n'eut qu'à lever le bras pour que ses soldats se dispersent en éventail derrière lui. Avec leurs épées, ils frappèrent durement les larves au passage. Quel ne fut pas leur étonnement de trouver Onyx à l'entrée du village, combattant seul les scarabées qui tentaient d'y pénétrer ! Le Roi d'Émeraude était déchaîné. Manipulant son épée double à la vitesse de l'éclair, il sectionnait sans discrimination les bras, les jambes et le cou de ses adversaires. Il lui fallait agir rapidement, car la carapace des larves durcissait de minute en minute. Mais à ce rythme-là, le renégat ne tiendrait pas bien longtemps.

Wellan abattit autant d'ennemis qu'il le put tandis qu'il était en selle. Puis, il sauta à terre, pour éviter que sa jument soit blessée. Grisald suivit aussitôt les autres destriers et se posta loin des combats, attendant les ordres de son maître. Ce dernier venait de rattraper Onyx.

– Que faites-vous ici ? hurla Wellan dans la cohue.

– La même chose que vous, on dirait ! répliqua Onyx en enfonçant sa lame dans la gorge d'un imago.

– Votre imprudence continue de me renverser ! Un homme seul ne peut pas affronter une centaine de ces créatures !

– Mais je savais que vous finiriez par arriver !

Le carnage se poursuivit toute la journée. Wellan était à bout de souffle. Ses bras meurtris arrivaient à peine à soulever son épée. À quelques pas de lui, Onyx continuait toutefois à se battre comme un forcené. « D'où lui vient cette endurance ? » s'étonna le grand chef. Aucun homme n'étant invincible, pourtant, le Roi d'Émeraude finit par s'écrouler. Voyant les imagos se jeter sur son souverain, Lassa utilisa son pouvoir de lévitation pour repousser les créatures affamées. Cela donna le temps à Onyx de se remettre debout. Imprégnés de sueur, ses longs cheveux noirs collaient à son cou et sur ses joues. Ses mains tremblaient.

Un cri de guerre retentit alors au loin. Wellan scruta l'horizon. Un grand nombre de cavaliers arrivaient au galop en provenance du nord. Leur soudaine apparition désorienta les coléoptères pendant un moment.

– Ils portent les couleurs de Diamant, annonça Bridgess, haletante.

Les soldats du Roi Kraus foncèrent dans la masse compacte des larves. Les Chevaliers d'Émeraude en profitèrent pour refaire leurs forces grâce aux techniques de méditation qu'ils avaient apprises de leurs professeurs de magie. Ils se jetèrent ensuite dans la mêlée et se battirent jusqu'au coucher du soleil.

Dès que les imagos eurent réintégré leurs cachettes souterraines, Wellan donna l'ordre à ses guerriers de brûler les cadavres. Épuisé, Kraus se tenait debout près de lui et contemplait le champ de bataille avec tristesse. Il avait du mal à comprendre pourquoi l'Empereur Noir s'arrogeait le droit d'agresser ses voisins.

Pendant que le grand chef cherchait à repérer les Chevaliers et les Écuyers de son groupe à l'aide de ses sens magiques, Kraus perçut un mouvement parmi les corps qui n'avaient pas encore été incendiés. Il dégaina son épée et s'en approcha avec prudence. Quelle ne fut pas sa surprise lorsqu'il trouva un humain coincé sous une carapace ! Le pauvre homme était si éreinté qu'il n'arrivait pas à se dégager.

Kraus rengaina son arme afin d'agripper solidement le bras de l'infortuné soldat, lui signalant ainsi qu'on venait à son secours. Il repoussa la larve d'un coup de botte, puis aida le malheureux à se remettre sur pied. C'était Onyx ! Il était couvert de sang et ne parvenait pas à demeurer debout sur ses jambes.

– Sire Wellan ! cria Kraus.

Il était impossible, à une telle distance, de distinguer les traits de celui que le Roi de Diamant ramenait vers les Chevaliers. Tout ce que Wellan pouvait constater, c'est que ce blessé était humain, et plutôt amoché. Le grand chef traversa tout le champ de bataille en vitesse pour donner un coup de main à Kraus.

– Onyx ? s'étonna-t-il en reconnaissant son visage.

Ils transportèrent le monarque au village le plus proche, en bordure de la rivière Tikopia. Pendant que Kraus nettoyait le visage du Roi d'Émeraude, Bridgess passa une paume lumineuse au-dessus de son corps. Wellan observa son travail. Il ne pouvait plus lui-même effectuer ce genre d'examen, les spirales ayant modifié les facultés surnaturelles de ses mains.

– Il n'a rien de cassé, annonça enfin la femme Chevalier.

– Mais il est complètement épuisé, nota le Roi de Diamant.

Ils débarrassèrent Onyx de ses vêtements maculés de sang. Son torse était couvert de lacérations. Bridgess les referma une à une au moyen de petits rayons lilas. Une fois son travail terminé, le grand chef souleva son souverain et le transporta jusqu'à la rivière pour le laver. L'eau froide ranima Onyx. Il battit des paupières et inspira profondément. Il n'avait cependant plus la force de se défaire de l'emprise de Wellan.

– Ne faites aucun effort, lui conseilla le Chevalier. Je ne laisserai pas le courant vous emporter.

Une fois qu'ils furent revenus sur la berge, Hettrick enveloppa Onyx dans une chaude couverture et aida Wellan à le ramener au campement. Ils installèrent confortablement le roi sur une couverture.

– Vous auriez pu être tué, lui reprocha Wellan.

– Votre manque de confiance en moi est troublant, Chevalier, souffla Onyx, les yeux à demi fermés.

Tous les muscles de son corps étaient endoloris.

– Il est de mon devoir de vous protéger, vous le savez bien, répliqua le grand chef.

– Le mien est de débarrasser mon continent de l'ennemi.

« Mon continent ? » s'étonna Bridgess. Elle serra les lèvres pour éviter de faire un commentaire. Lassa et Atalée demeuraient en retrait, ne perdant pas un mot de la conversation entre leurs maîtres et le Roi d'Émeraude.

– Seul ? s'enquit Wellan.

– S'il le faut.

Le grand chef reconnut alors la rage qui brillait dans les yeux du renégat : il voulait venger la mort de Nemeroff.

– C'est l'empereur qui est responsable de cette tragédie, pas ces..., commença Wellan.

Onyx se redressa comme si une abeille l'avait piqué.

– Je le sais mieux que quiconque ! hurla-t-il.

Kraus ne savait plus s'il devait intervenir. Onyx était si faible que son cœur risquait d'exploser s'il continuait de s'énerver ainsi.

– J'ai tenté de forcer le destin, et nous avons perdu celle qui devait aider le porteur de lumière à détruire cette infâme créature, poursuivit le roi.

Des larmes coulaient maintenant à grands flots sur ses joues.

– Comment puis-je vous venir en aide ? offrit le Roi de Diamant.

– Reculez, ordonna simplement Onyx en se recouchant.

Une brillante lumière blanche l'entoura sur-le-champ. Kraus contempla le phénomène avec fascination.

– C'est notre façon de soigner nos blessures internes, expliqua Wellan. N'oubliez pas qu'il a été Chevalier d'Émeraude avant d'être roi.

– C'est sans doute pour cette raison qu'il réagit comme un soldat plutôt que comme un politicien dans les affaires de son royaume, déplora Kraus.

– Je crains que ce ne soit nouveau pour lui. Surtout, ne vous inquiétez pas, il apprend vite.

– Peut-il nous entendre ?

– Non. Il s'est complètement coupé de la réalité.

Le Roi de Diamant invita tout de même Wellan à le suivre un peu plus loin, pour en être bien sûr. Lassa décida, pour sa part, de rester auprès de son souverain.

– Je ne comprends pas comment un homme peut vivre plus de cinq cents ans et ne pas avoir l'air plus vieux que moi, avoua Kraus.

– Il faut être un magicien doué, sinon un sorcier, expliqua Wellan. Et Onyx avait encore un rôle à jouer en ce monde.

Ils allèrent à la rencontre des Chevaliers, qui s'entassaient autour du feu après avoir accompli la pénible corvée de l'incinération.

10

La puissance du feu

Au matin, les Chevaliers, leurs apprentis et les hommes du Roi Kraus furent réveillés par les cris d'alarme de Rainbow, qui montait la garde depuis quelques heures. Le soleil commençait à peine à poindre à l'horizon. Jamais les larves n'étaient apparues aussi tôt. Lassa aida Wellan à enfiler sa cuirasse. Il tira sur les sangles, ajustant l'armure d'une manière instinctive. Aucun mot ne fut échangé entre l'homme et l'adolescent, chacun connaissant son rôle. Cassildey s'arma en vitesse. En quelques minutes à peine, ils étaient tous trois prêts pour le combat.

Wellan prit les devants. Les soldats de Diamant se mêlèrent aux Chevaliers. Ils arrivèrent devant une véritable marée de carapaces brunâtres.

– Par tous les dieux ! s'exclama Bailey. D'où sortent-ils ?

– Je ne me souviens pas d'en avoir vu autant sur la côte ! renchérit Volpel.

Leur chef faisait le même constat. « Pourquoi y en a-t-il toujours plus ? » se demandait-il.

– Je vois deux explications possibles, lâcha Bridgess. Ou bien Amecareth continue d'en faire débarquer quelque part et ils empruntent les tunnels déjà creusés par leurs prédécesseurs, ou bien ils ont la faculté de se reproduire.

– Et s'ils avaient réveillé des larves qui dormaient déjà sous nos pieds depuis des années ? suggéra Onyx en arrivant entre elle et le grand chef.

Il portait l'uniforme des Chevaliers d'Émeraude, qu'il avait sans doute emprunté grâce à sa magie aux couturières du château. Wellan ne s'habituait pas à le voir arriver à tout moment dans les combats, même s'il appréciait sa force et sa témérité.

– C'est une possibilité, estima le Roi Kraus.

– Ce qui veut dire qu'il y en a peut-être des millions sur Enkidiev ! s'énerva Rainbow.

Cette belle jeune femme à la peau d'ébène et aux longs cheveux noirs était un rayon de soleil parmi ses frères et ses sœurs d'armes. Elle voyait toujours le bon côté des choses. Pourtant, ce matin-là, elle observait l'approche de l'ennemi avec la même inquiétude que ses compagnons.

– Si vous possédez des pouvoirs que vous n'avez pas encore utilisés devant nous, ce serait le moment idéal de nous en faire la démonstration, suggéra Milos au Roi d'Émeraude.

Onyx avait pris le temps d'étudier la plaine pendant leurs bavardages. Ses yeux bleus devinrent étrangement lumineux. Wellan l'observa, curieux de savoir ce qu'il préparait. Des éclairs bleus se mirent à tourbillonner autour de son corps. Les Chevaliers qui l'entouraient jugèrent bon de s'éloigner.

Brusquement, le renégat tendit les bras droit devant lui. Un halo indigo décolla de ses mains, fonçant sur les insectes. Il embrasa tous ceux qui se trouvaient sur sa route, séparant en deux groupes ceux qui restaient. Les malheureuses créatures furent réduites en cendres en l'espace de quelques secondes. Leur disparition ne sembla pourtant pas décourager leurs congénères.

– Je ne pourrai me servir de cette ancienne magie que deux ou trois fois, annonça le Roi d'Émeraude. Tenez-vous prêts à recevoir ceux qui m'échapperont.

Wellan jeta un coup d'œil aux spirales gravées dans ses paumes : elles ne lui étaient d'aucun secours contre un adversaire qui n'était pas immortel. Malgré sa déception, il encouragea ses guerriers à se préparer au combat.

Onyx détruisit encore une centaine d'imagos, puis s'arrêta, pantelant. Les Chevaliers foncèrent dans la première rangée de larves cliquetantes, bientôt suivis des Écuyers et des soldats de Diamant. Kraus et Zerrouk saisirent quant à eux les bras du renégat et le firent reculer. Il ne devait surtout pas devenir un repas facile pour ces insectes affamés.

Tout en frappant à gauche et à droite avec sa large épée, Wellan évaluait ses chances de repousser cette nouvelle invasion. Le groupe de Chloé et de Dempsey évoluait plus au nord, à Opale. Celui de Santo et celui de Falcon passaient le sud d'Émeraude au peigne fin. Quant au groupe de Jasson et à celui de Bergeau, ils tentaient d'éliminer les coléoptères qui avaient réussi à se rendre jusqu'au Royaume de Perle.

Chloé, quelle est la situation à Opale ? l'interrogea-t-il mentalement, tout en continuant de ralentir les larves. *Nous venons à peine de nous réveiller,* répondit-elle. *Les sentinelles n'ont encore rien aperçu à l'extérieur des murailles.*

Vous ne verrez pas de larves, l'informa le grand chef. *Elles convergent toutes sur Émeraude. Venez tout de suite nous rejoindre à la frontière de Diamant et d'Émeraude, près de la rivière Tikopia.*

Un cri de douleur mit fin à cette conversation télépathique. Une larve avait réussi à arracher un morceau de chair à Callaan. Allado, son apprenti, planta sa lame dans le coude du monstre et lui sectionna le bras. Les mandibules sanguinolentes s'agitèrent avec panique. Allado n'attendit pas la contre-attaque de l'insecte blessé. Il poussa rapidement son maître derrière les Chevaliers pour qu'il puisse refermer sa blessure à l'abri. Francis subit alors le même sort que Callaan. Les humains n'étaient pas assez nombreux pour contenir cette poussée.

Un vortex se forma heureusement sur le flanc gauche de la marée de coléoptères. Les soldats vêtus de vert se jetèrent sur l'ennemi, Swan en tête. Comme un véritable tourbillon de muscles et de métal, elle abattit froidement les larves, qui n'eurent même pas le temps de réagir.

Wellan fit très rapidement le bilan de la situation : il lui fallait un autre groupe sur le flanc droit. Il communiqua par télépathie avec Santo. Astucieux, le guérisseur trouvait sans cesse de nouvelles façons de balancer les coléoptères dans l'océan. Le grand chef comprit qu'il ne devait surtout pas le retirer d'Émeraude. Il fit donc plutôt appel au groupe d'Hadrian, qu'il rapatria sur-le-champ.

Les nouveaux arrivants se matérialisèrent à l'arrière du bloc de scarabées, ce qui ne réglait pas le problème du flanc droit. L'ancien Roi d'Argent chargea, suivis de ses hommes. Tous les efforts des Chevaliers ne freinèrent néanmoins pas la marche des imagos, qui continuaient à avancer en direction de la montagne, surtout là où les humains ne les harcelaient pas.

« Il me faut quelqu'un de ce côté », s'énerva Wellan. En réponse à sa supplication, un étendard rouge et or apparut à l'est : l'armée de Jade venait à leur secours ! Le grand chef remercia Theandras, puis continua à frapper les larves pour qu'elles n'atteignent pas le village. Armés de leurs minces épées légèrement courbées, les Jadois foncèrent dans les carapaces ambulantes. Le massacre se poursuivit pendant des heures. Les coléoptères tombaient, mais ils étaient tout de suite remplacés par d'autres.

Jenifael suivait son maître de près, car tout comme son mari, Swan se battait sans réfléchir. Son groupe se frayait une route à l'intérieur de la masse grouillante des imagos, rejoignant peu à peu celui d'Hadrian. Les soldats de l'ancien monarque étaient à pied, tout comme ceux de Chloé et de Dempsey. Jenifael chercha son héros des yeux. C'est alors qu'elle le vit s'écrouler au milieu des mandibules menaçantes.

– Non ! cria-t-elle, terrifiée.

Son corps s'enflamma instantanément. Elle courut vers l'endroit où elle avait vu tomber Hadrian. Tous les insectes qu'elle touchait prenaient feu. Les flammes commencèrent à se propager vers le centre de cette marée brune, mais la jeune déesse en était inconsciente. Elle atteignit finalement Hadrian au moment même où un imago lui mordait le bras. L'ancien roi poussa un cri de douleur et repoussa tant bien que mal son agresseur à coups de bottes dans l'abdomen. Jenifael usa d'une autre tactique. Elle sauta sur le dos du scarabée, l'incinérant en une fraction de seconde. Puis, elle s'en prit à tous ceux qui s'approchaient d'Hadrian, attirés par l'odeur de son sang. Pour les éloigner, elle créa un cercle de feu autour de lui. Les yeux d'acier du vétéran se remplirent à la fois d'admiration et de crainte. Jenifael y aperçut alors son propre reflet : elle ressemblait à une torche vivante ! Elle mit tout de suite fin à sa transformation divine et se pencha sur le blessé.

– Vous saignez beaucoup, déplora-t-elle.

Elle posa la main sur sa poitrine et le transporta magiquement loin des combats. Elle s'empressa ensuite de refermer la vilaine plaie, qui risquait d'endommager son bras à tout jamais. Hadrian ne ressentait plus sa douleur. Il fixait en fait le visage de Jenifael comme s'il le voyait pour la première fois. Elle ne ressemblait plus du tout à l'adolescente qu'il avait surprise à interpréter les étoiles dans la bibliothèque d'Émeraude.

– Jenifael, est-ce bien vous ? s'enquit-il.

– Évidemment, sire. Ne bougez surtout pas. J'ai presque fini.

Falcon arriva à la course, son Écuyer Alex sur ses talons. Lui aussi avait vu tomber son commandant. Il s'agenouilla près de lui, inquiet.

– Ce n'est rien, assura Hadrian pour calmer son inquiétude.

– On dirait pourtant que le monstre vous a arraché pas mal de chair, répliqua Falcon.

– Cette jeune fille fait un excellent travail de remplissage, dans ce cas.

Le vétéran n'avait jamais entendu parler d'une telle procédure. Lorsque la blessure ne fut plus qu'une cicatrice, Hadrian fit un effort pour s'asseoir. Le visage de la jeune déesse était tout près du sien.

– Je vous dois la vie, souffla-t-il.

– Il était tout naturel que je vous protège, affirma Jenifael, timidement.

– Vous possédez un bien étrange pouvoir.

– Il me vient de ma mère. Un jour, je vous en dirai plus à ce sujet, mais pas aujourd'hui. Je dois vous mettre en sûreté.

– Non. Je préfère retourner au combat. Je ne sais pas ce que vous m'avez fait, mais mes forces sont revenues.

– Laissez-moi voir ce bras, exigea Falcon.

Hadrian lui permit de tâter ses muscles pour le convaincre que le membre était valide.

– Pourra-t-il supporter le poids de l'épée ?

– Sans difficulté, déclara Hadrian.

Le Chevalier l'aida à se lever.

– Si vous voulez vraiment me faire plaisir, dit l'ancien roi à Jenifael, vous pouvez continuer à faire frire ces satanés insectes.

– Ce n'est pas aussi facile que cela en a l'air, Majesté.

– Faites ce que vous pouvez.

Ils retournèrent tous les quatre sur le flanc droit de la bataille, où de curieux soldats vêtus d'armures de cuir tressé rouge et doré massacraient les rangs ennemis.

Wellan n'avait rien manqué de l'intervention de sa fille. Cassildey non plus. Ce n'était cependant guère le moment de féliciter Jenifael. Ils en avaient déjà plein les bras. Ils continuèrent à frapper l'ennemi, espérant que leurs efforts contiendraient les coléoptères jusqu'à la tombée de la nuit.

11

UN MOMENT DE LIBERTÉ

Les habitants du Château d'Émeraude ignoraient ce qui se passait derrière la Montagne de Cristal. Ils vaquaient à leurs occupations en priant Parandar de leur épargner une seconde attaque des soldats-insectes. Toutefois, Jahonne et Amayelle suivaient attentivement les progrès des Chevaliers au nord et au sud du pays. Les imagos ne cessaient de se rapprocher de leur place forte. Même ceux qui ravageaient le Royaume de Perle remontaient vers le nord.

– Ils nous encerclent, s'énerva la Princesse des Elfes en venant relayer son amie, qui avait monté la garde toute la nuit.

La Sholienne s'était installée dans l'ancienne prison pour ne pas être importunée tandis que son esprit parcourait Enkidiev grâce à sa magie. Elle prit les mains de la Princesse des Elfes dans les siennes pour la rassurer.

– Les Chevaliers ralentissent la progression des larves, affirma-t-elle.

– Pourquoi viennent-elles ici, Jahonne ? Que cherchent-elles ? Ni Kira, ni Lassa ne sont à Émeraude.

– Moi, je me demande si c'est bien l'empereur qui les commande.

– Vous pensez qu'elles agissent de leur propre chef ?

– Non. Je commence à croire qu'une autre force maléfique est en jeu.

– Akuretari ?

– Il ne s'agit pas d'une entité aussi puissante...

– Le sorcier Asbeth, alors ?

– C'est possible. Il ne faut sous-estimer personne. Soyez vigilante.

Amayelle étreignit son amie et la laissa partir. Elle prit place sur le lit, récemment pourvu d'un nouveau matelas de plumes, et croisa les jambes. Elle devait cesser de sentir son corps physique afin de devenir un pur esprit, capable de voyager là où il le désirait.

Jahonne traversa lentement la cour. Les paysans, qui menaient leurs charrettes vers le pont-levis, la saluèrent de la tête. Ils avaient appris à apprécier cette femme mauve qui ressemblait à leur regrettée princesse. La Sholienne entendit alors la querelle qui provenait de la tour d'Armène. Les garçons ne semblaient pas du tout contents de leur sort. Pourtant, leur gouvernante était la personne la plus dévouée du royaume !

Malgré sa grande fatigue, l'hybride se hâta vers l'escalier en pierre : peut-être pourrait-elle aider Armène à calmer cette tempête ? Elle monta les marches. Fabian, Nartrach et Cameron étaient plantés devant leur gardienne, les poings sur les hanches.

– Nous allons mourir d'ennui si nous restons enfermés ici une journée de plus ! cria Nartrach.

– Je vous ai dit au moins cent fois pourquoi vous ne pouvez pas quitter cette tour, répondit calmement Armène.

– Nous sommes des enfants, pas des poulets ! répliqua Fabian, mécontent. Nous avons besoin de bouger.

– Votre frère a été tué par nos ennemis, jeune homme. Cela ne vous a-t-il donc pas servi de leçon ?

– Il était dans une tour ! L'avez-vous oublié ?

– Nous voulons juste courir et respirer l'air frais ! ajouta Cameron.

– Puis-je intervenir ? demanda Jahonne.

Les gamins firent volte-face, effrayés. Heureusement, ils n'avaient pas encore appris à canaliser le feu dans leurs paumes.

– Ce n'est que moi, les rassura l'hybride.

– Nous voulons seulement sortir quelques minutes, gémit Fabian.

Atlance ne disait rien. Blanc comme de la craie, il se rangeait du côté de son petit frère, pour faire partie du groupe. Mais il aurait de loin préféré rester caché sous son lit.

– Je n'ai plus beaucoup d'énergie, mais je pourrais probablement former un dôme de protection au-dessus de vous pendant un moment.

Les garçons sautèrent de joie.

– Pas question de quitter l'enceinte du château, toutefois, les avertit Jahonne.

– Merci, fit Armène, soulagée.

Elle se tourna vers le petit Maximilien, sagement assis sur la table.

– Tu veux y aller aussi ?

Il secoua énergiquement la tête pour dire non. Ce qu'il voulait, c'était sa mère, mais il ne pouvait certainement pas le dire devant les autres, qui l'auraient traité de bébé.

Jahonne emmena donc les plus vieux. D'un geste de la main, elle fabriqua une membrane lilas qui se tendit d'elle-même entre les créneaux.

– Dépêchez-vous d'en profiter avant qu'elle s'évapore, les prévint-elle.

Les garçons se précipitèrent vers les enclos pour se délier les jambes. Ils jouèrent au ballon pendant un moment, le dirigeant de plus en plus habilement avec leurs pieds. Puis, Nartrach proposa de faire de l'équitation. Les palefreniers leur sellèrent des bêtes tranquilles. Les garçons galopèrent entre les murailles, faisant semblant d'attaquer des cohortes de soldats-insectes. Ils ne ramenèrent les chevaux à l'écurie que lorsque leur ennemi invisible fut finalement vaincu. Les hommes leur permirent alors de brosser leurs montures en les gardant à l'œil.

– Il faudra demander à Lady Jahonne de refaire la même chose tous les jours ! s'exclama Fabian.

– Cela diminue sa puissance magique, l'avertit Atlance.

– Une fois de temps en temps, alors ? suggéra Cameron.

– Je pense bien qu'elle voudra, ajouta Nartrach.

– Saviez-vous que ma mère a trouvé les pierres de l'armure de Lady Kira dans une grotte ? leur apprit Cameron.

– Est-ce qu'elles sont vertes ? voulut savoir Atlance.

– Non, mauves. Ma mère dit que ce sont des améthystes. Lady Kira n'a porté la même armure que les Chevaliers qu'une seule année, pendant qu'on réparait sa cuirasse violette.

– C'est vrai, l'appuya Nartrach. Mon père m'a raconté que le sorcier Asbeth avait abîmé ses vêtements en l'attaquant sur son cheval.

– Est-ce que la guerre finira bientôt ? s'enquit Atlance, découragé.

– Je crois que oui, avança Cameron.

– Mon père exterminera tous nos ennemis, les rassura Fabian. Il est le plus fort de tous les soldats.

– C'est moi qui remporterai cette guerre, se vanta Nartrach.

– Tout seul ? douta Atlance.

– Non, avec Stellan.

– Le dragon ? s'étonna Fabian.

– Il mange les humains..., trembla Atlance.

– Et les Elfes ? s'inquiéta Cameron.

– Il ne mangera personne, parce que c'est mon ami, affirma Nartrach. Dès qu'il reviendra, j'irai aider mon père à détruire les insectes. Vous verrez bien que je dis la vérité.

– Nous sommes seulement des élèves d'Émeraude, lui rappela Cameron. Il faut être au moins Écuyer pour aller se battre.

Nartrach vit alors un bien triste spectacle à l'autre bout de l'allée. Hathir était immobile dans sa stalle. Sa tête pendait au-dessus de son auge, pourtant remplie à craquer de grains dont il raffolait. Le garçon déposa l'étrille et alla caresser ses naseaux.

– Elle nous manque aussi, s'affligea-t-il.

Il ouvrit la porte de la stalle.

– Viens, Hathir. Il n'y a aucune raison pour que tu restes enfermé ici.

L'énorme cheval-dragon suivit docilement Nartrach dans l'allée. Les palefreniers s'empressèrent de détacher les bêtes que brossaient les garçons et de les éloigner. En fait, la raison pour laquelle Hathir ne sortait plus de l'écurie, c'est qu'ils en avaient tous peur.

Nartrach et ses amis conduisirent l'étalon jusqu'au pont-levis. Les gardes du château leur barrèrent aussitôt la route.

– Vous n'avez pas le droit de le garder ici, les sermonna l'enfant.

– C'est le roi qui prend ces décisions, les avertit le soldat, armé d'une lance.

– Mais je suis le fils du roi ! lança Fabian, insulté.

Jahonne s'approcha du groupe afin de rétablir l'ordre, une fois de plus. Elle caressa l'encolure de l'énorme cheval noir, qui émit des sifflements stridents.

– Rendez-lui sa liberté, ordonna-t-elle d'une voix douce mais ferme.

Les deux hommes échangèrent un regard interrogateur, mais finirent par lui obéir. Dès qu'ils eurent repris leur poste, de chaque côté des portes, l'animal s'élança au galop. Ses sabots résonnèrent sur les planches. Il fonça sur la route, puis il piqua vers la rivière sans regarder derrière lui.

– Les Chevaliers n'auraient pas dû le ramener ici, regretta Nartrach.

– Ils pensaient retrouver Kira, les défendit Jahonne.

– Comment pourrions-nous la faire revenir à Émeraude ? demanda Atlance.

– Il faudrait posséder la puissance d'un dieu pour la ramener parmi nous.

– Et notre magie est pas mal rudimentaire, déplora Cameron.

– Si vous me promettez de ne plus causer de souci à Armène, je vous montrerai ce que je sais, les tenta Jahonne.

Les garçons levèrent les yeux sur le dôme qui continuait à les protéger et décidèrent que c'était une idée intéressante.

12

L'inassouvissement

Dans une caverne obscure de la chaîne de montagnes qui séparait Enkidiev des Territoires inconnus, sorte de bulle géante formée lors du refroidissement de la lave d'un volcan, Akuretari attendait patiemment le retour de son nouveau serviteur. Le temps importait peu aux dieux. Son visage reptilien n'était éclairé que par la lueur rougeâtre d'une fissure dans la paroi noire.

Le gavial était parfaitement immobile. Deux blessures magiques continuaient toutefois à le faire souffrir : celle de la griffe du renégat, et celle de la lance de Danalieth. Cet inconfort ne l'empêcherait pas de mener son plan à terme. Malgré quelques obstacles agaçants, les choses progressaient en effet selon ses désirs. Les larves de l'Empereur Noir finiraient par dévorer tous les humains. C'était inévitable. Akuretari se concentrerait donc sur ses véritables cibles : Onyx, Wellan, Danalieth et la fille de ce dernier. Ils possédaient tous des armes capables d'anéantir Parandar lui-même. Le dieu déchu devait par conséquent se débarrasser d'eux s'il voulait donner une bonne leçon à son frère.

Immanquablement, les pensées de l'alligator le ramenaient toujours au panthéon, qui l'avait exilé. Il haïssait chacun des dieux et des sous-dieux qui le composaient. Néanmoins, il ne s'attardait jamais aux raisons qui les avaient poussés à le précipiter dans un gouffre sans fond. Les lois du ciel étaient pourtant claires : personne n'avait le droit de les enfreindre.

Akuretari ferma les yeux pour repérer ses victimes. Deux d'entre elles combattaient les imagos, bien inutilement d'ailleurs. Dans les forêts de Jade, l'Immortel procédait à un rituel qu'il ne connaissait pas. Quant à sa fille...

Il entendit le battement d'ailes désormais familier à ses oreilles. Asbeth venait de se poser sur la corniche. Cet endroit n'était pas très agréable pour un être vivant, mais les pattes écaillées du sorcier le protégeaient de la chaleur du sol. Le corbeau géant rentrait les mains vides. Akuretari le savait. Il surveillait ses progrès de loin. Le plan d'Asbeth aurait pu réussir si les Chevaliers n'avaient pas réagi aussi rapidement. L'enlèvement du porteur de lumière lui aurait permis d'attirer son maître dans un guet-apens, mais l'homme-oiseau n'avait pas su le retenir.

– Il m'a échappé, croassa Asbeth.

– Nous le capturerons autrement. J'ai une autre mission pour toi, sorcier. De toute façon, le Prince de Zénor ne pourra pas accomplir son destin seul. La princesse sans royaume n'est plus en mesure de l'aider.

– Qu'attendez-vous de moi ?

– Retrouve la fille de Danalieth et ramène-la-moi.

– Sans mes potions et mon chaudron, cela pourrait nécessiter un certain temps.

Akuretari soupira avec agacement.

– J'oubliais que la magie des créatures mortelles est restreinte, grommela-t-il.

Il tendit brusquement sa main griffue, saisissant le corbeau à la tête. Des images se mirent alors à apparaître dans l'esprit d'Asbeth. Il vit, dans un grand jardin, une jeune fille qui jouait avec un chiot. Le dieu déchu le relâcha.

– Où est cet endroit, où la vie est-elle si douce que la vermine ne nous craint pas ? s'étonna le sorcier.

– C'est une terre au milieu de l'océan du sud, à une bonne distance de l'Île des Lézards. Ses habitants s'y croient à l'abri de ma fureur.

– Pouvez-vous m'aider à m'y rendre ?

– Tu as des ailes, sers-t'en.

Asbeth savait qu'il était inutile d'insister. Il se retira à reculons, en signe de respect, puis il prit son envol dans les lueurs du matin. Il devait planer le plus haut possible pour éviter les tirs des soldats magiciens, car si le Chevalier Wellan venait à l'apercevoir, il ne manquerait pas de l'attaquer. Le corbeau survola ainsi Enkidiev en direction de l'ouest, se laissant porter par le zéphyr. Lorsqu'il atteignit l'océan, il dévia vers le sud. Il entrevit enfin Irianeth à sa droite, une énorme roche plantée au milieu des flots.

Assis sur le rebord d'une falaise escarpée, Sage ressentit une curieuse impression. Ce n'était pas tout à fait un danger. Cela ressemblait davantage à une menace lointaine. Il inspecta donc attentivement les alentours pour s'assurer que

Stellan ne rôdait pas près des falaises. Les dragons femelles ne grimpaient pas dans les rochers, aussi ne vit-il rien de suspect. Asbeth volait très haut dans le ciel. Pourtant, ses nouveaux sens ne le trahissaient jamais. Plus les mois passaient, plus il sentait des changements s'opérer en lui. Il les avait d'abord bravement combattus, puis sa solitude l'avait poussé à se rapprocher davantage de l'espèce qui l'avait recueilli.

Il descendait désormais seul jusqu'à la mer. Une patiente observation des troupeaux de dragons lui avait appris que ces animaux étaient routiniers. Tous les jours, ils parcouraient l'immense plage rocailleuse du nord au sud, attaquant tous les mammifères qui osaient y mettre une patte. Puis, ils revenaient dormir au nord, protégés par les pics acérés des montagnes. Sage n'avait donc qu'à se rendre sur le quai en pierre lorsque les animaux s'étaient suffisamment éloignés.

En se contemplant dans une flaque d'eau, l'Espéritien avait remarqué avec étonnement que ses dents étaient de plus en plus pointues. Ses cheveux atteignaient également sa poitrine et accentuaient sa ressemblance avec Onyx. Ses yeux lui semblaient aussi plus blancs. L'Empereur Noir ne lui avait pas fait avaler beaucoup de son sang. Il ne s'attendait donc pas à subir la même transformation que Kevin, qui en avait ingurgité une importante quantité.

Sage commençait aussi à oublier des portions de son passé. Certains noms lui échappaient. Pour se rappeler celui de son épouse adorée, il le traçait tous les jours sur le roc avec un morceau de craie. Sa tunique de cuir noir était de plus en plus usée, mais il ne s'en plaignait pas. Le monde matériel ne le préoccupait plus comme jadis. Il passait beaucoup de temps à se battre intérieurement pour conserver ses souvenirs.

Il entendit alors le commandement d'Amecareth, qui le réclamait auprès de lui. Sage se leva avec souplesse et marcha jusqu'au tunnel qui menait à la pouponnière. Les œufs, entassés dans des centaines d'alvéoles, allaient bientôt éclore. Il retrouva sa route dans les galeries pour finalement s'arrêter devant l'entrée de la chambre royale.

– Entre, mon enfant, l'invita l'empereur.

Sage alla s'asseoir sur le petit banc en pierre, à sa droite.

– Tu es encore allé sur le quai ?

– J'y vais tous les jours, monseigneur.

– Mais il t'arrive de revenir sans poisson. Cherches-tu mes vaisseaux ?

L'hybride ne répondit pas. Son air coupable suffit cependant à faire comprendre au chef des Tanieths qu'il avait raison.

– Ils sont partis vers des royaumes qui m'appartiennent afin de ramener leur tribut. Quand comprendras-tu que ta place est ici, maintenant ?

Sage baissa tristement la tête. Des esclaves apportèrent un plateau chargé de languettes de viande sanglante.

– Mange avec moi, le convia Amecareth.

Joignant le geste à la parole, il choisit le morceau le plus appétissant, le piqua du bout d'une griffe et le tendit à son petit-fils. Sage fut contraint de l'accepter. Quiconque indisposait l'empereur perdait sa tête. Il enfonça donc les dents dans la chair crue pour montrer sa docilité. À sa grande surprise, il n'éprouva pas le dégoût auquel il s'attendait. Au contraire, il avala le sang avec un certain plaisir. Sa nouvelle dentition lui permit même de déchiqueter la viande avec facilité.

– C'est très bien, le félicita Amecareth.

Sage continua de se sustenter sans répondre.

– Je vais bientôt retourner au pays où combat Narvath, l'informa l'empereur. Je finirai par la trouver.

– Emmenez-moi avec vous ! le supplia l'hybride.

– Toi, tu voyagerais sur le dos du dragon que tu détestes tant ?

– Je ferais n'importe quoi pour revoir Kira.

– C'est pour cette raison que je vais la chercher pour toi. Je dois le faire avant que les larves de mes futurs ouvriers n'aient dévoré tout ce qui respire sur Enkidiev.

– J'ai des amis, là-bas, protesta Sage, même s'il ne se rappelait pas de tous leurs noms.

– Les humains ne sont plus tes amis. Ils nous empêchent d'étendre notre empire.

Sage déposa la viande sur le plateau, attristé.

– Tu retourneras sur ces terres lorsque Narvath aura enfin accepté son rôle dans cette vie. Je te le jure.

Amecareth caressa tendrement les cheveux de l'hybride. Il le gagnait petit à petit à sa cause et sa nouvelle soumission lui plaisait énormément.

13

De surprenantes révélations

Les Chevaliers d'Émeraude commençaient à faiblir devant l'assaut massif des imagos à la frontière des Royaumes de Diamant et d'Émeraude, malgré l'apport de l'armée de Jade et de celle de Diamant. De plus en plus de soldats subissaient des blessures, et le soleil n'avait même pas commencé sa descente. « Combien de temps tiendrons-nous ? » se demanda Wellan.

Onyx se posait la même question. Il s'était retiré des combats suffisamment longtemps pour évaluer l'étendue de la menace. S'il n'agissait pas tout de suite, il ne resterait plus d'humains à la tombée du jour. Or le nouveau Roi d'Émeraude était un survivant, un homme qui refusait de s'avouer vaincu. Il courut donc jusqu'à l'endroit où patientaient les chevaux, demeurés à l'écart de la bataille, grimpa sur le dos de la bête la plus proche de lui et galopa vers le sud. Lorsqu'il se fut assez éloigné des imagos, il sauta sur le sol et se tourna vers le nord. Sans perdre une seconde, il leva les bras au ciel, puis se mit à réciter des incantations dans la langue des Immortels, même s'il risquait de s'attirer la colère des dieux. Il n'avait plus le choix.

De gros nuages se massèrent au-dessus de lui. Il répéta sans arrêt les paroles magiques destinées à concentrer la foudre. Des éclairs clignotèrent dans le sombre tourbillon.

– Qu'est-il en train de faire, cette fois-ci ? s'énerva Hadrian.

Il évita de justesse d'être labouré par les longues griffes d'un coléoptère et se concentra de nouveau sur les combats. Swan avait aussi aperçu l'orage que préparait son impossible mari. Avant qu'elle ne puisse intervenir, un éclair aveuglant s'échappa des nuages indigo. Il frappa durement le sol devant le renégat. La secousse jeta tous les combattants au sol.

– Onyx ! hurla Swan, qui ne le voyait plus dans la fumée.

Elle s'élança à la rescousse de son époux, bousculant les insectes sur sa route. Ressentant soudain le danger, elle s'arrêta net : un immense cratère s'ouvrait devant elle. Lorsque la poussière retomba, elle vit, de l'autre côté, son époux chancelant. « Pourquoi abuse-t-il toujours de ses forces ? » se fâcha la guerrière. Onyx tomba sur un genou. Il appuya la main par terre pour tenter de se relever, bien inutilement. Il s'écroula sur le sol, face première. Swan n'attendit pas que les larves et ses frères d'armes se remettent du choc. Elle se servit de sa magie pour traverser la crevasse.

Onyx avait du mal à respirer. Le petit dragon argenté, sur son majeur, semblait aussi chercher son souffle. La femme Chevalier détacha les courroies de la cuirasse d'Onyx et rejeta sa partie frontale plus loin. La tunique de son mari était complètement trempée. Swan retira son poignard de sa ceinture et déchira le tissu. Elle se mit alors à masser la poitrine d'Onyx de façon à faciliter, puis à ralentir sa respiration.

– Qu'est-ce qui t'a pris ? le sermonna-t-elle. Veux-tu absolument mourir ?

– Je...

– Tais-toi ! Ce n'était pas une question, c'était un reproche !

Il ferma les yeux. De petits éclairs coururent sur sa peau, forçant Swan à retirer rapidement ses mains. Elle étouffa un juron et se laissa retomber en position assise. Pourquoi cet homme la repoussait-il chaque fois qu'elle voulait le secourir ? Encore tremblant, il fit un effort pour s'asseoir. Swan ne fit rien pour l'aider. Onyx décela la fureur dans ses yeux. Un sourire moqueur se dessina sur ses lèvres. Il aimait les femmes fortes.

Wellan, poussez-les dans le trou, ordonna-t-il mentalement, sans détacher son regard du visage de sa femme. Puis, il retomba sur le dos, sombrant dans l'inconscience. Swan jugea qu'il était suffisamment éloigné des combats pour qu'elle puisse le laisser sans défense. Elle examina la situation de l'autre côté du cratère. Les Chevaliers se remettaient un à un de la secousse. Ils avaient évidemment entendu l'ordre de leur roi. La plupart se servirent de leurs pouvoirs magiques pour balancer les imagos dans le vide. Hadrian demanda plutôt à son groupe de se replier derrière les larves. Comprenant ce qu'il était en train de faire, Dempsey l'imita.

Après avoir prévenu les soldats de Diamant et de Jade de leurs intentions, les Chevaliers et les Écuyers formèrent une ligne. Le retrait des humains ne découragea nullement les coléoptères, toujours attirés par la Montagne de Cristal comme par un aimant. *Maintenant !* commanda soudain Wellan. Alors, le pouvoir combiné de tous ces magiciens créa une force irrésistible, qui compacta les carapaces et les fit basculer dans la crevasse. Malgré leur fatigue, les guerriers se massèrent ensuite sur le bord du cratère, prêts à incinérer l'adversaire.

Attendez ! les arrêta Hadrian. Il avait longtemps dirigé une armée et il avait appris, à ses dépens, à protéger ses arrières en tout temps. Wellan se fraya un chemin jusqu'à lui.

– Que captez-vous ? s'enquit-il.

– Soyons prudents, répliqua l'ancien roi en se tournant vers la plaine, qui s'étendait à perte de vue.

Wellan dépêcha Lassa et Cassildey auprès des armées de Jade et de Diamant, pour leur demander de les couvrir tandis qu'ils détruisaient les insectes. Les adolescents coururent à toutes jambes derrière leurs aînés et leurs apprentis. Ils trouvèrent facilement les souverains de ces pays voisins d'Émeraude. Le Roi Lang et le Roi Kraus se tenaient côte à côte. À cheval, sur leur droite, deux personnages laissèrent les Écuyers bouche bée. Il s'agissait de Dylan, accompagné d'une magnifique jeune fille en cuirasse rouge et or, ses cheveux noirs flottant au vent.

– Nous ne savons pas lire dans les pensées, leur rappela Lang.

– Mille pardons, Majesté, s'excusa Lassa.

Il leur transmit la demande de Wellan, en faisant attention de ne pas tourner les yeux vers la Princesse de Jade. Cassildey, lui, ne se gêna pas pour l'admirer ouvertement. Les deux monarques dispersèrent leurs soldats sur la plaine. Shenyann suivit son père sans se préoccuper des garçons, mais Dylan se laissa glisser sur le sol.

– Merci d'être là, lui dit Lassa. L'aide d'un Immortel nous sera précieuse.

– Hélas, non, soupira le fils de Wellan. J'ai perdu tous mes pouvoirs.

– De quelle façon ? s'étonna Cassildey.

Un intense crépitement les empêcha d'entendre la réponse de Dylan. Les soldats magiciens lançaient des jets de flammes sur les scarabées incapables de sortir de la crevasse et de creuser des tunnels. Leur destruction nécessita de longues minutes. Quelques Écuyers durent se retirer du bombardement, leurs mains les faisant trop souffrir. Bientôt, les coléoptères ne furent plus qu'un amas de cendres.

– Que s'est-il passé, Dylan ? voulut savoir le porteur de lumière.

– J'ai été attaqué par Akuretari.

Lassa sentit un frisson d'horreur lui parcourir le dos. Cassildey, de son côté, était plutôt stupéfait.

– Je ne sais pas pourquoi j'ai survécu, ajouta Dylan. Peut-être voulait-il seulement me neutraliser.

– Te neutraliser ? répéta Cassildey. Qu'aurait-il à gagner en t'empêchant d'agir ?

– C'est Dinath qu'il traquait. Je ne peux plus la défendre, désormais.

Wellan, qui cherchait ses apprentis, fut bien étonné de les trouver en compagnie de son fils de lumière. Avant même de lui adresser la parole, il l'attira dans ses bras et l'étreignit.

– Tu arrives au bon moment, se réjouit-il.

– Je suis venu à cheval avec l'armée du Roi Lang, l'informa Dylan.

– À cheval ?

– Il a perdu ses facultés, expliqua Cassildey, sans plus de façon.

– Tu t'es battu aux côtés des Jadois sans tes pouvoirs ? s'alarma le père.

– Je ne suis pas très habile avec une épée, alors le Roi Lang m'a demandé de rester ici.

– Comment est-ce arrivé ?

– C'est une longue histoire. Me permettriez-vous de vous la conter plus tard ? Je suis fatigué d'avoir passé toute la journée en selle.

« Fatigué ? » s'étonna Wellan. C'était une condition que ne connaissaient pas les Immortels. Dylan le saisit alors par le bras pour contourner le cratère à pied.

Les guerriers se reposèrent un peu avant d'établir un campement. Wellan s'installa en retrait avec son fils. Lassa vint s'asseoir non loin, les jambes croisés, afin d'écouter le récit de l'adolescent de lumière. Cassildey alla plutôt jeter un coup d'œil dans la crevasse.

– J'ai rêvé toute ma vie d'être mortel et, maintenant que je le suis, j'ai très peur de vivre ici, avoua Dylan.

– Le processus est-il réversible ? s'enquit Wellan.

– Seul Akuretari pourrait défaire ce qu'il a fait. Nous pouvons difficilement l'exiger de lui.

– Akuretari ! tonna le Chevalier, qui en avait assez d'entendre prononcer son nom. C'est une terrible tragédie pour le ciel d'avoir perdu un aussi bon serviteur que toi, mais mon cœur se réjouit de te savoir vivant.

Les soldats de Diamant et de Jade envahirent le campement. Leurs rois rejoignirent Wellan et les adolescents. La Princesse Shenyann les accompagnait. Lang présenta fièrement sa fille aux vaillants défenseurs d'Enkidiev. Les yeux remplis d'étoiles, il leur raconta comment il l'avait enfin retrouvée. Lassa était fasciné par la beauté tranquille de Shenyann. Cette dernière écoutait son père parler d'elle sans sourciller. Elle aurait pourtant dû rougir.

Le porteur de lumière sursauta lorsque Lang mentionna que toute sa vie, sa fille avait été une princesse sans royaume. Confus, l'adolescent s'excusa auprès de son maître, prétextant devoir s'occuper des chevaux. Wellan chercha Cassildey du regard, car il ne voulait pas que Lassa parte seul.

– Il y a des Chevaliers partout, le rassura le porteur de lumière. Soyez sans crainte.

Il fonça vers la plaine, où d'autres apprentis avaient déjà récupéré leur monture et celle de leurs maîtres. Il reconnut tout de suite sa meilleure amie parmi eux.

– Jeni ! s'exclama-t-il.

La jeune fille lui sauta dans les bras. Au lieu d'exprimer sa joie de le revoir, elle éclata en sanglots.

– Que se passe-t-il ? s'énerva Lassa. Est-ce que tu es blessée ?

Elle le serrait à lui rompre les os.

– Jenifael, réponds-moi.

Il l'éloigna doucement de lui et la fixa dans les yeux.

– Je suis désolée, Lassa... Je ne voulais pas t'en parler, mais en te voyant, tout m'est revenu en mémoire.

– Mais de quoi parles-tu ?

– J'ai interprété les étoiles de la prophétie avec l'aide de sire Hadrian.

– L'avenir est-il encore plus sombre que prévu ?

– Maître Élund ne nous a pas tout dit. L'Empereur Noir te fera souffrir avant que tu réussisses à le vaincre. J'ai si peur pour toi.

– Je ne suis certes pas aussi courageux que Liam, mais j'endurerai les pires supplices pour vous sauver tous, tu le sais.

– Ce sont de braves paroles vites oubliées sous la torture, lança ironiquement Cassildey, en arrivant derrière lui.

– Au lieu de le terroriser, pourquoi ne l'encourages-tu pas, comme un véritable Chevalier d'Émeraude le ferait ? riposta Jenifael.

– Les prophéties ne veulent rien dire. Ce sont les hommes qui forgent leur propre destin. N'en suis-je pas la preuve ?

Lassa n'aimait pas la discorde. Il partit donc à la recherche de son cheval et de celui de Wellan. Il n'en voulait pas à Cassildey. Le pauvre garçon ne ressemblait pas aux autres Écuyers de son âge, car il n'avait pas bénéficié des bons conseils d'un adulte durant son apprentissage. Il disait ainsi n'importe quoi pour se rendre intéressant, sans se soucier de la peine qu'il pouvait causer aux autres.

Grisald s'était considérablement éloignée des autres bêtes. Lassa sonda les alentours avant de s'en approcher. Il ne voulait pour rien au monde tomber dans un piège comme celui que lui avait tendu Asbeth. Son avenir n'était sans doute pas très rose, mais il voulait tout de même faire un effort pour demeurer en vie le plus longtemps possible. Il s'empara des rênes de l'animal et le ramena vers le campement. Il trouva sa propre monture parmi un groupe de jeunes chevaux. La jument isabelle releva la tête en le voyant approcher. Docilement, elle trotta jusqu'à lui.

– Merci de me sauver des pas, Adfor, lui dit-il en lui caressant l'encolure.

Il fit avancer les destriers en silence et les mena aux abreuvoirs du village. Jenifael s'empressa de l'y rejoindre, seule cette fois.

– Ne laisse pas les paroles de Cassildey te blesser, Lassa, lui recommanda-t-elle.

– J'y suis habitué, fit-il en haussant les épaules. Ce n'est pas sa faute s'il n'a aucune manière. Il n'a pas eu de maître.

– Tu fais preuve d'une indulgence que j'essaie encore d'acquérir.

– J'ai appris quelque chose de troublant tout à l'heure, avoua Lassa pour changer le sujet.

– Quoi donc ?

– Kira n'est peut-être pas celle que mentionne la prophétie, en fin de compte. Le Roi Lang nous a présenté sa fille Shenyann, en nous disant qu'elle a longtemps été une princesse sans royaume. En y réfléchissant bien, il y en a d'ailleurs peut-être d'autres comme elle.

– Il y a seulement une poignée de rois sur ce continent, donc très peu de princesses. Selon moi, celle qui te permettra de vaincre l'empereur ne peut pas être une jeune fille qui a fini par reprendre sa place auprès de son père. C'est quelqu'un qui n'a plus du tout de royaume.

– Kira ne peut pas prétendre régner sur Shola, car il n'y a plus personne là-bas, mais elle a tout de même été Princesse d'Émeraude.

– À mon avis, il est inutile de nous embrouiller davantage, voulut le rassurer Jenifael.

Ils retournèrent ensemble vers les feux qui embrasaient un peu partout près de la rivière.

– La fille de Danalieth pourrait aussi être la princesse sans royaume dont parle le ciel, poursuivit Lassa, tenace. La mère de Dinath est une reine, non ?

– Celle de Lady Ariane aussi. Au lieu de nous tourmenter, posons la question à Danalieth lorsque nous le croiserons à nouveau, si tu le veux.

Cette proposition sembla apaiser son ami. Ils se précipitèrent tous les deux pour aider les Écuyers dans leurs diverses corvées.

Autour des feux, la plupart des Chevaliers et de leurs apprentis nettoyaient leurs armes. Les autres refaisaient leurs forces. Nogait fit glisser son épée dans son fourreau, puis décocha un regard taquin à Chloé.

– Si j'avais su qu'il était aussi éreintant d'être Chevalier, je serais devenu troubadour ! lança-t-il.

– Après t'avoir entendu chanter, je crois que tu n'aurais pas travaillé longtemps, répliqua la guerrière.

– Justement.

– Tu n'es qu'un paresseux, lança Zerrouk en prenant place près de lui.

Anton, son Écuyer, observa le visage de Nogait pour voir comment il réagirait.

– Je ne vois qu'une façon de répondre à cette insulte, rétorqua ce dernier. Je vais vous chanter une de mes compositions !

Toux ceux qui l'entouraient se mirent à protester. Mais Nogait fit la sourde oreille et exigea plutôt qu'on lui apporte une harpe. Herrior sortit la sienne de sa sacoche de cuir, malgré les plaintes de ses compagnons.

– Ce sera moins terrible si je l'accompagne moi-même, se défendit-il.

– Oyez, oyez ! s'exclama Bailey. Le grand chantre d'Émeraude va maintenant nous interpréter sa plus douloureuse lamentation !

Assis devant un autre feu, Wellan releva les sourcils. Il ne s'opposait pas à ce que ses soldats s'amusent un peu après une dure journée de combat, mais Nogait avait un penchant dangereux pour l'exagération. Il lui faudrait donc surveiller attentivement la plaine tandis que son frère d'armes faisait le pitre, car il attirerait certainement toute l'attention sur lui.

– Merci, Bailey, mon frère ! se réjouit Nogait en se levant.

– Par quelle note veux-tu commencer ? s'informa Herrior.

– N'importe laquelle.

Le musicien jeta un coup d'œil interrogateur à ses commandants. Dempsey haussa les épaules et Chloé fit semblant de ne pas le voir. Toutefois, avant même qu'Herrior n'ait effleuré les cordes de l'instrument, Nogait se mit à chanter sans tenir compte du registre de la harpe.

Il était une fois un groupe de valeureux Chevaliers
Qui ne cessaient de mettre les pieds dans des guêpiers
Ils auraient tous mieux fait d'être plâtriers
Au lieu de toujours se sacrifier

Il fit un petit tour sur lui-même en imitant une marionnette. Même les plus sérieux de ses compagnons durent reconnaître qu'il avait un talent certain pour la bouffonnerie.

Il était une fois un groupe d'affreux insectes
Qui ne savaient pas être corrects
Ils auraient tous mieux fait d'être architectes
Au lieu de se montrer abjects

Nogait exécuta une courte gigue, qui faillit le faire tomber tête première dans les flammes.

Il était une fois un grand chef

Les guerriers manifestèrent bruyamment leur plaisir de le voir ainsi piquer Wellan.

Qui n'écoutait jamais nos griefs
Se vantant de toujours être bref
Dans la bataille il nous lançait derechef

Au grand étonnement de l'auditoire, Chloé se leva alors pour répondre à son frère impudent.

Il était une fois un loquace barde
Qui chantait des chansons gaillardes
Sans jamais prendre garde
De recevoir des coups de hallebarde

Le rire se propagea jusque dans les rangs des soldats de Diamant et de Jade. En fait, seule Maïwen n'y prêta pas attention, car elle avait perdu de vue son époux. À cette heure-là de la soirée, Kevin était parfaitement capable de s'orienter. Mais où était-il allé ? Elle quitta le groupe en douce. Grâce à ses sens aiguisés, elle repéra le Zénorois au bord du cratère. Soulagée de constater qu'il ne lui était pas arrivé malheur, elle s'approcha de lui à pas feutrés.

– Est-ce que ça va ? s'inquiéta-t-elle.

– Même si leur sang coule dans mes veines, je n'arrive pas à comprendre le besoin de conquête des hommes-insectes, murmura-t-il.

– Je pense que c'est surtout une mauvaise gestion des naissances.

Il tourna doucement la tête vers elle. Les Fées étaient d'ordinaire des créatures fantaisistes et insouciantes. Pourtant, Maïwen faisait toujours preuve d'une logique implacable.

– Si leur chef était une femme, comme chez les abeilles, ce serait bien différent, continua-t-elle.

Elle prit place près de lui, en respectant la distance qu'il aimait garder avec ses semblables.

– Si l'empereur n'était pas aussi intraitable, ce serait une bonne idée de t'envoyer chez les Tanieths comme négociatrice, lâcha-t-il.

– J'y ai souvent pensé.

Kevin se laissa retomber sur le dos pour observer les étoiles.

– Pourquoi t'isoles-tu ainsi, ce soir ? voulut savoir son épouse.

– Je ne crois pas qu'on doive célébrer un massacre.

– Tu aurais préféré que ce soit nous, au fond de cette crevasse ?

– Évidemment pas. Au lieu de rire et de nous amuser, nous devrions garder un silence respectueux, car un Chevalier doit révérer la vie. N'est-ce pas ce qu'on nous apprend ?

– Tu es bien amer, ce soir.

Elle se rapprocha prudemment de lui. Il n'était pas évident d'être la femme d'un homme armé de griffes acérées et d'un caractère tout aussi tranchant.

– Je suis déchiré entre mon devoir de Chevalier et mon serment de maître, avoua-t-il.

– Aucun d'entre nous ne capte malheureusement l'essence vitale de Liam.

– Cela ne veut pas dire qu'il est mort. L'énergie des volcans est puissante. Elle nous masque ce qui se passe derrière cette chaîne de montagnes. J'ai enseigné à Liam tout ce que je sais, et ce que je fais le mieux, c'est survivre. Je suis certain qu'il est en vie.

La Fée s'allongea pour regarder le ciel avec lui.

– Les astres t'ont-ils appris quelque chose ? s'enquit-elle.

– Ils peuvent avoir des centaines de signification.

– Pas pour toi. Tu as appris cette science avec maître Élund. N'essaie pas de le nier.

Il soupira et demeura silencieux un long moment.

– Nous ne sommes pas au bout de nos peines, lui apprit-il.

– Lassa ne pourra pas vaincre Amecareth sans Kira, n'est-ce pas ?

– Sa destruction est toujours annoncée, bien que je ne comprenne pas très bien comment elle se produira. Les étoiles parlent d'une grande bataille. Je ne crois pas qu'il s'agisse de l'élimination systématique des larves. L'Empereur Noir est un fin stratège. Il nous épuise avant de frapper.

– Si jamais notre fin devait être proche, est-ce que tu me laisseras t'embrasser au moins une fois ?

Il tourna doucement la tête vers elle pour observer son doux profil.

– Si tu savais à quel point j'ai envie de toi, parfois, souffla-t-il. Surtout, ne perds pas espoir. Hadrian m'a dit que ce maléfice pouvait être brisé. Alors, un jour, nous reprendrons le temps perdu.

Un merveilleux sourire illumina le visage de la Fée. Kevin prit sa main et l'embrassa, comme pour sceller cette promesse.

Onyx ne revint pas à lui, malgré les interventions des soldats magiciens. Il s'était vraiment vidé de ses forces et avait besoin de les refaire par lui-même. Aussi, en son nom, Wellan et Hadrian bavardèrent-ils longuement avec les Rois Lang et Kraus.

Une fois le repas terminé, Jenifael alla s'asseoir près de Swan. La femme Chevalier glissait tendrement ses doigts dans les longs cheveux noirs de son époux, espérant le voir ouvrir les yeux. « Il est bien plus beau quand il dort », songea son apprentie. Swan lui lança un regard désapprobateur.

– Il fait beaucoup de progrès, le défendit-elle.

– Je ne voulais surtout pas vous offenser, maître. Mon devoir est de vous encourager, pas de vous démoraliser. Sa Majesté a mis sa vie en péril pour nous, aujourd'hui, et je pense le plus grand bien de lui.

– Mais tu le trouves plus beau lorsqu'il est inconscient...

– C'est qu'il perd alors le sourire narquois qui lui donne un air sadique.

Swan arqua un sourcil. Décidément, cette enfant la surprenait sans cesse.

– Mais vous le connaissez mieux que moi, c'est certain, se reprit Jenifael.

Swan choisit de ne pas répliquer. Elle s'allongea près de son époux inconscient et passa le bras autour de sa poitrine pour le sentir respirer. Jenifael en profita pour admirer le visage d'Hadrian, qui faisait la conversation avec les rois. Ses yeux gris brillaient de plaisir. Elle aurait tant aimé être Chevalier, ce soir-là, et l'isoler du groupe pour lui parler de tout et de rien.

– Et lui, il a quel genre de sourire ? lui demanda Swan.

Jenifael rougit jusqu'aux oreilles. Pourtant, son maître était au courant de son secret.

– Séduisant..., s'étrangla-t-elle.

– C'est bien ce que je pensais.

Swan éclata de rire. Pour éviter que ceux qui les entouraient ne se mettent à la questionner, Jenifael s'enroula dans sa couverture et s'allongea sur le sol. Le silence s'installa graduellement dans le campement. Les flammes des nombreux feux devinrent bientôt des braises, et la Lune descendit derrière les grands arbres de la forêt orientale.

Soudain, Onyx sursauta. Tous ses membres étaient congelés. Il souleva doucement le bras de Swan et parvint à s'asseoir. Tout le monde dormait. Les Chevaliers qui montaient la garde étaient à l'autre bout du campement et ne s'occupaient pas du feu. Le Roi d'Émeraude fit donc apparaître des bûches sur toutes les braises. Il matérialisa même une épaisse couette pour se réchauffer. Le froid continua tout de même de l'assaillir à travers la couverture. C'est alors qu'il vit se former à ses pieds une étrange silhouette blanche. Il pointa immédiatement la main dans sa direction, mais la griffe releva les oreilles, bâilla et se rendormit. Ce n'était donc pas un

Immortel ou un dieu... La nuée transparente se solidifia peu à peu pour finalement prendre la forme... d'un enfant de neuf ans !

– Nemeroff..., balbutia Onyx.

Le corps de son aîné devint solide, mais sa peau demeura lumineuse. Il marcha sur la couette et passa les bras autour du cou de son père. Onyx le pressa contre lui avec force.

– Je ne peux pas rester longtemps, murmura le garçon à son oreille.

– Non, reviens auprès de moi...

– Je n'appartiens plus à ce monde, papa. Les dieux m'ont donné la permission de t'apparaître une dernière fois. Ils veulent que tu saches que...

– Je me moque de ce qu'ils veulent ! se fâcha Onyx. Ne me parle pas d'eux, parle-moi de toi. Ou as-tu perdu ton identité en arrivant sur les grandes plaines de lumière ?

– Je suis toujours Nemeroff, fils d'Onyx d'Émeraude et de Swan d'Opale. J'ai conservé tous mes souvenirs, mais je ne ressens plus rien. Je n'ai ni soif, ni faim, ni sommeil.

– Tu ne ressens plus d'amour pour tes parents ?

– Au début, vous m'avez manqué, mais Almandin m'a rassuré.

– Almandin ? répéta le père, sidéré.

Il n'avait pas entendu ce nom depuis des centaines d'années. Il avait été son premier fils à naître à Espérita.

– Il m'a beaucoup parlé de toi, poursuivit Nemeroff.

– Il te ressemblait, se souvint Onyx.

– Il m'a dit que nous serons tous ensemble ici, à la fin. C'est moi qui serai ton guide lorsque tu franchiras toi aussi le portail des grandes plaines de lumière.

Onyx revint brusquement de sa vision d'un autre temps.

– Tu n'aurais pas dû mourir si jeune, s'assombrit-il.

– Le jour de notre mort est décidé par les dieux.

– Ils se moquent éperdument des malheurs et des joies que nous vivons dans cet univers, Nemeroff. Ils se soucient encore moins de notre dernier souffle.

– Il y a une raison pour toute chose, papa. C'est toi qui me le répétais si souvent. Tu m'as aussi dit que seuls les hommes méritants étaient admis au ciel.

– Ne me répète pas mes paroles. Dis-moi seulement que tu n'es pas malheureux.

– Je ne le suis pas. Kiefer est avec moi, et d'autres amis aussi. Nous restons toujours ensemble.

Onyx se mit à pleurer amèrement.

– Je te vengerai, Nemeroff..., hoqueta-t-il.

– La vengeance ne rend pas les hommes dignes d'estime. En agissant ainsi, tu ne pourras jamais venir me rejoindre là où je vis désormais.

Onyx n'eut pas le courage de lui dire qu'il avait perdu ce privilège depuis bien longtemps. Au moins, sa mère et ses frères le rejoindraient-ils un jour au-delà de la tombe.

– Est-ce que tu sais comment tu es mort ? sanglota le renégat.

– C'est arrivé tout d'un coup. Je crois que la tour de maître Hawke s'est écroulée.

– Elle a été démolie par l'être le plus ignoble que la terre ait jamais porté. J'ai juré de tuer celui qui m'avait enlevé mon fils.

– Cela ne changera rien à mon destin.

– Les assassins ne méritent pas de vivre !

Nemeroff prit alors le visage de son père entre ses petites mains et planta son regard dans le sien.

– Non, ne le tue pas. Je veux que tu viennes me rejoindre ici avec maman. Les dieux ne te laisseront pas entrer dans leur monde si tu te venges.

Le petit fantôme essuya les larmes d'Onyx de son mieux.

– Je dois partir, papa.

– Non...

– Prends bien soin de maman et de mes frères jusqu'à ce qu'ils quittent ce monde.

Il embrassa Onyx sur le front. Jamais ce dernier n'oublierait l'amour qu'il ressentit dans ce baiser. Nemeroff lui adressa un sourire espiègle, puis s'évapora. Le renégat sanglota longtemps, avant de se laisser retomber sur le dos. Son fils avait raison : il devait protéger ses frères et leur mère de la cruauté de l'empereur.

Au matin, il fut réveillé par le son familier du choc de lames d'acier. Il battit des paupières et en chercha la source. Lassa et Jenifael enseignaient l'escrime au fils immortel de Wellan.

– Dylan ? Ici ? grommela Onyx en se redressant.

Le soleil était levé. Pourtant, les Chevaliers n'avaient pas encore quitté les abords du village pour aller patrouiller la plaine. Que se passait-il ? Onyx observa la leçon en fronçant les sourcils. Au bout d'un moment, il constata qu'il ne voyait plus les choses de la même façon. Quelque chose avait changé en lui. Il fouilla jusque dans les replis les plus secrets de son âme et découvrit ce qu'il y manquait : sa colère s'était atténuée. La visite inattendue de son défunt fils avait-elle réussi à refermer la plaie béante dans son cœur ?

Il prit une profonde respiration et se concentra sur le duel. Wellan corrigea la position des mains de Dylan sur la poignée de son épée. Le petit apprenait vite. Hadrian décida tout de même de s'en mêler. Il montra à l'adolescent comment se déplacer pour éviter d'offrir une cible trop facile à son adversaire. Bientôt, l'arme devint trop lourde pour le néophyte, qui n'avait pas encore développé ses muscles. Elle se retrouva donc dans la main de l'ancien Roi d'Argent. Ce dernier leva alors les yeux sur Wellan avec un air de défi. Cela suffit aux Chevaliers et aux Écuyers. Ils se mirent à pousser leur commandant à croiser le fer avec ce personnage de légende.

« Ça commence à devenir intéressant », songea Onyx en se remettant sur pied. Encouragé par Volpel, Bailey tendit à Wellan sa propre épée. Les deux grands chefs se saluèrent avant de combattre.

– Ne le laisse pas gagner, Hadrian ! l'avertit Onyx en se faufilant entre les soldats pour mieux observer le spectacle.

Swan bondit vers lui. Elle passa le bras autour de sa taille pour lui garantir un meilleur équilibre.

– Tu vas mieux ? s'inquiéta-t-elle.

– Je ne me suis jamais senti aussi bien.

Il l'embrassa sur les lèvres et la colla davantage contre lui. Il lui raconterait plus tard son entretien avec Nemeroff. Pour l'instant, il voulait juste suivre l'action. Près d'eux, Jenifael était perplexe. Pour qui devait-elle prendre ? Son père, ou l'homme qui provoquait tous ces changements en elle ?

Le groupe de Falcon se mit du côté de son commandant, tandis que celui de Wellan stimulait le grand chef. Wanda s'empressa tout de même de leur rappeler qu'il s'agissait d'une compétition amicale.

– Écrase-le, Wellan ! s'écria Nogait.

Dempsey, qui était pourtant toujours d'un calme imperturbable, se posta derrière le turbulent Chevalier et encouragea lui aussi Wellan.

À la surprise générale, Hadrian attaqua le premier. Les coups échangés entre les deux hommes étaient solides et calculés. Ils ne cherchaient pas à se blesser mutuellement. Moins massif que Wellan, l'ancien chef des Chevaliers était cependant plus alerte. Il s'aperçut tout de suite que le bras musclé de son opposant ne supporterait pas une rapide série de parades. Il força donc Wellan à détourner ses assauts, de plus en plus rapprochés.

Puis, soudain, Hadrian opta pour des feintes, qui obligèrent le grand chef à effectuer des mouvements plus larges qui lui offraient de belles ouvertures.

– Toi et moi ne nous sommes jamais affrontés en duel, chuchota Swan à l'oreille de son époux, qui étudiait la stratégie des deux héros.

– C'est moi qui gagnerais, affirma-t-il.

Swan lui donna un coup de poing dans l'estomac, lui coupant le souffle.

– Ne répète jamais ces paroles, l'avertit-elle.

Le combat tournait à l'avantage d'Hadrian lorsqu'il fut interrompu par des cliquetis familiers.

– Des larves ! s'exclama Rainbow.

Les guerriers se précipitèrent aussitôt sur leurs cuirasses et leurs épées. Swan s'apprêta à s'élancer avec ses compagnons. Onyx la retint fermement par le bras. Elle voulut l'invectiver, mais ce qu'elle vit dans ses yeux pâles arrêta les mots dans sa gorge.

– Onyx, est-ce bien toi ? arriva-t-elle enfin à articuler.

– Qui veux-tu que ce soit ? s'étonna-t-il.

– Farrell ?

– Sa personnalité s'est soudée à la mienne. Combien de fois devrai-je te le dire ?

– Pourquoi es-tu si différent ce matin ? Est-ce lié à la terrible magie que tu as utilisée hier ?

– Nemeroff m'est apparu durant la nuit.

– Les dieux l'ont laissé revenir et tu ne m'as pas réveillée !

– Il n'est resté qu'un instant...

Les yeux d'Onyx s'embuèrent de larmes.

– C'est toi qu'il venait voir, n'est-ce pas ? comprit-elle.

Onyx hocha doucement la tête.

– Il voulait me dire qu'il n'est pas malheureux. Il se souvient de la destruction de la tour, mais personne là-haut n'a cru bon de lui expliquer comment c'était arrivé.

– Nous ne sommes pas censés souffrir dans l'autre monde, Onyx. Les dieux ont sans doute préféré qu'il n'en sache rien.

Il attira sa femme dans ses bras et l'étreignit, sans se soucier de l'activité guerrière qui régnait autour d'eux.

– Je suis contente qu'il t'ait rassuré sur son sort, susurra-t-elle. Mais à présent, viens m'aider à abattre ces insectes de malheur, avant qu'ils n'atteignent le château et nos trois enfants encore bien vivants.

Elle l'embrassa fougueusement, puis le tira vers l'endroit où ils avaient laissé leurs uniformes.

14

Les Gariséors

Après d'interminables recommandations de la part de Kittriya, Kira se mit en route avec Nouara pour seul guide. La femme Chevalier n'avait jamais parcouru tout le continent lorsqu'elle vivait dans le futur. Il s'agissait donc, pour elle, d'une toute nouvelle aventure. Les deux femmes portaient sur leur dos un sac contenant une couverture tressée, des fruits et de curieuses racines. Même si elle cherchait encore un moyen de rentrer chez elle, la Sholienne jugea bon de conserver un moral d'acier.

En suivant le sentier qui menait à la chute, elle tenta de se convaincre que les Gariséors possédaient certainement les réponses à ses questions, et que ce voyage ne serait pas vain. Une fois qu'elles furent dans la forêt, Nouara devint extrêmement prudente. Elle faisait en fait si peu de bruit que Kira devait éviter de se laisser distraire par le paysage pour ne pas la perdre de vue.

Au bout de deux jours de marche, l'Enkiev choisit un chemin qui traversait l'un des petits affluents de la rivière Sérida. Elle connaissait fort bien la région. Chaque fois qu'elle mettait le pied dans l'eau, c'était à l'endroit où celle-ci était la moins profonde.

Elles arrivèrent finalement sans encombre à la rivière. Le soleil avait atteint son zénith. Nouara huma l'air dans toutes les directions, puis décida de s'asseoir sur la berge pour manger. Kira l'imita sans discuter, même si elle avait hâte de rencontrer les riverains qu'on disait magiques. La jeune femme tendit à la fille des dieux une racine verdâtre très peu appétissante.

– Qu'est-ce que c'est ? voulut savoir la Sholienne.

– C'est un tentacule de lune, évidement.

– Un quoi ?

– On les trouve sous les pierres transparentes, près des étangs.

Kira n'en avait jamais entendu parler. En fait, elle n'avait jamais trouvé où que ce soit, dans la nature, ces cristaux qui préoccupaient tant les Anciens. Elle laissa donc Nouara se nourrir la première afin d'apprendre comment consommer ces légumes étranges.

– Il nous en faut très peu pour nous donner des forces, ajouta son guide.

Elle croqua deux fois dans la racine, puis la remit dans son sac. Kira fit de même. Le goût très salé du tentacule la fit grimacer et elle éprouva tout de suite une irrépressible envie de boire.

– C'est normal, lui dit Nouara.

Elles se désaltérèrent dans les eaux particulièrement froides de la rivière Sérida. Nouara tendait l'oreille afin de s'assurer qu'aucun prédateur ne les guettait.

– Les Gariséors sont-ils des Enkievs ? l'interrogea Kira.

– Tous ceux qui vivent ici sont des Enkievs.

– Alors, pourquoi portent-ils un autre nom ?

– C'est parce qu'ils guérissent les gens.

– Comment appelez-vous ceux qui vivent derrière la chute, alors ?

– Les Cascatas.

– Y a-t-il d'autres Enkievs ailleurs ?

– Je ne les connais pas tous, mais je sais qu'il y en a beaucoup.

« Ils se donnent un nom qui qualifie ce qu'ils sont ou l'endroit où ils vivent », comprit Kira. De quelle façon les trois premiers royaumes étaient-ils devenus celui de Rubis, celui de Cristal et celui des Fées ? Peut-être était-ce arrivé des centaines d'années plus tard...

– Les dieux ne sont-ils pas censés savoir toutes ces choses ? s'étonna Nouara.

– En théorie, soupira la Sholienne. Toutefois, le monde est vaste.

Elles se remirent en route, longeant la rive vers le sud. La température se réchauffait et la forêt devenait plus dense. « Nous sommes probablement au Royaume de Jade », devina Kira. Pendant qu'elle suivait l'Enkiev pas à pas, elle tenta de se rappeler ses leçons de géographie. Ce pays abritait des espèces rares d'animaux, dont la panthère noire. Comment cette dernière avait-elle réussi à échapper aux crocs des dragons ?

Nouara pointa au loin une petite île au centre de la rivière. C'était, selon elle, l'endroit le plus sûr pour passer la nuit. Puisque cette petite portion de terre n'existait pas dans le futur, Kira devina qu'elle avait dû être emportée par le courant. L'eau était profonde, mais l'Enkiev avait raison : elles ne pourraient dormir que dans un lieu où les longs cous des reptiles ne les atteindraient pas. Se résignant à entrer dans l'eau, la Sholienne suivit son guide à la nage.

Une fois sur l'île, Kira se sécha puis s'enroula dans sa couverture en pensant à des jours plus heureux, lorsqu'elle faisait le même geste en compagnie de ses frères d'armes. Elle arriva à fermer l'œil, faisant finalement taire toutes les pensées qui tourbillonnaient dans sa tête.

À son réveil, son guide était déjà prêt à repartir. Nouara lui tendit des fruits, puis l'incita à sauter dans l'eau avec elle. Kira serra les dents. Malgré tous ses efforts pour devenir humaine, elle ne s'était jamais habituée à cette horrible sensation. Les deux femmes poursuivirent leur route en silence. Au milieu de la journée, la Sholienne capta l'odeur d'un feu de bois. « Les Gariséors sont bien imprudents », se dit-elle. Elle ne comprit leur témérité qu'en arrivant à la hauteur du village. Il se situait de l'autre côté de la rivière ! Or les volcans n'étaient pas aussi rapprochés qu'à son époque. Il y avait encore des terres fertiles à leurs pieds. C'était là que les Gariséors avaient bâti leurs huttes, à l'abri des dragons.

Le courant était encore plus fort à cet endroit. De l'écume coiffait les vagues. Nouara siffla alors comme un oiseau. Quelques instants plus tard, on lui répondit de la même manière. Une liane fut lancée par-dessus la rivière, attachée à un javelot qui se planta dans le sol, non loin des deux femmes. L'Enkiev attacha habilement la corde à un arbre.

– Comment allons-nous..., commença Kira.

Une petite nacelle de paille glissa le long de la liane.

– Nous ne pouvons y prendre place qu'une seule à la fois, expliqua Nouara. Allez-y la première.

– Ce n'est pas une bonne idée. Je peux repousser l'attaque d'un dragon, pas vous. De plus, une fois que je vous aurai vue faire, je saurai mieux comment m'y prendre.

Nouara grimpa donc dans le panier. À l'aide de ses mains, elle le fit remonter vers le village. Tous ses sens aux aguets, Kira attendit le retour de ce curieux moyen de transport. Elle aurait pu utiliser sa magie pour franchir cet obstacle, mais sa curiosité était piquée : elle voulait tenter cette expérience. Au retour de la grande corbeille de paille, elle s'y installa tant bien que mal, tout en continuant à observer la sylve : toujours rien.

Elle copia les mouvements rythmés de l'Enkiev afin d'avancer au-dessus du cours d'eau. La liane était épaisse et apparemment solide. Kira fit tout de même attention à ne pas l'abîmer avec ses griffes. Sa progression était lente. Elle se concentrait sur sa tâche sans se rendre compte que ses hôtes se massaient sur la berge, enthousiastes à l'idée de recevoir la fille des dieux. Tout à coup, leurs exclamations de joie se transformèrent en cris de terreur. Kira sentit immédiatement le danger. Elle tourna vivement la tête vers l'autre rive : une famille de dragons y flairait le vent. Les quatre petits étaient presque aussi gros que leur mère.

– Vont-ils finir par me laisser tranquille ! se fâcha la Sholienne.

Gardant une main sur la corde, elle utilisa l'autre pour bombarder les monstres. Son premier rayon violet atteignit un bébé, qui s'écroula, mort sur le coup. Ses frères s'éparpillèrent en poussant des plaintes aiguës. La mère n'en fit malheureusement pas autant. Kira n'avait plus le choix : elle devait la faire fuir. Elle dirigea donc ses tirs sur son poitrail et son cou. La femelle évita habilement la charge. Furieuse, elle tenta même de happer la liane attachée à l'arbre. La secousse faillit faire basculer la Sholienne dans le courant.

– Je ne veux pas mourir dans le passé ! s'exclama Kira, affolée.

Elle ne pouvait pas utiliser ses deux paumes pour se défendre, car si elle lâchait la corde, le panier redescendrait directement dans la gueule du monstre. Elle se dépêcha donc d'avancer en direction des Gariséors, qui sautillaient en l'encourageant à aller plus vite.

– Tu parles d'une façon d'arriver chez les gens, grommela Kira en tirant sur la liane de toutes ses forces.

Voyant que ses efforts ne rimaient à rien, le dragon se retourna vivement pour donner un violent coup de queue à l'arbre d'où partait la corde. Les racines sortirent de terre, faisant plonger la nacelle vers la rivière.

– Non ! cria Kira.

Elle savait à peine nager. Le torrent rapide ne lui laisserait aucune chance. Elle voulut alors se servir de ses pouvoirs de lévitation, mais une violente secousse la fit basculer à l'extérieur du panier. Elle y planta prestement ses griffes. Ses pieds touchaient presque l'eau. Soudain, une main invisible la saisit et la tira vers la berge. Comprenant qu'il s'agissait d'une intervention magique, Kira lâcha la corbeille et cessa toute résistance.

Au grand soulagement des Gariésors, la jeune femme mauve toucha enfin le sol. « Ils ne voudront jamais croire, après cette maladresse, que je suis une déesse », se découragea-t-elle.

– Qui dois-je remercier ? fit-elle en se donnant un air de bravoure.

Le peuple tout entier se jeta sur les genoux, face contre terre, entonnant en chœur un incompréhensible mantra. Kira allait les supplier d'arrêter lorsqu'elle capta un visage un peu trop familier au milieu du groupe. Le jeune homme était prosterné, lui aussi, mais il avait légèrement relevé la tête pour l'observer. Ses cheveux noirs tombaient sur ses épaules et ses yeux étaient aussi clairs que le ciel.

– Sage ? murmura-t-elle pour elle-même, stupéfaite.

Lorsque les incantations cessèrent, l'étranger vint à sa rencontre. Kira se sentit aussi démunie que la première fois qu'elle avait rencontré son mari, au Royaume des Ombres. Son cœur battait à tout rompre dans sa poitrine.

– Vénérable Fille des dieux, commença-t-il.

– Je vous en prie, appelez-moi Kira.

Sa requête sembla le surprendre. « Je viens probablement de lui enlever toutes ses illusions sur les maîtres du ciel », comprit la Sholienne.

– Je ne suis pas venue chez les Gariésors pour leur imposer quoi que ce soit, continua-t-elle maladroitement.

– C'est pourtant votre droit.

Il la regardait dans les yeux sans la moindre gêne.

– Comment vous appelez-vous ? voulut savoir Kira.

– Je suis Lazuli, fils de Girasol.

– Est-ce vous qui m'avez ramenée sur la rive ?

Il hocha timidement la tête en signe d'acquiescement.

– Votre magie est puissante, le complimenta-t-elle.

Lazuli plissa légèrement le front. Il ne comprenait pas ce qu'elle disait.

– Après cette mésaventure, vous avez certainement besoin de vous reposer, proposa une Gariésor.

Son commentaire brisa l'envoûtement que Lazuli exerçait sur la princesse mauve.

– J'aimerais bien me réchauffer, avoua Kira.

Tous les habitants l'accompagnèrent jusqu'à la place centrale, où brûlait un bon feu. Elle y prit place, reconnaissante. Lazuli déposa sur ses épaules une couverture tissée.

– Puis-je m'asseoir près de vous ?

Il était aussi poli que Sage, et tout aussi prévenant. Kira lui accorda cette permission d'un léger mouvement de la tête.

– Que veut dire « magie » ? s'enquit-il, les yeux brillants de curiosité.

– C'est le pouvoir de faire des choses surnaturelles, comme entendre les pensées des autres, bouger les objets sans les toucher...

– Faire tomber la pluie ?

« Comme Farrell », se rappela Kira.

– Je sais aussi trouver de l'eau dans le sol et calmer les volcans, ajouta-t-il. Est-ce de la magie ?

– Oui. Et si ce que vous me dites est vrai, elle est puissante. Êtes-vous le seul à posséder ces dons ?

– Non. Presque tous les membres de ma famille en ont, mais pas nécessairement les mêmes. Mon père disait que c'étaient des cadeaux du ciel, et que nous ne devions pas en abuser.

– C'est un homme sage. J'aimerais bien le rencontrer.

– Vous êtes arrivée une saison trop tard, vénérable Fille des dieux. Il s'est aventuré sur l'autre rive pour aller chercher des herbes qui permettent de guérir, et il a été dévoré par un dragon.

– Je suis vraiment désolée.

– Depuis sa mort, je dois m'occuper de mes frères.

Il n'avait pas terminé sa phrase que trois garçons arrivaient à la course en se chamaillant. Lazuli les agrippa par leurs tuniques et les força à s'asseoir de chaque côté de lui. Kira écarquilla les yeux : ils ressemblaient aux enfants d'Onyx ! « Je suis en présence de ses ancêtres ! » devina-t-elle.

– Voici les trois plus jeunes, annonça fièrement Lazuli. Les deux autres sont partis à la chasse.

– Votre mère doit certainement vous donner un coup de main, tenta la Sholienne.

– Elle prie toute la journée ! s'exclama l'un des garçons.

– Jaspe, sois poli, le gronda son aîné. Tu t'adresses à une déesse.

– Pardonnez-moi, déesse, grommela le petit.

– Notre mère est devineresse, expliqua Lazuli. Elle a besoin de longues périodes de recueillement pour entrer en communication avec ceux qui habitent là-haut.

Kira remarqua alors que Nouara était assise de l'autre côté du feu, avec les femmes et les enfants. Elle épiait ses gestes et buvait ses paroles. Kira n'eut cependant pas le temps de s'adresser à elle, car la souveraine du village arriva au même instant avec toute sa cour. C'était une très belle femme aux longs cheveux roux. Elle s'inclina respectueusement devant la nouvelle venue et ordonna qu'on lui apporte à manger. Deux demoiselles de son entourage se précipitèrent pour offrir à Kira du poisson grillé et de curieuses pommes de terre rouges. La Sholienne étant morte de faim, elle dévora la nourriture, les yeux fermés. Tout le village l'observa pendant qu'elle se sustentait.

– L'hospitalité des Enkievs est remarquable, les félicita Kira en déposant finalement son bol de bois.

– Je suis Symlise, la souveraine des Gariésors. Nous vous attendions depuis longtemps.

On avait certes annoncé à Kira plusieurs événements de sa vie, jadis, mais au grand jamais ce plongeon dans le passé.

– Certains d'entre nous ont la faveur du grand chef du ciel, tout comme les rêveurs des Cascatas.

– Vous ont-ils fait savoir la raison de ma venue ?

– Vous débarrasserez les terres de l'ouest de la menace des dragons, et vous permettrez aux Enkievs de cultiver enfin les grandes plaines fertiles dont les dieux nous ont fait cadeau.

– Mais avant d'accomplir leur volonté, vous resterez bien avec nous quelque temps, la convia Lazuli.

Kira sentit qu'elle ne pourrait rien refuser à cet homme, qui lui rappelait tant son défunt mari. Elle accepta donc son offre, ce qui réjouit les Gariésors.

Le reste de la journée, Symlise lui raconta comment son peuple s'était établi près de la rivière, au pied des montagnes, pour pratiquer en paix les arts de la guérison. Elle lui expliqua que presque tous les Gariésors possédaient des dons, mais qu'il leur avait été impossible de les développer de l'autre côté du cours d'eau, tandis qu'ils ne pensaient qu'à leur survie. Lazuli demeurait assis près de leur illustre invitée sans dire un mot. Il était aussi patient et courtois que Sage...

Au coucher du soleil, la souveraine invita Kira à partager sa hutte, ce que cette dernière accepta avec plaisir. Il serait si bon de dormir sans penser à la menace constante des prédateurs. La Sholienne ferma les yeux en mettant la tête sur l'oreiller, mais ne put s'abandonner complètement au sommeil. Soudain, au beau milieu de la nuit, des cris stridents la réveillèrent. Elle bondit hors de la hutte et sonda la région. Un troupeau de dragons rôdait de l'autre côté de la rivière.

– Ils ne traversent jamais de ce côté, l'informa une voix dans le noir.

Kira reconnut tout de suite l'énergie de la personne qui venait de parler : c'était Lazuli.

– J'ai cru qu'ils attaquaient le village, murmura-t-elle.

– Ils nous défient en se plantant sur l'autre berge et en poussant des hurlements, mais il n'y a aucun danger, ajouta le jeune homme en sortant de l'ombre. Ils ne savent pas nager. Votre père, le grand dieu du ciel, ne vous l'a-t-il pas dit ?

L'image de l'Empereur Noir apparut dans l'esprit de Kira. Elle la chassa aussitôt.

– C'est beaucoup plus compliqué que vous le croyez.

– Nous ne connaissons presque rien des dieux, avoua l'Enkiev.

– Ils ont leurs problèmes, eux aussi.

Elle croisa les bras sur sa poitrine pour se protéger du froid et avança sur le sentier qui menait à la rivière. Lazuli la suivit en silence. Ils s'arrêtèrent à proximité de l'eau. On ne percevait des monstres que leurs yeux rouges, en mouvement dans la nuit.

– Ma mère aimerait vous rencontrer, fit Lazuli. Elle s'est réveillée de sa transe il y a peu de temps en prononçant votre nom.

– Conduisez-moi jusqu'à elle.

« Peut-être que cette femme sait comment me renvoyer chez moi », espéra Kira. Elle suivit son hôte jusqu'à une hutte en retrait du village. L'odeur de l'encens chatouilla tout de suite les narines sensibles de la Sholienne. Lazuli releva la natte qui servait de porte. Ses cinq frères dormaient sur des couchettes basses, autour d'un feu dont il ne restait plus que des braises. Une femme était assise de l'autre côté du brasero. Ses yeux très pâles pénétrèrent Kira jusque dans son âme.

– Approchez, l'invita-t-elle d'une voix suave. Je suis Ambre, au service des dieux.

Lazuli s'installa à gauche de sa mère, tandis que leur invitée prenait place à sa droite. Un sourire chaleureux éclata sur le visage de la devineresse. Ses longs cheveux noirs étaient parsemés de mèches blanches et ses traits étaient tirés, mais il émanait d'elle une bienveillance hors du commun.

– Vous êtes prisonnière d'un monde qui n'est pas le vôtre, commença Ambre. Je ressens une grande détresse dans votre cœur.

– Elle est bien réelle, je le crains.

– Vous voulez découvrir la façon de voyager sur l'eau.

Kira était si surprise par la justesse de ses observations qu'elle ne put rien répondre.

– Vous trouverez ce que vous cherchez chez les Enkievs qui habitent là où se couche le soleil. Ils creusent les troncs des arbres et flottent sur les rivières et sur le lac immense qui nous sépare d'autres terres.

– L'océan...

– Je ne sais pas encore si vous réussirez à accomplir votre mission. Je sais seulement qu'une grande épreuve vous attend.

– Pourrai-je un jour rentrer chez moi ? s'étrangla Kira.

– Oui, vous reverrez les vôtres.

Cette réponse lui apporta un grand réconfort.

– Vous avez perdu un être cher et son souvenir vous hante, poursuivit Ambre.

– Il me manque beaucoup, en effet, bredouilla-t-elle.

– Ce sont ces sombres pensées qui vous empêchent d'avancer, vénérable Fille des dieux. Le détachement est votre seule avenue, désormais.

« On dirait ma mère », se désola la Sholienne.

– Surtout, ne perdez pas de temps, conclut la devineresse.

– Je partirai donc demain.

Kira inclina la tête avec respect et quitta la hutte, emplie d'espoir.

15

DINATH

L'Île ancestrale des Elfes était un véritable paradis pour ses habitants, mais la fille de Danalieth s'y sentait bien seule. À l'invitation de son père, elle assistait aux cours de poésie, de chant, ainsi qu'aux joutes verbales de ses hôtes. Toutefois, aucune de ces activités ne parvenait à lui faire oublier l'absence de l'Immortel. Sur le continent d'Enkidiev, très loin au nord, des hommes et des femmes se battaient pour conserver leurs terres tandis qu'elle écrivait des vers.

Son père avait décidé d'aider les humains, les Fées et les Elfes à se débarrasser une fois pour toutes de l'envahisseur en provenance d'Irianeth. Le chef du village où Danalieth avait caché Dinath s'assurait qu'elle ne manque jamais de rien. Elle habitait la maison de paille tressée de son père, mangeait avec les Elfes de sa communauté et avait même reçu en cadeau un joli petit chiot tout blanc, qu'elle avait nommé Winimo. Il était malgré tout bien souvent son seul compagnon, car Dinath ne savait pas comment se lier d'amitié avec les autres. Elle avait été élevée toute seule par un père surprotecteur, sans aucun contact avec qui que ce soit. Elle passait donc la majeure partie de son temps avec Winimo.

Cette journée-là avait commencé comme toutes les autres. Dinath avait assisté à un cours de musique. Lorsqu'elle comprit que la maîtrise de la harpe elfique nécessitait des années de pratique, elle quitta le groupe, car elle n'avait pas l'intention de rester aussi longtemps à Osantalt. Elle suivit le sentier qui menait à l'étang, son petit chien sur les talons. Presque tous les après-midi, elle venait y observer les lunes d'eau, dans l'espoir qu'elles s'allument.

Elle s'assit en tailleur sur la pelouse et attendit, comme d'habitude, qu'il se produise un phénomène extraordinaire. Winimo, lui, ne voulait que jouer. Il planta ses petits crocs dans la tunique de sa maîtresse et se mit à tirer sur ses courtes pattes.

– Elles ne font rien parce que je ne suis amoureuse de personne, soupira Dinath.

Le petit animal se mit à sautiller sans lâcher sa prise sur le vêtement.

– Ne préférerais-tu pas que je te lance un bâton ? lui demanda la jeune fille en riant.

Elle allait le saisir par les pattes de devant lorsque tous les nénuphars blancs s'illuminèrent d'un seul coup.

– Winimo ! Regarde !

Tout excité, le chiot sauta dans la mare peu profonde pour attraper les points scintillants. De petites créatures s'échappèrent alors des fleurs en poussant des cris aigus de protestation. L'une d'elles passa devant les yeux de Dinath.

– Elle ressemble à Dylan !

Dinath pataugea dans l'eau, tentant elle aussi de capturer les minuscules entités. Elle se brûla lorsqu'elle en attrapa une entre ses doigts.

– Elles ont toutes son visage !

La jeune fille n'eut pas le temps de s'en réjouir bien longtemps. Quelque chose effraya les oiseaux qui se reposaient sur les branches du gros arbre, à l'autre bout de l'étang. Ils s'envolèrent soudain dans un étourdissant fracas de battements d'ailes. Il n'y avait pourtant aucun prédateur sur cette île tranquille. Dinath leva les yeux vers le ciel en tournant sur elle-même. Quelque chose bloquait la lumière du soleil. Instinctivement, elle leva ses poignets devant elle, mais ses bracelets demeurèrent inertes. Son petit chien était trop jeune pour flairer le danger. Il avait levé le museau et aboyait en remuant la queue, comme s'il voulait jouer.

Le visiteur volant se posa quelques pas plus loin. C'était un énorme corbeau noir aux yeux violets. Il portait une tunique courte en cuir sombre. « Le sorcier ! » s'effraya Dinath. Elle tourna les talons et fila vers le village. Asbeth prit aussitôt son envol et poursuivit sa victime. Afin d'éviter les serres de cet oiseau volant, la jeune fille courut sous les arbres. Heureusement, les Elfes avaient flairé la menace et arrivaient en courant à sa rencontre.

– Dinath, cours jusqu'au village ! ordonna l'un d'eux.

Elle ne se fit pas prier. Les Elfes n'avaient jamais eu à se défendre. Néanmoins, Danalieth leur avait appris comment le faire. Ils se mirent donc à lancer des rayons lumineux vers le ciel, dans les percées, mais Asbeth avait suffisamment de temps pour les voir arriver et les éviter. Il zigzagua sans perdre de vue celle qu'il devait ramener à son maître. L'un des tirs traversa son aile gauche, mais n'abîma que deux de ses plumes. Le sorcier savait qu'il ne devait pas décevoir Akuretari : il contre-attaqua donc avec des halos violets, qui enflammèrent les arbres et terrassèrent l'un de ses assaillants.

Les Elfes ne se découragèrent pas pour autant. Le feu nourri des faisceaux magiques força finalement Asbeth à voler beaucoup plus haut qu'il ne l'aurait voulu. Il lui offrit cependant une meilleure vue du terrain que Dinath devait parcourir pour se mettre à l'abri. Pour atteindre le rassemblement de huttes, il lui faudrait en effet traverser un grand champ, dans lequel elle ne pourrait s'abriter nulle part. Le mage noir augmenta donc sa vitesse pour s'apprêter à piquer sur sa proie.

Dinath était presque à bout de souffle lorsqu'elle atteignit l'orée de la forêt. Encore quelques minutes et elle serait en sécurité au milieu des amis de son père. Elle s'élança en terrain découvert sans réfléchir. Le sifflement du vent parvint à ses oreilles et elle sut tout de suite qu'elle était en danger. Au lieu de redoubler d'effort, elle s'écrasa dans l'herbe longue et se retourna sur le dos. Ses bracelets ne lui servaient à rien dans une lutte contre une créature qui n'était pas divine, mais Dinath possédait d'autres ressources. À la manière des Elfes, elle bombarda l'affreux corbeau qui fonçait sur elle.

Asbeth exécuta un crochet juste à temps pour éviter la charge. Il se laissa ensuite tomber en vrille à proximité de la jeune fille. Cette dernière bondit de sa cachette et s'éloigna à la course du sorcier qui tentait de la tuer, se doutant qu'une créature volante ne serait certainement pas aussi habile qu'elle sur la plaine. Face à elle, les Elfes du village venaient à son secours. Ceux de la forêt sortaient eux aussi des bois à la hâte. Encouragée par leurs cris, la jeune fille courut à en perdre haleine. Elle vit alors ses hôtes s'arrêter brusquement, une expression d'impuissance sur le visage.

Dinath n'eut pas le temps de sonder leurs cœurs. Elle reçut un terrible coup dans le dos qui la fit plonger tête la première vers le sol, sans toutefois le toucher. Puis, des griffes acérées frôlèrent sa peau en s'accrochant solidement à ses vêtements.

– Lâchez-moi ! hurla la fille de Danalieth.

Elle constata avec horreur qu'elle s'élevait dans les airs. Ne voulant pour rien au monde blesser Dinath, les Elfes n'osaient plus bouger. Le mage noir se dirigeait vers l'océan !

– Si vous me faites le moindre mal, mon père vous réduira en bouillie !

Ou bien son ravisseur faisait la sourde oreille, ou bien il ne comprenait pas un traître mot de ses menaces. Dinath commença à se tortiller pour se libérer de l'emprise du corbeau géant. Mais ce dernier montait de plus en plus haut dans le ciel, là où l'air devenait aussi froid que la neige. Si elle ne réussissait pas bientôt à échapper à Asbeth, elle mourrait gelée !

Épuisée, elle cessa finalement de se débattre. Le visage de Dylan apparut dans son esprit, puis celui de son père. « Aidez-moi », les implora-t-elle en grelottant. Asbeth se réjouit de la sentir enfin immobile entre ses serres. Le manque d'oxygène ne le gênait pas, mais il avait réussi à faire perdre conscience à cette créature inférieure. Sa récompense n'était plus très loin, à présent.

Les larves continuaient de converger vers la Montagne de Cristal, au milieu du Royaume d'Émeraude. Avec l'aide des groupes de Chloé, Dempsey et Hadrian, ainsi que celle des armées de Jade et de Diamant, Wellan parvenait tant bien que mal à ralentir leur course, mais il en apparaissait sans cesse d'autres. Le grand chef finit par rappeler les groupes de

Jasson et de Bergeau, qui combattaient avec les soldats de Perle. Puisque les imagos étaient déjà parvenus à la frontière ouest d'Émeraude, Wellan jugeait plus utile de les attendre que de les poursuivre.

Toutefois, le groupe de Santo, à la frontière sud du royaume, éliminait efficacement les jeunes insectes qui tentaient de rejoindre leurs congénères.

On a dû leur promettre quelque chose de très important, rapporta le guérisseur par télépathie à Wellan, le soir venu. Ce fut Jasson qui commenta le premier cette supposition : *Dans les rivières de Perle, il y a une espèce de poisson qui, tous les ans, remonte le courant et affronte les pires obstacles pour aller frayer.*

Le grand chef ne savait pas grand-chose sur les mœurs des Tanieths, mais Abnar et Fan lui avaient tous deux raconté que seul l'Empereur Noir pouvait féconder les œufs des pondeuses. Sentant son hésitation, Hadrian s'approcha de lui et d'Onyx.

– Ils vous ont dit la vérité, assura-t-il. Seul Amecareth a ce droit.

– Alors, selon vous, pourquoi ces scarabées ne se découragent-ils pas ?

– L'empereur possède le pouvoir d'influencer l'esprit de tous ses sujets, maugréa Onyx. Il faudrait pouvoir pénétrer celui des larves pour le savoir.

– J'ai déjà essayé, soupira Chloé. À part des cliquetis et des sifflements continus, il n'y a aucune image que je puisse identifier.

– Cela fait peut-être partie de la stratégie d'Amecareth, suggéra Dempsey. Il sait que nous sommes magiciens et que nos facultés nous permettent de lire dans les pensées, alors il se sert de leur langue inintelligible à nos oreilles pour les instruire.

– Et leurs émotions ? intervint Bridgess.

– Jusqu'à présent, nous n'avons constaté qu'un intense besoin de manger, fit Swan.

– Mangeraient-ils une montagne ? s'étonna Nogait.

– Majesté, puis-je parler ? demanda Keiko.

Bridgess l'avait prise sous son aile depuis la disparition de Kira.

– Tout ce qui peut nous aider m'intéresse, répliqua le Roi d'Émeraude.

– Miyaji a déjà dit à mon maître que les insectes mangeaient de la roche rouge.

Les aînés se consultèrent du regard.

– Y a-t-il un expert en géologie dans le groupe ? lança Jasson.

– Que voulez-vous savoir ? répondit Nogait en se gonflant d'orgueil.

– Tu es un vrai savant ? reprit Jasson, douteux.

– Je m'y connais en roches ! Je les collectionnais quand j'étais petit !

– Nous voulons savoir si la Montagne de Cristal est composée de ce genre de pierre, trancha Onyx, pas du tout amusé par les facéties de Nogait.

Il se tourna vers son ami Hadrian.

– Tu devrais savoir ça, toi. Tu sais tout.

– J'étais justement en train d'y réfléchir, avoua l'ancien Roi d'Argent. On m'a appris, dans mon jeune temps, que la Montagne de Cristal était un volcan éteint. Or la matière en fusion est composée de cristaux divers, qui se refroidissent lorsqu'ils coulent sous forme de lave le long du cratère, puis forment les différentes couches de roc.

– Nous voulons seulement savoir si elles sont rouges, le coupa Onyx.

– La roche volcanique est généralement noire, blanche ou verte...

– Peut-être que les larves ont une diète différente, suggéra Nogait.

Son commentaire fit sourire ses compagnons d'armes.

– Peut-être..., soupira Hadrian.

Le Roi de Jade, le Roi de Diamant, le commandant d'Opale et le Roi de Perle, qui était arrivé avec une grande armée aux premières lueurs de l'aube, écoutaient leurs propos en silence. Ne possédant pas d'armes magiques comme les Chevaliers, ils dépensaient malheureusement deux fois plus d'énergie qu'eux. Après le coucher du soleil, ils mangeaient et se reposaient près du feu afin d'avoir la force de poursuivre le massacre le lendemain.

Le Roi Lang remarqua alors que sa fille continuait à initier le jeune Dylan aux arts de la guerre, en compagnie de Lassa et de Jenifael. L'adolescent n'était pas encore très rapide, mais il apprenait vite. Toutefois, sa tunique de soie ne lui offrait aucune protection. Le souverain demanda alors au capitaine de son armée de lui quérir une armure. L'homme inclina brusquement la tête, puis s'enfonça parmi les Jadois. Il revint quelques minutes plus tard, un vêtement roulé sur les bras. Cette armure de cuir avait appartenu à l'un de ses jeunes soldats, mort la veille, et était encore en bon état.

Lang rejoignit immédiatement les jeunes, à l'écart du groupe.

– Dylan, j'ai un présent pour toi, annonça-t-il.

Ils se courbèrent devant lui à la manière des Jadois, ce qui fit sourire le souverain. Shenyann semblait donc déjà exercer beaucoup d'influence sur ses nouveaux amis. Lang déroula alors la cuirasse. Découpée dans du cuir épais de couleur sombre, elle était composée de deux morceaux rectangulaires, rattachés aux épaules. Des sangles permettaient de les relier sous les bras du guerrier qui la portait. Sur chaque pièce de cuir, de petites rondelles de métal étaient cousues en rangs serrés, de façon à faire dévier les pointes de flèches.

– C'est pour moi ? s'étrangla Dylan, ému.

– Si tu as l'intention de te battre avec nous, éventuellement, il serait bon que tu ne sois pas une cible facile, lui expliqua le roi.

Le monarque lui fit enfiler le vêtement de guerre et lui montra comment l'attacher pour le refermer sur son torse. La cuirasse représentait cependant un vrai fardeau pour un Immortel qui avait toujours été libre comme l'air.

– Pourrai-je quand même me servir d'une épée ? demanda-t-il.

– Cette protection peut te paraître lourde, mais elle n'entravera aucun de tes mouvements, assura Lang.

Pour prouver ses dires, il déposa une épée dans les mains de Dylan, puis se tourna vers sa fille. Shenyann s'empressa de lui remettre la sienne. À l'aide de coups simulés, le roi obligea le néophyte à faire de larges mouvements. L'élasticité de la cuirasse étonna son nouveau propriétaire.

– Vous avez raison, monseigneur. Elle ne me gêne pas.

– Mieux encore, elle t'évitera de te faire tuer.

Lang retourna s'asseoir avec ses pairs, laissant les adolescents poursuivre leur entraînement. Il était loin de se douter que Dylan se sentirait suffisamment confiant pour mettre ce nouvel équipement à l'essai dès le lendemain.

Dès l'aube, les soldats se préparèrent une fois de plus à stopper la poussée des rejetons de l'empereur à l'intérieur du continent. Plus ils se rapprochaient du Château d'Émeraude, plus Onyx devenait nerveux. Il savait que Jahonne et Amayelle protégeraient sa forteresse, mais il n'aimait pas du tout que ces créatures tenaces aient choisi une route qui passait par chez lui. Il avait déjà perdu un fils à cause de l'empereur, et il ne voulait surtout pas que les autres périssent dans les mandibules de ses infâmes serviteurs.

Tout comme Giller, Lang et Kraus, Onyx se prépara à combattre. Perdu dans ses pensées, il attacha sa ceinture sur ses hanches. Une fois qu'elle eut elle-même enfilé son armure, Swan le rejoignit.

– Nous les arrêterons bien avant les douves, déclara-t-elle, en interprétant l'angoisse sur ses traits.

– C'est ce que tu affirmes tous les jours, grommela-t-il.

– Il y a des milliers d'insectes, alors ça prend plus de temps, mais le résultat sera le même.

Elle l'embrassa sur les lèvres, ce qui rappela tout à coup à Onyx qu'ils n'avaient eu aucune intimité ces derniers temps. Swan fit un pas pour aller rejoindre son Écuyer, mais Onyx la saisit par le bras et la ramena contre lui. Ils échangèrent de langoureux baisers.

– C'est pour te redonner du courage, chuchota-t-elle. Il y en aura d'autres plus tard.

– Les larves ! les avertit soudain Kagan.

Les soldats s'empressèrent de se ranger derrière leur commandant ou leur souverain. Cette barrière humaine aurait impressionné n'importe quelle armée, mais pas ces imagos stupides qui fonçaient vers le sud sans réfléchir.

Onyx jeta un coup d'œil autour de lui et vit Hadrian à la tête de son groupe, en compagnie de Falcon. Jamais ce grand personnage ne se plaignait. Lui qui avait commandé des milliers d'hommes, il se contentait aujourd'hui d'une poignée de guerriers. Il n'appartenait pas à cette époque, mais il défendait les habitants d'Enkidiev avec la même ferveur que jadis.

Wellan sonna la charge. Ils ne devaient pas concéder plus de terrain à l'ennemi. Onyx courut comme les autres à la rencontre des coléoptères, les mains crispées sur son épée double. La mêlée éclata. Tout le monde était concentré sur ce qu'il avait à faire, personne ne s'aperçut que le fils de

Wellan avait décidé de mettre la main à la pâte. Paré de sa nouvelle armure, Dylan fonça dans la bataille. Son épée lui faisait souvent faire un tour complet sur lui-même, mais dans cette cohue, elle trouvait toujours une cible. « Aidez-moi », dit alors une voix féminine dans son esprit. Le jeune Immortel s'immobilisa, reconnaissant la voix de sa belle. Il fut alors saisi par le dos de sa cuirasse et tiré vers l'arrière. Les griffes d'un imago frôlèrent son visage.

Avant qu'il ne puisse réagir, les lames effilées d'une épée double fauchèrent les deux bras de l'insecte qui avait tenté de le dévorer. Le regard meurtrier d'Onyx se planta alors dans le sien.

– Quand on ne sait pas se battre, on reste derrière ! hurla le souverain en colère.

– Je sais me battre, protesta Dylan.

Onyx le traîna lui-même en lieu sûr.

– Je me suis immobilisé parce que j'ai entendu quelqu'un appeler à l'aide, tenta de se justifier l'Immortel.

– Habituellement, pendant ce genre d'affrontement, plusieurs personnes ont besoin d'aide. Je te conseillerais de ne pas devenir l'une d'entre elles, rétorqua sèchement le souverain.

Dylan soupira. Il était parfaitement inutile de rouspéter, surtout que cet homme était le roi le plus intransigeant du continent. Il préféra donc ravaler son commentaire.

Persuadé que le jeune étourdi lui obéirait, Onyx retourna sans plus attendre sur le front. L'Immortel se servit aussitôt des quelques facultés qui lui restaient pour repérer Dinath.

Elle se trouvait à l'ouest, mais elle semblait dormir... ou avait-elle été assommée ? Dylan ne possédait malheureusement plus les pouvoirs qui lui auraient permis de voler à son secours. Seul Danalieth était maintenant en mesure de lui venir en aide.

16

Le dauphin

Lorsque le sorcier perdit de l'altitude en suivant la côte de l'Île des Lézards, la chaleur raviva sa proie. Dinath mit un moment à se rappeler ce qui s'était passé. Mais cette fois-ci, au lieu de paniquer ou de se débattre, elle se mit à réfléchir à sa situation. Elle était accrochée aux pattes d'un corbeau géant, au-dessus de l'océan, et ils se dirigeaient vers un grand continent. Utilisant discrètement sa magie, elle parvint à identifier ce territoire : c'était Enkidiev !

Elle porta ensuite son attention sur sa personne. Les serres d'Asbeth ne s'étaient pas plantées dans sa chair. Un examen plus approfondi lui indiqua qu'elles retenaient en fait sa ceinture. Dinath se demanda comment s'en défaire. Elle ne portait évidemment aucune arme tranchante sur elle, car cela était contraire aux mœurs des Elfes et de son père. Les bracelets de foudre ne lui servaient à rien non plus contre ce sorcier de l'empereur. Son seul recours était donc la magie de ses mains. Mais si ses rayons incandescents pouvaient facilement déchirer le tissu brillant, mettraient-ils aussi le feu à sa tunique ? Si tel était le cas, la grande étendue d'eau, sous elle, aurait tôt fait de l'éteindre lorsqu'elle s'y enfoncerait...

Dinath savait qu'elle devait agir rapidement, car le mage noir venait d'obliquer vers la terre. Elle ne pourrait plus lui échapper une fois qu'il survolerait la terre ferme. Lentement, la jeune fille glissa ses mains sous sa ceinture. « C'est maintenant ou jamais », décida-t-elle en voyant se rapprocher la falaise. Elle ferma les yeux et alluma ses paumes. Les flammes consumèrent l'étoffe en l'espace d'une seconde. Dinath étouffa un cri d'effroi en tombant dans le vide.

Asbeth sentit que son butin venait de lui échapper. Croyant que la ceinture s'était tout simplement dénouée, il piqua sur sa proie pour la reprendre. Un faisceau immaculé, qui ne provenait pas de l'adolescente, frôla soudain sa tête. Il utilisa immédiatement ses facultés de sorcier pour localiser son assaillant. Il s'agissait d'un homme seul, debout sur les galets.

Asbeth changea aussitôt de cible. Il récupérerait Dinath plus tard, une fois qu'il aurait réglé le sort de cet insolent magicien. Il fonça donc sur son agresseur en évitant ses tirs. Il constata alors qu'il ne s'agissait pas d'un humain, mais d'un de ces Immortels qui empoisonnaient la vie de son nouveau maître. Le sorcier décida de se poser plus loin, dans les ruines de la cité de Zénor, en s'entourant de son bouclier d'invisibilité. Il avait eu le temps de parfaire sa magie durant les années de trêve sur Enkidiev. Il n'avait bien sûr pas acquis le pouvoir de détruire ces entités magiques, mais il savait désormais comment les neutraliser. Il lui suffisait de poser un piège d'énergie et d'y attirer sa victime.

Il avança donc vers la plage. Au lieu de venir à sa rencontre, le demi-dieu, vêtu d'une longue tunique blanche, cherchait plutôt la jeune fille qui s'était abîmée dans les flots. Asbeth profita de l'inattention de l'Immortel pour déposer sur le sol de petites billes transparentes. Dès qu'il eut formé un cercle avec ces dernières, il lança un halo violet sur son adversaire pour le détourner de l'océan.

Danalieth fit volte-face. Il ne craignait certes pas les salves d'un vulgaire sorcier, mais si l'une d'elles venait à se perdre dans les vagues, elle pourrait tuer sa fille. Il utilisa sa vision d'Immortel pour repérer celui qui se cachait derrière un écran magique, se doutant qu'il s'agissait d'Asbeth. « Je vais faire d'une pierre deux coups », décida-t-il. En éliminant cet oiseau de malheur, il s'assurerait que sa fille ne serait plus enlevée, d'une part, et que les hommes seraient délivrés de sa fourberie, d'autre part.

L'Immortel laissa partir des tirs en formant une ligne horizontale, quelques pas au-dessus du sol. Dès que l'un d'eux rebondit, il sut qu'il avait trouvé Asbeth.

Tandis que son père se mesurait au mage noir, Dinath faisait face de son côté à d'autres problèmes. Son plongeon l'avait fait pénétrer très profondément dans la mer, et elle n'avait pas rempli ses poumons d'air avant sa chute. Paniquée, elle battait des pieds et des mains pour remonter le plus rapidement possible à la surface. Dès que sa tête parvint au-dessus des flots, elle tenta de respirer, mais avala de l'eau. Les vagues semblaient la bercer, mais en réalité, elles l'entraînaient en direction des fondations du Château de Zénor, où elles l'écraseraient sans pitié.

Comme si cela n'était pas suffisant, un requin venait de flairer sa présence. Ces immenses poissons repéraient surtout leurs proies par leur odeur, ou par les ondes de panique qu'elles dégageaient. Or Dinath nageait vigoureusement sur place pour garder sa tête hors de l'eau. Elle tournait sur elle-même, désorientée. Si le squale la rejoignait, il commencerait par lui arracher les jambes, puis il déchiquetterait ce qui resterait d'elle. Ce dernier fonça comme un bolide, mais n'atteignit jamais son repas. Un mammifère marin venait d'enfoncer son rostre sur le côté de sa tête, l'assommant sur le coup !

Pendant que le prédateur coulait comme une pierre, le dauphin se mit à tourner autour de Dinath, l'étudiant avec son sonar. Convaincu qu'elle ne représentait aucun danger pour lui ou pour son clan, il sortit la tête de l'eau. La jeune fille poussa un cri de terreur. Le dauphin émit à son tour des sons aigus. Il se rapprocha de plus en plus de Dinath, jusqu'à la frôler. Il répéta le même manège, espérant qu'elle finirait par s'accrocher à sa nageoire. Le sang du requin blessé se répandait rapidement dans l'eau et attirerait d'autres créatures carnivores, le dauphin ne le savait que trop bien. C'est pour cette raison qu'il se montrait si insistant.

Voyant que ses efforts ne rimaient à rien, l'animal passa entre les jambes de Dinath et la souleva hors de l'eau. Effrayée, elle entoura la tête du dauphin de ses bras. Le mammifère décolla en direction de la plage, en faisant bien attention que sa cavalière ne glisse pas de son dos.

Danalieth ne vit pas sa fille arriver sur les flots derrière lui, car il se concentrait sur celui qui l'attaquait. Jadis, les dieux lui avaient confié le mandat de guider les Tanieths, mais l'Immortel leur avait préféré le raffinement des Elfes. Ainsi, il ne s'était pas acquitté de sa mission, si bien que les hommes-insectes étaient devenus de sanguinaires conquérants. En faisant disparaître leur sorcier et en fauchant leur empereur, Danalieth espérait rétablir l'équilibre dans le monde physique. Son trop long séjour chez des êtres d'une grande bienveillance ne lui permit cependant pas de jauger avec sagacité l'âme maléfique du sorcier.

Asbeth se dissimulait autant derrière son bouclier que derrière des blocs de pierre, vestiges de temps plus fastes pour les hommes. Habilement, il faisait venir à lui son opposant, qui ne se doutait de rien. Il se servait aussi de la colère qui grondait dans le cœur du demi-dieu pour le forcer à commettre une erreur fatale. Danalieth marchait lentement, en lançant des rayons courts mais puissants en direction de l'homme-oiseau. Il était tout près du piège. Encore deux pas et ce serait la fin pour lui.

– Papa ! cria Dinath.

Danalieth s'immobilisa. Il ne devait pas laisser sa fille sans protection. Il choisit donc de reculer tout en démolissant les ruines où se cachait Asbeth, afin de l'empêcher de s'attaquer à Dinath. Le sorcier poussa un cri de rage et s'éleva dans les airs pour aller se réfugier sur les créneaux du château abandonné. De son perchoir, il projeta des halos en direction de la jeune fille, qui approchait de la plage sur le dos d'un mammifère.

– Non ! hurla Danalieth.

Une étoile aveuglante se forma sur l'eau. Le halo violet se brisa sur elle, en une pluie d'étincelles. L'astre changea alors de forme et prit la silhouette d'une femme aussi grande que la plus haute tour de la forteresse.

– *Me reconnais-tu, sorcier ?*

Évidemment qu'il se rappelait le visage de la reine que l'empereur avait agressée dans son palais de glace. Asbeth pouvait certes se mesurer à un seul Immortel, mais pas à deux. Il s'envola donc vers la falaise, où il attendrait de pouvoir remettre la main sur celle qu'il devait ramener à son maître.

La dame géante se retourna vers Danalieth et le salua de la tête, avant de s'évanouir comme un mirage. Le demi-dieu s'élança immédiatement dans l'eau et alla rejoindre sa fille, que le dauphin venait de relâcher. Dinath sauta dans les bras de son père en pleurant. « Les enfants ne devraient jamais être soumis à de pareilles épreuves », songea Danalieth en la serrant de toutes ses forces.

– Il s'est emparé de moi sur l'Île des Elfes, lui apprit-elle avec des sanglots dans la voix. Il n'y a plus d'endroits dans le monde où nous sommes à l'abri du mal.

– Je t'en prie, calme-toi.

Elle fit de gros efforts pour apaiser ses pleurs.

– Cet animal m'a ramenée jusqu'ici, raconta-t-elle à son père. Sans lui, je pense que je me serais fait dévorer par un requin.

– Cet animal est un dauphin.

Danalieth tendit la main. Le mammifère sortit la tête de l'eau et vint y appuyer son rostre.

– Les dauphins sont parfois plus intelligents que nous, poursuivit l'Immortel. Ils vivent en larges groupes familiaux et sillonnent les océans à la recherche des petits poissons dont ils raffolent.

– Ils sont carnivores, donc.

– Oui, mais contrairement à d'autres espèces, ils ne se nourrissent pas de chair humaine.

Il caressa la tête du dauphin et lui parla longuement dans la langue divine. L'animal lui répondit en secouant la tête et en émettant de petits cris. Puis il fila vers le large. Danalieth cueillit Dinath dans ses bras et la transporta jusqu'aux ruines de l'ancienne cité. Il la fit asseoir sur une grosse pierre carrée et sécha ses vêtements avec sa magie.

– Le sorcier a blessé et peut-être même tué certains de tes amis Elfes, déplora l'adolescente.

– Ils connaissaient les risques auxquels ils s'exposaient en te cachant sur leur île.

– C'est tellement injuste de perdre ainsi la vie...

Danalieth repoussa les mèches de cheveux de sa fille derrière ses oreilles.

– Les dieux pensent exactement la même chose que toi. C'est la raison pour laquelle ils ont créé les Immortels et les maîtres magiciens. Leur rôle est de faire régner la justice là où ils les envoient.

– En tout cas, papa, tu es pas mal impressionnant quand tu te fâches.

Son commentaire fit sourire le demi-dieu.

– Espérons que je n'aie pas à le faire trop souvent.

– Maintenant que nous savons que les serviteurs de l'empereur peuvent me retrouver n'importe où, tu vas être obligé de m'emmener avec toi.

– C'est beaucoup trop dangereux, ma petite Fée. Je connais cependant un autre endroit où il sera encore plus difficile de te repérer.

Le père leva les yeux sur la falaise. Il ne pouvait pas voir la silhouette de l'homme-oiseau, mais il savait qu'il était là. Il était difficile, même pour un demi-dieu, de camoufler son énergie lorsqu'il se déplaçait dans l'éther. Pendant un moment, Danalieth songea à détacher le morceau de roc où se tenait le sorcier, puis il se ravisa. Les habitants de Zénor avaient besoin de ce sentier, que les Anciens avaient creusé pour leur permettre de fuir les attaques maritimes.

Avec un sourire, il prit les mains de sa fille et l'emmena par magie au nord. Secrètement, l'Immortel espéra que le sorcier le suive. De cette manière, il pourrait terminer leur duel dès que Dinath serait en sécurité auprès de sa mère.

17

UN DANGEREUX PÉRIPLE

Le soleil n'était même pas encore levé que Kira se préparait déjà à quitter les bienveillants Gariésors. Depuis que la devineresse lui avait parlé des Enkievs qui habitaient l'ouest, probablement les ancêtres des Zénorois et des Cristallois, elle ne pensait plus qu'à les rencontrer. Son plan pour détruire les Tanieths avant qu'ils ne plongent l'univers dans un bain de sang se concrétisait de plus en plus dans son esprit.

Nouara rejoignit la Sholienne près du feu tandis qu'elle faisait chauffer de l'eau pour le thé.

– Vous partez déjà ?

– Je n'ai pas de temps à perdre. Enkidiev est un grand continent. Je dois me mettre en route maintenant si je veux atteindre l'océan avant la saison des pluies.

– Enkidiev veut dire univers...

– C'est le nom qui sera donné un jour à l'ensemble de ces terres. Votre aide m'a été précieuse, Nouara. Vous pouvez rentrer chez vous, maintenant.

– Je peux au moins vous conduire jusqu'au sentier qui mène aux Enkievs des montagnes du sud.

– Il est certain que j'apprécierais votre compagnie, mais je ne veux pas mettre votre vie en danger.

Le reste du village se réveilla peu à peu. Les femmes firent cuire le premier repas de la journée sur les feux et les enfants se massèrent autour d'elles pour obtenir leur part. Lazuli offrit à Kira une galette chaude recouverte de pulpe de fruits bien écrasée et cuite dans une substance plus sucrée que le miel. La Sholienne y goûta du bout des lèvres.

– C'est délicieux ! s'exclama-t-elle, ravie.

Elle dévora toute la galette avec appétit.

– Pourrai-je en apporter avec moi ?

– Cette gelée ne se conserve pas très longtemps, expliqua le jeune homme. Nous la fabriquons la veille de sa consommation. Mais puisque je sais comment la préparer, alors vous devrez m'emmener avec vous.

– Quoi ? Mais je ne peux pas faire ça ! Vous êtes devenu le chef de votre famille !

– Elle a raison, l'appuya la souveraine en s'asseyant près de Lazuli.

– Je suis aussi en âge de prendre mes propres décisions, protesta le jeune homme.

– Je ne me le pardonnerais jamais s'il vous arrivait malheur, lui confia Kira.

– Que pourrait-il m'arriver si je voyage avec une déesse ?

– Je peux faire des erreurs, comme tout le monde.

– Non, je ne le pense pas.

La confiance qui rayonnait sur le visage du Gariésor aurait dû réjouir Kira, mais le meurtre de Sage ne cessait de l'obséder.

– Toute ma vie, j'ai attendu qu'il m'arrive quelque chose de différent, insista Lazuli. Ne me privez pas de mon destin.

Symlise promena son regard de la Sholienne au fils de la devineresse. Qui devait-elle écouter ? Elle leur annonça finalement que la décision finale reviendrait à Ambre. Cela sembla convenir au jeune magicien. En attendant le retour de l'augure, les femmes préparèrent des vivres pour les voyageurs. Lazuli prit la main de Kira et l'entraîna sur un sentier qui longeait la rivière. Il s'arrêta finalement devant un gros arbre à l'écorce toute blanche. À ses branches pendaient des fruits sphériques d'un rose très pâle.

– Il suffit d'en trouver d'autres comme ceux-là sur notre route et je vous préparerai un délice, indiqua-t-il.

– Si votre mère vous laisse partir, rectifia-t-elle.

– Elle connaît mon avenir.

Il décrocha un fruit et le déposa dans les mains de Kira.

– Lazuli, pourquoi personne n'est-il surpris que ma peau soit d'une couleur différente ? demanda-t-elle.

– Parce que les dieux nous avaient prévenus, évidemment.

– Dans les communications qu'ils ont avec votre mère ?

– Avec elle, mais aussi avec tous les autres devins et rêveurs de notre peuple. Ils voulaient être certains que nous reconnaîtrions la fille de leur chef.

Toute cette histoire de prédictions était tellement difficile à croire. Comment des prophètes d'un temps aussi reculé auraient-ils été en mesure de savoir que le dieu déchu précipiterait sa petite-fille dans le passé ?

– Je veux participer à l'accomplissement de la prophétie, lui dit Lazuli.

– C'est décidément mon lot, soupira Kira.

Des sifflements d'oiseaux attirèrent l'attention du Gariésor.

– Nous devons retourner au village, annonça-t-il.

La Sholienne le suivit en mordant dans le succulent fruit. Pourquoi cette espèce avait-elle disparu avant son siècle ? Elle aurait fait fureur à Émeraude. Lorsqu'ils arrivèrent sur la place centrale, Ambre les attendait, debout devant le feu. Lazuli s'agenouilla aussitôt. Kira l'imita, sans poser de questions.

– Il n'y a pas une mère dans l'univers qui laisse partir son enfant pour une grande aventure sans ressentir un pincement au cœur, mais le destin de mon fils n'est pas sur les berges de cette rivière. Lazuli fondera une famille dont les descendants seront célèbres. L'un d'eux sera un grand souverain.

« Je le savais ! » se félicita Kira.

– Sachez toutefois que de terribles menaces vous attendent là où se couche le soleil. Demeurez vigilants.

Ambre contourna le feu et vint poser un baiser sur le front de son enfant.

– Je te souhaite tout le bonheur que tu mérites, mon petit.

Elle tendit ensuite la main à Kira et l'aida à se lever. L'étoile en cristal que portait la Sholienne attira son attention.

– J'ai vu ce bijou dans mes visions. Il vous sera d'un grand secours.

Puis elle tourna les talons sans rien ajouter. Il était évident qu'elle avait du chagrin, mais elle aimait suffisamment Lazuli pour ne pas lui refuser la vie que les dieux avaient choisie pour lui. Les Gariésors tendirent alors des sacs de provisions aux voyageurs. Nouara semblait contente de rentrer chez elle. Elle serra ses hôtes dans ses bras et se planta devant les deux aventuriers.

– Je devrai vous laisser continuer seuls dans deux jours, mais votre route sera encore plus longue que la mienne, les avertit-elle.

– Nous avons toute la vie, la rassura Lazuli.

Kira lui jeta un regard de côté. Était-ce l'innocence de Sage ou la désinvolture d'Onyx qu'elle décelait dans sa voix ? Tout le village les accompagna à la rivière.

– Puisqu'il n'y a personne de l'autre côté, expliqua Nouara, le meilleur lanceur de javelot le plantera dans un arbre et un enfant très léger montera dans le panier pour aller attacher la corde à un arbre.

Il n'était pas question que la Sholienne risque ainsi la vie d'un petit innocent.

– Je connais une méthode bien plus rapide, annonça-t-elle.

Elle prit les mains de Lazuli et de Nouara et se concentra. Le trio s'éleva quelques instants plus tard dans les airs, provoquant des murmures d'admiration dans l'assemblée. Lorsqu'ils touchèrent enfin la berge opposée, les Gariésors se mirent à applaudir et à pousser des cris de joie.

– Vous savez impressionner les gens, chuchota le jeune homme en souriant.

– Je n'ai fait que ça toute ma vie, avoua-t-elle, un peu découragée.

Nouara les pressa de la suivre, car les dragons étaient surtout actifs la nuit. Ils devaient profiter des heures de clarté pour couvrir le plus de distance possible. Ce soir-là, ils dormirent sur l'île au milieu du cours d'eau, puis, au bout de deux jours, leur guide les arrêta à l'orée de la forêt, leur indiquant au loin les sommets déchiquetés d'une petite montagne.

– Nous sommes à la frontière de Rubis et de Jade, et nous devons traverser le domaine de la panthère pour atteindre les terres de Béryl, comprit Kira.

Nouara les serra très fort, sachant qu'elle ne les reverrait plus jamais. Elle souhaita à la déesse de tuer tous les dragons avec facilité, et au jeune homme de fonder la plus grande dynastie de tous les temps. Puis, aussi silencieusement qu'un prédateur, elle disparut dans les fougères. Kira jugea plus sécuritaire de suivre la rivière Amimilt jusqu'à Béryl, même s'ils auraient gagné du temps en coupant à travers le pays de Jade. S'ils devaient rencontrer un troupeau de dragons, l'eau leur assurerait une porte de sortie.

– Depuis que nous sommes partis du village, vous utilisez des noms que je n'ai jamais entendus, indiqua Lazuli, qui marchait dans les pas de la Sholienne.

– C'est que je connais moi aussi le futur.

– Les tribus des Enkievs se diviseront donc tout le continent ?

– Au début, il n'y aura que trois royaumes, puis ils seront répartis entre les héritiers des rois.

– Qu'est-ce qu'un roi ?

« Aussi bien imprimer tout de suite dans son esprit la véritable définition du titre », pensa Kira.

– C'est un dirigeant sage et juste qui protège tous ceux qui vivent sur son territoire.

Ils marchèrent d'un bon pas. Seuls de petits singes les incommodèrent en chemin. Ces derniers étaient si curieux de voir d'autres mammifères marchant sur deux pattes qu'ils leur sautaient parfois sur le dos pour les examiner de plus près.

À la fin de la journée, Lazuli et Kira les imitèrent et dormirent dans les hautes branches de magnifiques arbres, qui ne poussaient que dans cette région. Leurs larges branches s'élevaient vers le ciel comme un immense entonnoir, plus abondantes à l'extérieur qu'à l'intérieur. Ils s'allongèrent l'un contre l'autre et fermèrent l'œil en toute sécurité au centre de cette cage de bois.

Au matin, perchée sur une haute branche, Kira montra à son compagnon la route qu'il leur restait à parcourir pour atteindre les escarpements de Béryl.

– Il y a malheureusement très peu d'arbres au pied de ces montagnes, déplora-t-elle.

Elle se rappela alors sa leçon sur le bouclier de protection. Pourrait-il les rendre invisibles aux yeux des prédateurs ?

– Regardez par-là, remarqua alors le Gariésor. Les femelles ont commencé à se rassembler. Elles seront bientôt en rut.

Un petit troupeau de dragons se dirigeait effectivement vers Émeraude.

– Le vent souffle de l'ouest, ajouta-t-il. Elles ne capteront pas notre odeur.

Lorsqu'ils atteignirent finalement la frontière entre les futurs Royaumes de Jade et de Béryl, le soleil se couchait. Ils durent donc demeurer dans la forêt jusqu'au lendemain. Les cris perçants des monstres, qui se répondaient d'un bout à l'autre de la plaine, empêchèrent cependant Kira de dormir aussi profondément qu'elle l'aurait voulu.

Au matin, à cheval sur des branches, ils mangèrent les galettes plutôt dures avant de se remettre en route.

– Nous traverserons Béryl en demeurant sur le flanc de la montagne, puis nous piquerons à travers les forêts de Turquoise, décida-t-elle en espérant que ces dernières soient déjà très denses.

– Vous dites qu'il y aura trois dirigeants, et ma mère prétend qu'un de mes héritiers sera un souverain. Savez-vous de quel territoire ?

– C'est difficile à dire. Les Royaumes de Rubis et de Cristal seront les premiers à être créés, et ils ne seront divisés qu'au fil du temps. Votre mère a oublié de nous dire dans combien de générations naîtra ce roi.

– Je suis certain que vous le savez.

Elle soupira avec découragement. Il était aussi têtu que Sage.

– À quoi cela vous servira-t-il de le savoir ? demanda-t-elle finalement.

– C'est une question de fierté, je suppose. Votre père du ciel vous défend-il de nous parler de ces choses ?

– Non.

– Alors, je vous en prie, dites-le-moi, pour me faire plaisir.

« Encore ce sourire », remarqua Kira en fléchissant.

– Il s'appellera Onyx, et il régnera sur le Royaume d'Émeraude.

Cette confidence le remplit de joie. Ils descendirent de l'arbre et entreprirent la dangereuse traversée des plaines de Béryl. En raison de leur sol pierreux, il n'y poussait pas grand-chose. Les deux aventuriers seraient de ce fait en terrain découvert pendant un long moment. Ils choisirent donc de rester non loin de l'eau, une fois de plus. Ils purent entendre au loin des sifflements et des cris, mais aucun dragon à proximité n'y répondit.

À la tombée de la nuit, les aventuriers n'avaient pas encore atteint la montagne et il n'y avait aucun arbre suffisamment gros pour les abriter.

– Peut-être devrions-nous aller dormir de l'autre côté de la rivière, suggéra Lazuli.

Kira examinait déjà tous les choix possibles. Il était hors de question de les faire léviter tous les deux jusqu'à la première corniche, car elle était bien trop éloignée. Quant à son pouvoir de déplacement dans l'espace, les derniers essais de la Sholienne s'étaient avérés plutôt désastreux. Elle ne pourrait pas non plus maintenir un bouclier autour d'eux pendant son sommeil. Qui plus est, le vent avait commencé à tourner.

– Il faut faire vite, la pressa le jeune homme.

Elle allait accepter sa suggestion lorsque la terre trembla sous leurs pieds. Des dragons se rapprochaient ! Kira utilisa ses sens magiques et capta leur présence. Ils étaient au moins une dizaine et chassaient sur la berge !

– Nous ne pouvons pas aller par-là, chuchota-t-elle.

Elle prit la main de Lazuli et l'entraîna en silence vers le sud, espérant de tout son cœur que les monstres remontaient vers le nord. Des battements d'ailes attirèrent son regard vers le ciel. Un énorme mâle venait de les apercevoir. Kira calma ses anciennes peurs et tenta de se rappeler tout ce qu'elle savait sur ces puissants prédateurs. Ironiquement, ces renseignements provenaient du descendant de l'homme qui voyageait avec elle !

« Ils aiment les proies immobiles, car ils les croient malades ou incapables de se défendre », se souvint-elle. Comment réagissaient-ils à celles qui prenaient la fuite ? Dès que les premiers rayons de la lune apparurent, elle vit la terreur sur le visage de son compagnon.

– Nous sommes perdus, s'étrangla-t-il.

Kira l'écrasa sur le sol derrière elle et chargea ses mains. Mais l'intensité de ses halos violets n'impressionna nullement le reptile volant. Il poussa un cri perçant et piqua en direction de son repas. La femme Chevalier laissa alors partir les premiers tirs. Les halos éclatèrent sur le poitrail du dragon, révélant sa véritable taille. « Stellan n'est qu'un bébé en comparaison de celui-là ! » s'alarma Kira. Elle continua à le bombarder pour le dissuader de se poser. Lazuli capta alors un mouvement un peu plus loin. Alertés par le mâle, les femelles et leurs petits arrivaient au galop ! Or le Gariésor n'avait utilisé sa magie que pour aider les gens, jamais pour se défendre. Il ne savait donc pas former des faisceaux meurtriers comme la déesse, mais il ne pouvait pas rester sans rien faire, tout de même.

La rivière n'était pas très loin, il devait sûrement y avoir de l'eau sous la terre. Lazuli s'efforça de se calmer et repéra des sources. Maîtrisant les forces de la nature, il les fit vivement remonter à la surface. Elles crevèrent le sol en formant de larges fontaines devant les dragons. Les femelles de tête poussèrent des cris aigus, indiquant au reste du troupeau de contourner ces obstacles. « Que faire d'autre ? » s'énerva Lazuli.

Le mâle se posa sur la plaine. Kira le laissa approcher en doublant la force de ses halos. Elle vit son hideuse petite tête s'élever très haut dans les airs. Ses crocs étincelèrent dans la nuit. « Onyx recommandait de leur trancher la tête ! »

Elle laissa partir tellement d'énergie qu'elle faillit basculer par-dessus Lazuli, accroupi derrière elle. Son halo fit son œuvre destructrice et arracha la tête du dragon. L'animal tituba pendant quelques secondes, puis s'écrasa lourdement au sol.

Kira eut alors une autre idée. Si les femelles avaient faim, elles seraient servies ! Elle agrippa le bras du Gariésor et l'entraîna vers la carcasse du mâle encore secouée de spasmes.

– Non, pas par là ! protesta-t-il.

– Oui, par là ! ordonna-t-elle en resserrant son emprise.

Ils contournèrent l'animal et coururent à toutes jambes vers le sud. Kira ne s'arrêta que lorsque son compagnon tomba sur ses genoux, à bout de force. Loin derrière eux, les femelles et les petits déchiraient allègrement le corps du dragon ailé.

– Je ne peux plus marcher, haleta Lazuli.

La montagne était encore loin.

– Écoutez, je vais tenter une expérience. Je ne la réussissais pas souvent, dans le futur, mais ici, il semble que mes pouvoirs soient plus puissants.

Il ne comprenait rien de ce qu'elle lui disait, mais il hocha vivement la tête pour lui indiquer de faire n'importe quoi, pourvu que les monstres ne suivent pas leur trace. Kira allait les emporter tous les deux dans un maelström à sa façon lorsqu'une centaine de yeux rouges s'allumèrent à quelques pas d'eux. Pas de doute possible : il s'agissait bien d'autres dragons ! La Sholienne, guidée par son instinct militaire, bombarda toute la troupe. Ne se souciant pas du succès de cette charge, elle abrita immédiatement Lazuli dans ses bras et souhaita se retrouver sur la montagne.

Leur atterrissage fut brutal, le vortex magique les ayant déposés dans une pente. Ils roulèrent tous les deux dans les petites roches et s'écrasèrent sur une corniche. Kira fit un effort pour relever la tête, mais tout le paysage nocturne tournait devant ses yeux. Elle les referma et perdit conscience.

À son réveil, Lazuli était assis près d'elle, les jambes pendant dans le vide. Il contemplait le carnage de la veille en se demandant s'il avait rêvé. Au loin, quelques bébés dragons trottinaient autour des cadavres des adultes en poussant des lamentations. Kira se releva sur ses coudes, encore étourdie.

– Votre puissance de destruction est terrifiante, murmura son compagnon.

– Je ne voulais surtout pas vous effrayer. Mon but premier était de nous garder en vie.

Elle chercha à s'orienter.

– Nous sommes enfin sur les pics de Béryl, annonça-t-elle. Nous allons rester dans les hauteurs en cherchant à gagner Zénor. Cela nous mènera aux forêts de Turquoise.

– Ma mère dit que des Enkievs vivent par là, indiqua Lazuli en pointant son index vers l'ouest.

– Si nous les croisons, alors tant mieux.

Kira parvint à s'asseoir et s'épousseta. Leurs vêtements avaient pris la couleur de la roche. Elle constata également qu'elle n'avait pas beaucoup d'équilibre, lorsqu'elle voulut se remettre debout. Lazuli lui saisit les coudes pour l'aider. Elle se retrouva contre la poitrine du jeune homme. Tout à coup, malgré sa bravoure et son entraînement militaire, elle eut envie de pleurer dans les bras de l'étranger. Ce dernier sentit son désarroi et l'étreignit avec affection.

– Je suis content d'apprendre que même les dieux ont besoin de réconfort, murmura-t-il à son oreille.

– Il ne faut pas rester ici. S'il y a d'autres mâles, ils nous repérerons facilement.

Il l'aida donc à marcher sur un sentier naturel creusé par des années de pluie.

18

Des retrouvailles imprévues

Danalieth avait caché sa fille partout sur le continent, sauf chez les Fées. C'était pourtant un endroit difficile d'accès pour l'ennemi, puisque le Roi des Fées possédait un palais invisible qu'il pouvait déménager à son gré. L'Immortel savait que, par son geste, il brisait la promesse qu'il avait faite à la mère de sa fille peu de temps après sa conception, mais il n'avait plus le choix.

Ils apparurent dans une magnifique vallée. Dinath regarda autour d'elle en se demandant où il l'avait emmenée. Le paysage ne ressemblait à rien de ce qu'elle avait vu durant sa jeune vie. L'herbe était plus brillante, l'eau du ruisseau était turquoise et les poissons multicolores ! Danalieth la laissa faire quelques pas dans son nouvel environnement. Une grenouille phosphorescente sortit des quenouilles pour l'observer.

– Papa..., s'alarma l'adolescente.

– Nous sommes au Royaume des Fées.

– Le pays de ma mère ?

– C'est exact.

– Mais regarde dans quel état sont mes vêtements et mes cheveux ! Je ne peux pas la rencontrer dans ces conditions !

– Ton apparence physique ne lui importera pas.

Un bourdonnement intense emplit alors la vallée. Dinath crut même qu'ils étaient attaqués par un essaim d'abeilles ! Un homme ailé se matérialisa soudain devant elle. L'adolescente se jeta dans les bras de son père, craignant une autre attaque de la part d'un sorcier.

– Dinath, je te présente le Roi Tilly, lui dit calmement l'Immortel.

– Vous n'êtes pas le bienvenu chez moi, Danalieth, l'avertit Tilly.

– Je me souviens fort bien de vos menaces, Majesté, mais je ne suis pas ici pour voir Calva.

Le souverain replia ses ailes de libellule dans son dos et jeta un coup d'œil presque méprisant à la jeune fille, qui venait de quitter les bras de Danalieth.

– Il est temps que ma fille connaisse sa mère.

– Vous voulez la soustraire à vos ennemis, plutôt, maugréa Tilly.

– Ce sont également les ennemis de tout Enkidiev. Je vous saurais gré de conduire Dinath à votre épouse.

Pour éviter d'exposer l'adolescente à une joute verbale qui ne rimerait à rien, Danalieth s'inclina devant le monarque et se dématérialisa.

– Papa ! protesta Dinath.

Elle croisa le regard courroucé du Roi Tilly. « Il a de bonnes raisons de ne pas m'aimer », songea-t-elle. En effet, elle était le fruit d'un amour défendu entre Danalieth et la Reine des Fées.

– Si vous le préférez, vous n'avez qu'à m'indiquer le chemin, murmura-t-elle, intimidée.

– Suis-moi.

Il se retourna et marcha droit devant lui. De manière étonnante, il n'y avait aucune habitation dans cette grande vallée, encore moins un château. Dinath s'empressa d'emboîter le pas au souverain, tout en admirant les reflets du soleil sur ses ailes nacrées. Sans qu'elle s'en rende compte, elle se retrouva l'instant d'après dans une grande pièce aux murs semi-transparents, sur lesquels des étoiles de couleurs pastel se pourchassaient. Même les teintes du plancher de marbre semblaient se mouvoir.

– Reste ici, lui ordonna Tilly.

Il traversa le mur comme s'il n'avait pas été là ! Dinath était subjuguée par toute cette magie. Elle s'approcha d'un beau fauteuil de soie brillante, dont les teintes oscillaient entre le bleu nuit et le violet. Toutefois, lorsqu'elle voulut y prendre place, le siège glissa plus loin. « Même les meubles ne m'aiment pas », se désola-t-elle. Découragée, elle s'assit sur le plancher et attendit qu'on s'occupe d'elle.

Tilly trouva son épouse dans le jardin, en train de soigner ses fleurs préférées : des roses blanches qui se refermaient en présence des étrangers.

– Quelqu'un aimerait te rencontrer, dit-il sans sa gaieté habituelle.

– C'est ce visiteur qui te met dans tous tes états ?

Au lieu de répondre, le roi ouvrit ses ailes et s'éleva vers le ciel. Il ne s'était en fait comporté de cette façon qu'une fois : lorsque Calva lui avait présenté la petite Ariane, qui n'était pas sa fille.

– Dinath..., souffla-t-elle.

Elle fit disparaître l'arrosoir, malgré les protestations aiguës de ses fleurs, et fonça dans le palais. Lorsqu'elle franchit les portes de la salle d'audience, Calva crut que son cœur allait exploser de joie. Elle s'approcha lentement de la jeune fille, sans faire de bruit, la contemplant avec ses yeux de mère. Dinath finit par l'apercevoir. Elle se releva vivement, embarrassée d'avoir été ainsi surprise.

– Tu es ravissante, lui dit finalement la belle Fée, aux longs cheveux blond comme de l'or.

Elle portait une robe faite de mille voiles opalins et chatoyants. Tout comme le roi, des ailes transparentes étaient repliées dans son dos.

– Sais-tu qui je suis ?

Dinath secoua la tête.

– Je suis la Reine Calva, ta mère.

La Fée lui tendit la main. Dinath lui prit le bout des doigts et la suivit un peu plus loin dans la pièce. Un grand divan duveteux glissa alors jusqu'à elles. L'adolescente attendit que la souveraine s'y assoie la première afin de ne pas se retrouver une fois de plus sur le plancher.

– C'est beaucoup plus confortable, tu ne trouves pas ?

– J'aurais volontiers pris place sur le fauteuil s'il m'avait laissée le faire.

– C'est celui du roi et il est plutôt timide. Parlons plutôt de toi, ma chérie. Tu es venue toute seule de ton plein gré ?

– Pas tout à fait. Mon père m'avait cachée sur l'île ancestrale des Elfes pour me soustraire à ses ennemis, mais un sorcier m'a retrouvée. J'ai réussi à lui échapper une fois de retour sur Enkidiev grâce à mon père, qui est arrivé juste à temps.

– Il ne sait plus comment assurer ta survie, comprit Calva. Il t'a donc emmenée ici.

– J'espère que cela ne vous causera pas d'embêtements... avec votre mari, je veux dire.

– Il est jaloux, mais les sentiments négatifs n'ont pas longtemps d'emprise sur lui. Je suis certaine que tu réussiras à l'apprivoiser.

« Apprivoiser un roi ? Quelle curieuse idée... », songea l'adolescente. Mais tout, dans ce royaume, était étrange.

– Tu ressembles trop à ta sœur pour qu'il ne se lie pas d'amitié avec toi. C'est un homme, alors donne-lui un peu de temps.

– Je n'ai pas encore eu le bonheur de rencontrer ma sœur.

D'un geste de la main, la reine fit apparaître le visage d'Ariane sur le mur le plus rapproché. Dinath le contempla un long moment en silence. Elles avaient en effet la même forme de visage et les mêmes lèvres, mais leurs yeux étaient différents.

– Tu as ceux de ton père, tandis qu'Ariane a les miens, expliqua Calva en suivant le cours des pensées de sa fille. Bon, je pense que nous allons commencer par te vêtir convenablement, puis te trouver une chambre près de la mienne. Ensuite, je te présenterai à la cour.

Dinath aurait préféré se reposer, mais elle était une invitée dans ce palais. Son père lui avait enseigné les bonnes manières, même si elle n'avait jamais eu l'occasion de les mettre en pratique dans leurs nombreuses retraites sylvestres. Gaie comme un pinson, Calva lui expliqua le fonctionnement de la douche de ses nouveaux appartements. Elle fit également apparaître une belle robe sur le bord de son lit de forme circulaire, et annonça qu'elle l'attendrait dans la salle d'audience.

Ces nouvelles expériences finirent par détendre l'adolescente, surtout celle de la douche. Elle se nettoya en riant et enfila ses nouveaux vêtements.

– J'aimerais bien voir à quoi je ressemble là-dedans, pensa-t-elle tout haut.

Un grand miroir vola jusqu'à elle. Dinath ne savait pas si elle devait le remercier, car après tout, il s'agissait d'un objet... Elle s'admira un long moment, se tournant d'un côté, puis de l'autre. Des reflets irisés parcouraient les ourlets de chaque couche de ses voiles blancs.

– Je ressemble à une déesse...

Ne trouvant de chaussures nulle part, la jeune fille quitta sa chambre pieds nus. Elle approcha la main de la poignée en forme de tête de cygne, mais n'eut pas le temps d'y toucher, car la porte s'ouvrit toute seule.

– Je ne sais plus par où passer, se désola-t-elle.

Une flèche dorée apparut alors sur le plancher.

– Ah bon...

Elle suivit les indications magiques jusqu'à la grande salle, où le Roi Tilly l'avait d'abord fait entrer. Elle s'arrêta net en voyant les milliers de Fées qui l'attendaient. Il y en avait jusqu'au plafond ! Certaines voletaient sur place et d'autres étaient debout sur le plancher de marbre, leurs ailes repliées. Voyant que sa benjamine s'était immobilisée à l'entrée du grand hall, Calva vint la chercher.

– Mesdames, Mesdemoiselles, Messieurs, je vous présente ma fille, Dinath.

Leurs cris d'admiration ressemblèrent aux chants qu'on entendait dans les arbres remplis d'oiseaux. La reine fit asseoir la nouvelle venue dans un fauteuil de soie rose qui ne se déroba pas. Chaque Fée vint la saluer personnellement. Elles portaient des robes de toutes les couleurs et défilaient si rapidement devant la jeune fille qu'elle s'en trouva tout étourdie. La dernière à se présenter ne ressemblait à aucune autre : ses longs cheveux étaient argentés, et sa peau bleue comme l'eau de la mer...

– Je vous ai déjà vue quelque part, tenta de se rappeler Dinath.

– Peut-être au Château d'Émeraude ? Je m'appelais Miyaji, à cette époque. Désormais, je suis Éliane, c'est mon nom de Fée.

– Je suis enchantée de vous rencontrer, Éliane.

– Nous avons quelque chose en commun.

Dinath ne pouvait pas deviner de quoi il s'agissait.

– Nous n'avons pas d'ailes, ni vous ni moi.

L'adolescente chercha sa mère du regard. Belle comme une poupée de porcelaine, la reine se contenta de sourire.

– Je t'expliquerai pourquoi plus tard, ma chérie. Préparons maintenant un banquet en ton honneur.

Les Fées se mirent à virevolter partout, passant au travers des murs et du plafond, et rapportèrent toutes sortes de victuailles. Tandis que Dinath les observait, d'autres images surgirent dans son esprit : la cour du Château d'Émeraude, la nuit du mariage de deux des leurs. Un dragon volant, un sorcier et un dieu déchu avaient alors attaqué les humains... Elle avait vu Miyaji être frappée dans le dos par un rayon d'énergie bleuâtre...

– Qu'aimes-tu manger ? lui demanda sa mère, la sortant de sa rêverie.

– N'importe quoi. Je ne suis pas difficile.

Une immense table blanche sortit du plancher, arrachant un cri de surprise à Dinath. Les Fées y déposèrent ce qu'elles avaient trouvé. Le reste y apparut par enchantement. En quelques secondes à peine, l'adolescente se retrouva au milieu d'une grande fête donnée en son honneur. « Chose certaine, je ne m'ennuierai pas, ici », conclut-elle.

Tandis que les Fées célébraient le retour de leur princesse, le Roi Tilly marchait le long du ruisseau. Sentant son humeur massacrante, les petits batraciens s'enfouissaient dans la vase rose, et les poissons se cachaient dans les algues mauves. Même les oiseaux évitaient de croiser sa route. Remâchant son amertume, le monarque ne regardait même pas où il allait. Au bout d'un moment, il aboutit dans les vergers qui longeaient le mur nord de son palais invisible. Le son d'une harpe attira soudain son attention. Elle n'était pas maniée par des mains expertes, mais tout de même bien maîtrisée. Tilly s'enfonça entre les arbres et trouva bientôt le capitaine Kardey, assis avec sa fille sur une couverture grise qui n'appartenait pas au Royaume des Fées. Le soldat avait donc conservé des objets de son ancienne vie...

Pendant que la petite faisait vibrer la harpe, son père lui chantait une chanson enfantine de son passé. L'homme et l'enfant semblaient prendre beaucoup de plaisir à cette activité triviale. Devant cette scène, Tilly se rappela qu'il avait, jadis, passé beaucoup de temps avec Ariane, avant qu'elle ne soit recrutée par les Chevaliers d'Émeraude et qu'il n'apprenne qu'elle était la fille de Danalieth...

– Tu es très douée, mon petit poussin ! s'exclama joyeusement Kardey.

– C'est facile, maintenant que la harpe connaît la chanson. Il faudra que tu m'en apprennes d'autres.

Améliane sentit tout à coup la présence de la créature magique et tourna vivement la tête vers le verger. Kardey fut sur ses pieds en moins de deux, prêt à défendre son héritière. Puis, il reconnut les traits de celui qui les épiait.

– Majesté...

– Je vous en prie, faites comme si je n'étais pas là.

– Vous avez de la peine, constata la fillette.

– Est-ce vrai ? s'étonna Kardey.

– Ce ne sont que de vieux souvenirs, que j'avais crus morts et enterrés.

– Venez vous asseoir avec nous, l'invita l'enfant. Nous vous changerons les idées.

– Tu es très gentille, Améliane.

– Tu vois, papa, lui, il utilise mon nom.

Tilly s'installa sur un vieux tronc tombé de travers entre les pommiers, faisant bien attention à ne pas endommager ses ailes.

– J'aimerais te poser une question, Kardey.

– J'y répondrai de mon mieux, assura le capitaine.

– Que ferais-tu si je te libérais du sortilège auquel j'ai soumis les hommes Fées ?

– J'irais combattre ceux qui tentent de nous enlever nos terres, évidemment. C'est sérieux ?

– Je n'ai pas encore pris ma décision, mais j'y songe. J'aimerais que la paix règne à nouveau sur tous nos peuples.

Le monarque baissa alors le regard sur la petite, toujours assise devant sa harpe.

– Je ne connais pas encore beaucoup de chansons, mais je pense que vous aimerez celle-ci, fit-elle.

Elle lui joua une mélodie que la reine elle-même lui avait enseignée. C'était une berceuse qu'il chantait jadis à Ariane... Tilly se perdit une fois de plus dans ses souvenirs. Le visage souriant de sa fille, lorsqu'il la berçait en lui chuchotant cet air, versa un baume sur son cœur endolori.

19

AUBÈRONE

Sage était nerveux depuis quelques jours. Le comportement de l'empereur lui laissait croire qu'il était sur le point de quitter à nouveau son palais. L'hybride avait beaucoup changé depuis son arrivée sur Irianeth. Les souvenirs de son ancienne vie s'étaient effacés, peu à peu. Il ne se rappelait plus que de sa femme, Kira. De toute façon, Amecareth s'assurait qu'il conserve le souvenir de son visage dans son esprit. Ils ne lui donnaient pas le même nom, mais ils voulaient tous les deux qu'elle règne un jour sur les Tanieths.

N'ayant pas trouvé son maître dans l'alvéole royale, Sage le chercha jusque dans le temple de Listmeth. Il le trouva enfin sur le balcon, d'où il pouvait contempler ses pouponnières. Le seigneur des insectes tenait dans une main de sanglantes lanières de viande. L'hybride ralentit le pas, se doutant qu'il nourrissait son dragon. Il ne s'était pas trompé. Accroché à l'un des pics de la montagne dans laquelle était creusée la ruche, Stellan venait chercher son repas dans la main de son maître.

– Je n'avais pas de cœurs à lui offrir aujourd'hui, déclara l'empereur en sentant la présence de son rejeton. Mais il n'est pas capricieux.

– Vous allez repartir, n'est-ce pas ?

– Cette fois, je la retrouverai.

– Laissez-moi vous accompagner. Elle acceptera de me suivre.

– Je suis certain que tu dis vrai, mais je ne peux pas courir le risque de te perdre aux mains de soldats que tu n'as pas encore tout à fait oubliés. Je veux qu'il me reste l'un de vous deux, au moins.

Meurtri par la réponse de son grand-père insecte, Sage se courba et tourna les talons. Il n'y avait qu'un endroit où il se sentait vraiment bien dans ce monde rocailleux. Il courut dans le long corridor qui menait aux pouponnières et déboucha sur la corniche, où se trouvait aussi sa petite grotte personnelle. Il avait écrit le nom de Kira partout à l'intérieur et à l'extérieur de son sanctuaire. Il s'assit devant l'ouverture et éclata en sanglots amers, se sentant victime d'une terrible injustice.

Pourtant, si Kira l'avait croisé sur le continent ou ailleurs, elle ne l'aurait probablement pas reconnu. La peau du visage de Sage était encore plus pâle qu'avant, et ses dents s'étaient graduellement aiguisées pour ressembler aux siennes. Même sa vision s'était améliorée dans l'obscurité. Ses cheveux noirs lui atteignaient la taille. Craignant désormais l'eau comme les Tanieths, il les enduisait même d'huile au lieu de les laver. Évidemment, l'hybride n'était pas conscient de sa transformation, car elle s'était opérée petit à petit.

Amecareth se posa à quelques pas devant lui et referma ses ailes de chauve-souris. Du sang coulait encore le long de son bras.

– Je ne t'oblige pas à rester ici pour te contrarier, mon petit.

– Vous ne me faites pas confiance.

– Est-ce que je te promettrais mon trône s'il en était autrement ?

Sage baissa honteusement la tête.

– Avant de pouvoir me suivre où que ce soit, tu vas devoir vaincre ta peur des Lotakieths. J'y ai longtemps réfléchi et je suis même allé chercher de l'aide. Viens avec moi.

L'empereur et son petit-fils traversèrent côte à côte la falaise où reposaient les œufs des futurs ouvriers de la ruche, et débouchèrent de l'autre côté, là où vivaient les petits insectes jaunâtres appelés Midjins. Dès qu'ils virent leur maître arriver, ces derniers se précipitèrent à sa rencontre. Plus menus et plus agiles que les guerriers noirs, les Midjins escaladaient sans effort les parois rocheuses. Sage fronça les sourcils en les voyant approcher.

– Que leur avez-vous demandé, au juste ? s'inquiéta-t-il.

– Je leur ai demandé de trouver une façon de te faire aimer mes animaux favoris.

L'un des Midjins tendit alors à Sage une petite bête pas plus grosse qu'un chat. L'hybride l'accepta sans vraiment y prendre garde. Jamais ces insectes n'auraient osé lui faire du mal en présence de l'empereur. Il baissa les yeux sur son présent. Ce n'était pas un mammifère : il y avait deux petites ailes sur son dos !

– C'est un dragon ! s'exclama Sage.

– Et tu le tiens même dans tes bras.

Amecareth caressa le cou du petit reptile avec le dos d'une griffe, ce qui le fit ronronner.

– Les dragons de cette couleur sont très, très rares. Quand les Midjins m'ont appris sa naissance, j'ai tout de suite su qu'il était comme toi, unique au monde. Il s'appelle Aubèrone.

– Ils l'élèveront pour moi ?

– Non. Il ne peut s'établir un lien de cœur et d'esprit entre le dragon et son dompteur que lorsqu'ils grandissent ensemble.

– Mais je ne connais rien du tout à ces bêtes.

– Alors vous êtes sur un pied d'égalité. Il ne connaît rien aux Tanieths.

Sur ces mots, l'empereur retourna dans la montagne. Sage et le bébé dragon s'observèrent pendant un moment, se demandant s'ils voulaient vraiment faire partie de la vie l'un de l'autre.

– Que mange-t-il ?

Les Midjins ne pouvaient évidemment pas le comprendre, alors l'hybride s'élança dans la ruche. Il y rattrapa Amecareth, au moment où ce dernier regagnait son alvéole.

– Vous n'avez pourtant pas élevé Stellan vous-même ! se plaignit-il.

– C'est pourquoi il m'a désarçonné. Je n'ai pas cessé de travailler avec lui, depuis. S'il partage ta vie quotidienne, Aubèrone te sera fidèle.

– Je ne sais ni le nourrir, ni prendre soin de lui.

– Mes serviteurs prépareront ses repas en même temps que ceux de Stellan, mais tu devras respecter son appétit. C'est lui qui te dira de quoi il a besoin. Pour ta part, tu lui feras sentir que tu es, en quelque sorte, son nouveau parent.

Sage crut comprendre ce que l'empereur tentait de faire.

– Vous cherchez à m'occuper pendant que vous volez vers le continent des humains !

– Viens par ici.

Le petit dragon rouge commençait à en avoir assez d'être secoué dans les bras de son nouveau propriétaire. Il était sur le point de faire sentir aux Tanieths qu'il avait du caractère.

Sage s'approcha de l'unique ouverture de l'alvéole royale, quelques pas derrière le trône. Le spectacle qui s'offrit alors à lui le laissa bouche bée : une imposante flotte de vaisseaux de toutes sortes mouillait au sud du palais.

– Mes régents ont bien travaillé. Pendant que les humains s'épuisaient à abattre d'insignifiantes larves, ils ont réuni tous les guerriers que j'avais disséminés au sein des peuples sous ma domination. Dans moins d'une lune, Enkidiev sera un nouveau territoire Tanieth. Tu comprends maintenant pourquoi c'est moi qui dois les mener au combat.

Aubèrone mordit le pouce de son nouveau maître pour attirer son attention. Sage poussa un cri de douleur.

– Il a faim, signala calmement Amecareth. N'oublie pas non plus que c'est surtout le soir que les dragons sont actifs. Il se peut que tu aies à changer tes habitudes de vie pendant sa croissance.

L'empereur communiqua tout de suite avec ses serviteurs par télépathie, leur demandant d'apporter un peu de viande dans l'alvéole de son petit-fils. Cela signifiait aussi, indirectement, qu'il désirait prendre congé de lui. Sage s'inclina donc devant lui et retourna dans sa cellule. Il déposa l'animal sur une caisse de bois. Ses pattes étaient encore courtes, mais il réussissait à se tenir en équilibre. Lorsque les insectes amenèrent le plateau de languettes fraîchement découpées, Aubèrone se mit à pousser des sifflements si aigus qu'il écorcha les tympans de Sage.

– Doucement ! ordonna-t-il.

Il tendit un premier morceau au petit monstre, qui l'avala en trois coups et en réclama davantage. L'image d'un oiseau brun apparut dans l'esprit de l'hybride, mais elle n'y resta pas suffisamment longtemps pour qu'il puisse l'identifier. Il continua à nourrir ainsi son dragon jusqu'à ce qu'il lui tourne le dos.

– Ils sont actifs la nuit, se répéta Sage.

Il décida donc de se mettre au lit tandis qu'il faisait encore jour. Il avait toujours combattu sa véritable nature en se couchant la nuit, mais il changeait. Aubèrone, maintenant plus calme, se nettoyait le museau sur le bord de la caisse. Sans doute voudrait-il dormir après ce copieux repas. Sage commença à s'assoupir et il allait finalement sombrer dans le sommeil lorsqu'un petit projectile atterrit dans son dos. Il se retourna brusquement, faisant tomber Aubèrone dans les couvertures, et arriva face à face avec les yeux rouges du petit reptile.

– Où les dragons dorment-ils ? se demanda le nouveau dompteur.

Aubèrone commença à roucouler en grimpant sur sa poitrine. Une fois de plus, l'image d'un oiseau apparut dans l'esprit de Sage. Il était couché dans une couverture... Le bébé dragon se mit pour sa part à tourner en rond sur l'abdomen de son nouveau parent, comme pour se trouver une position confortable.

– Mais qu'est-ce que tu fais ?

Sans l'écouter, le reptile se laissa tomber et tendit le cou pour déposer sa tête sous le menton de Sage.

– Il va falloir corriger cette vilaine habitude avant que tu n'atteignes la taille de Stellan...

Mais, pour l'instant, Aubèrone n'était qu'un bébé. L'hybride referma doucement ses bras sur lui et ferma les yeux. Il ne dormit que quelques heures, car l'appétit des dragons étant féroce, le petit animal se mit très vite à se plaindre de la faim. Les yeux ensommeillés, Sage lui donna le reste de la viande qui était demeurée sur le plateau. Il l'ignorait encore, mais il allait revivre ce même scénario toutes les nuits pendant encore bien longtemps.

20

UNE DÉCISION REGRETTABLE

En marchant vers l'ouest, sur le flanc de la montagne de Béryl, Kira sondait régulièrement le continent. Au bout de quelques jours, lorsqu'elle atteignit la frontière du Royaume de Turquoise, elle fit part de ses observations à son compagnon. Lazuli prépara leur dernier repas de la journée en l'écoutant avec attention.

– Il n'y a pas de dragons au nord de la Montagne de Cristal, commença-t-elle, sans doute en raison des denses forêts. En fait, les troupeaux se concentrent à Jade, Béryl, Émeraude et Perle, à l'est de la rivière Mardall.

Le jeune homme ne savait évidemment pas où se trouvaient ces territoires, mais il comprenait, à l'expression de la déesse, qu'elle préparait son plan de destruction, ce à quoi il n'allait certainement pas s'opposer.

– Ils sont en train de décimer les troupeaux de gazelles, de buffles et de chevaux sauvages, déplora Kira.

– Mon père disait que c'est le cycle normal de la vie. Moi, je lui répondais toujours que ce cycle penchait un peu trop en faveur des dragons.

La Sholienne mangea en continuant de contempler le majestueux pic au loin.

– Où mes terres seront-elles situées ? voulut savoir Lazuli.

– À l'ouest, droit devant, répondit-elle en les lui pointant de l'index, près d'un des affluents de la rivière Mardall, à la frontière du Royaume d'Émeraude et du Royaume de Perle.

Lazuli tenta d'imaginer comment il diviserait son domaine. Il aurait des pâturages pour les animaux et des cultures pour nourrir les siens.

– Mais où trouverai-je une épouse ? s'inquiéta-t-il.

– Lorsque les dragons auront cessé de terroriser les Enkievs, ceux-ci seront libres de s'établir où ils voudront. Alors, je pense bien que ce sera elle qui viendra vers vous.

– Pourquoi voulez-vous à tout prix atteindre le soleil couchant ?

– C'est une longue histoire...

Lazuli était un homme d'une grande patience, aussi n'insista-t-il pas. Il mastiqua plutôt son repas en attendant qu'elle se décide à parler.

– Dans les autres mondes, il y a aussi des problèmes, poursuivit-elle enfin. Là d'où je viens, un terrible ennemi a envahi nos terres.

– Vous êtes venue demander l'aide des Enkievs ?

– Pas tout à fait. L'un des dieux, qui avait été banni par le Grand Chef du ciel, s'est emparé de moi et m'a emprisonnée dans votre temps, qui est, pour nous, le passé. Je ne peux désormais plus retourner chez moi et ne reverrai jamais les miens, mais je peux encore porter un coup fatal à nos ennemis avant qu'ils ne nous attaquent dans le futur.

– Il vous est vraiment impossible de rentrer à la maison ?

– Ma magie a des limites.

– À quoi vous serviront alors les coquilles qui flottent sur l'eau que possèdent les Bordiers ?

C'était donc ainsi qu'ils nommaient les Enkievs qui habitaient sur la côte.

– Je voudrais me rendre sur l'Île de l'Empereur Noir qui a déclenché toutes ces atrocités, et détruire sa civilisation avant qu'elle ne réduise le reste de l'univers en esclavage.

– C'est une tâche considérable pour une seule personne, lança Lazuli, le regard brillant.

– Non, il n'est absolument pas question que vous naviguiez avec moi jusqu'à Irianeth.

– Si vous m'apprenez à utiliser autrement la puissance que recèlent mes mains, je pourrais vous être d'un grand secours, insista-t-il.

Kira revit alors le visage de Sage, lorsque celui-ci s'était réveillé de l'engourdissement que lui avait imposé Onyx. Il y avait dans les yeux de Lazuli la même ferveur.

– Je ne risquerai votre vie pour rien au monde, s'étrangla-t-elle.

– Est-ce ce qui est arrivé à l'être cher que vous avez perdu ?

N'y tenant plus, la Sholienne éclata en sanglots amers. Lazuli déposa son écuelle et l'attira contre lui. Elle paraissait si forte et pourtant, elle était si fragile dans ses bras.

– C'est pour le venger que vous entreprenez ce périple, n'est-ce pas ?

– Je vous en conjure, ne me parlez plus de ces souvenirs qui me font souffrir...

– Je vous aiderai à tuer ce personnage noir, et je vous offrirai la plus belle de toutes les vies.

Il l'étreignit jusqu'à ce qu'elle cesse de pleurer, puis s'étendit avec elle sur sa couverture, utilisant celle de Kira pour les protéger du froid. Pour la première fois depuis longtemps, la femme Chevalier se sentit enfin en sécurité.

Au matin, elle avait complètement retrouvé son aplomb. Elle annonça même à son compagnon qu'avant de traverser l'océan, elle allait rendre aux Enkievs le grand service qu'ils attendaient d'elle. Ils descendirent donc de la montagne et pénétrèrent dans les forêts de Turquoise. Les arbres n'y étaient pas aussi gros que dans les souvenirs de Kira, mais ils étaient tout de même imposants. Ce soir-là, les aventuriers dormirent à l'abri, dans les hautes branches.

Ils arrivèrent à la frontière des Royaumes d'Émeraude et de Turquoise le lendemain. Ils grimpèrent à un arbre si élevé qu'ils pouvaient voir la plaine s'étendant des deux côtés de la rivière Wawki. D'immenses troupeaux de dragons s'y prélassaient.

– Il y en a beaucoup parce que c'est la saison de la reproduction, expliqua Lazuli.

– Je vais donc devoir utiliser énormément de force pour les anéantir, constata Kira. J'ignore l'effet que cela aura sur moi.

– Dites-moi ce que je peux faire pour vous aider.

– Rien, j'imagine. Je ne sais pas ce qui va se passer, mais je dois le faire.

– Faites ce qu'il faut. Je suis là pour vous soutenir.

Elle se tourna vers lui et le regarda dans les yeux pendant un long moment. Si elle ne trouvait pas la façon de revenir à son époque, sans doute pourrait-elle être heureuse auprès d'un homme comme Lazuli...

– Merci, murmura-t-elle.

Elle fit alors face aux dragons et se concentra. Fort heureusement, elle n'avait plus besoin de faire appel à la haine pour rassembler une considérable quantité d'énergie. Elle attendit que ses bras deviennent douloureux tant la charge électrifiée était grande, puis laissa partir un halo digne de ceux de l'empereur. Lorsque le tir frappa les reptiles, non seulement il les tua sur le coup, mais il mit le feu à la prairie. En quelques instants, l'incendie se propagea vers le nord, puis vers l'est. Haletante, Kira observa la destruction qu'elle venait de causer.

Elle était si faible que Lazuli dut la porter sur ses épaules pour descendre de l'arbre. Il aurait bien voulu la laisser dormir un peu sur un lit de mousse, mais l'odeur du feu chatouilla ses narines. Ils étaient à une journée de marche de la petite rivière qu'ils avaient vue du haut des branches, et encore plus loin de la montagne qu'ils avaient quittée. Lazuli opta pour la rivière. Kira dans les bras, il courut jusqu'à la lisière de la forêt, surveillant constamment la progression des flammes. Ces dernières dévastaient sauvagement les grandes étendues d'herbe séchée. Les mammifères qui avaient pu y échapper arrivaient au galop pour se réfugier dans les bois. Quelques-uns faillirent même entrer en collision avec les deux voyageurs.

Lazuli sentait ses jambes défaillir, mais il ne pouvait pas s'arrêter. Lorsqu'il arriva enfin à la rivière, il y plongea tête la première avec sa protégée. Le feu ravagea la végétation jusque sur le bord de l'eau et la fumée que le vent poussait dans leur direction risquait de les tuer aussi sûrement que les flammes. Instinctivement, Lazuli se concentra et fit tomber une pluie diluvienne autour de lui, chassant les vapeurs mortelles, puis dirigea les trombes d'eau sur les forêts de Turquoise, pour que la flore et la faune échappent à l'incendie. Puis, il se laissa emporter par le courant, pénétrant dans les bois que le cours d'eau traversait. Avant d'arriver à une petite cascade, au milieu d'une éclaircie, le Gariésor grimpa sur la berge, transportant la Sholienne encore inconsciente dans ses bras. Ne pouvant pas faire un pas de plus, il se laissa tomber sur le sol.

Lorsqu'il ouvrit enfin les yeux, il faisait nuit. L'odeur de fumée lui fit aussitôt relever la tête. Kira dormait toujours à ses côtés. Rassemblant son courage, le jeune homme grimpa au faîte de l'arbre le plus proche. Le ciel était coloré en rouge tandis que les flammes consumaient maintenant les prairies de l'ouest. Miraculeusement, elles s'étaient éteintes avant d'atteindre les grandes forêts du territoire que sa compagne appelait Turquoise. Cela ne voulait pas dire pour autant qu'ils étaient saufs. Si le vent se mettait à souffler avec force vers l'est, inexorablement, les bois y passeraient.

Lazuli redescendit aussitôt de son observatoire. Il souleva la déesse et se dirigea vers le sud. Il marcherait ainsi tant que ses forces le lui permettraient. Et puis, Kira finirait bien par se réveiller. Il chassa toutes les pensées funestes qui le hantaient et se concentra sur sa survie.

21

UN CRI D'ALARME

Après une autre éreintante journée à faucher des coléoptères de plus en plus résistants, les Chevaliers d'Émeraude prirent place autour des feux avec leurs alliés. Le groupe de Santo était le seul qui ne s'était pas joint à eux, mais il n'était qu'à deux jours au sud, et comme le guérisseur possédait des bracelets magiques, il pourrait facilement se déplacer vers la Montagne de Cristal. Voyant que son Écuyer discutait plus loin avec Dylan, Wellan en profita pour communiquer mentalement avec son frère d'armes.

Santo, comment vous en sortez-vous ? demanda-t-il. *Assez bien, tout compte fait, mais les larves ont commencé à traverser la rivière Wawki. Nous n'aurons pas d'autre choix que de les poursuivre.* Wellan visualisa la géographie d'Émeraude dans son esprit avant de répliquer. *Lorsqu'elles seront toutes de l'autre côté, venez nous rejoindre là où la rivière se divise en deux. Plus nombreux nous serons, plus nous arriverons à les exterminer.*

Puis Wellan voulut savoir s'il y avait des blessés dans le groupe du guérisseur. *Seulement des égratignures, jusqu'à présent. Certains villageois ont perdu la vie en tentant de nous aider. Mais nous ne pouvons pas leur reprocher de vouloir défendre leurs terres.* Santo lui souhaita ensuite de beaux rêves et mit fin à la communication.

Wellan observa plus attentivement son fils. « Il change », remarqua-t-il. Ses cheveux argentés étaient moins brillants, ils semblaient même blondir... « Il commence à me ressembler », conclut le grand chef avec fierté. Il allait rejoindre les jeunes pour discuter avec eux lorsque Wanda s'assit près de lui, sa couverture sur les épaules.

– Où est Falcon ? s'étonna Wellan, car ils étaient toujours ensemble.

– Il est en grande conversation avec le Roi Hadrian.

– Sans doute discutent-ils de stratégie.

– Je pense plutôt qu'ils s'inquiètent des idées de grandeur de notre roi.

Wellan chercha Onyx du regard. Ne le voyant pas, il utilisa ses sens magiques pour le repérer. Le Roi d'Émeraude marchait à la limite du campement avec Swan.

– J'aurais perdu la raison si Nartrach avait été tué, s'étrangla Wanda. Je ne sais pas comment ils font pour continuer à se battre malgré leur chagrin.

– Ils pensent aux trois plus jeunes, qui les attendent au palais.

– C'est une guerre tellement stupide, Wellan. Je ne vois même pas comment nous allons y mettre fin. Non seulement les larves nous épuisent physiquement, mais elles minent aussi notre moral.

– Et elles nous intriguent aussi. J'ai beau retourner la question dans tous les sens, je n'arrive pas à comprendre pourquoi elles veulent atteindre la Montagne de Cristal.

– Et si elles n'étaient qu'une diversion ?

– J'y ai pensé et je sonde la côte chaque fois que j'en ai l'occasion. De toute façon, les Elfes nous avertiraient tout de suite s'ils apercevaient quelque chose.

Justement, au Royaume des Elfes, de jeunes archers patrouillaient la plage à tour de rôle afin de s'assurer qu'il n'arriverait pas d'autres contingents de larves.

Cette nuit-là ressemblait à toutes les autres. La sentinelle marcha pendant un moment sur les galets, puis s'installa sur la branche la plus basse d'un gros arbre. Les étoiles scintillaient dans le ciel d'encre. Le jeune Elfe les contempla en se demandant si ses ancêtres s'y trouvaient. Il ressentit alors une curieuse énergie. Quelque chose semblait approcher sur la mer, mais, même avec sa vue perçante, il ne distinguait aucun vaisseau. Il sauta sur le sol et avança vers la jetée. Soudain, une lance argentée arriva de nulle part et lui traversa l'abdomen.

On nous attaque ! cria-t-il par télépathie dans la langue des humains, avant de s'effondrer sur la plage.

Wellan se leva d'un seul bond. Tous les soldats magiciens se réveillèrent en même temps et se tournèrent vers lui. Ils demeurèrent à l'écoute de tout nouveau message, mais rien ne leur parvint. Onyx, Hadrian, Chloé, Dempsey, Jasson et Bergeau scrutaient déjà l'ouest.

– C'est une force maléfique, indiqua Chloé.

Le grand chef la captait aussi, mais elle demeurait vague.

– Ils nous cachent quelque chose, ajouta Hadrian.

– Qu'est-ce qu'on attend pour aller voir ? explosa Bergeau.

– Hadrian, je vous confie le commandement de l'armée, déclara Wellan. Il ne sert à rien de nous précipiter là-bas sans savoir ce qui est arrivé à la sentinelle. Je communiquerai avec vous dès que je saurai à quoi m'en tenir.

– J'y vais avec vous, décida Onyx.

– Ce pourrait être dangereux, protesta le grand chef.

– Suis-je un froussard, à votre avis ?

– Vous êtes le Roi d'Émeraude, et mon devoir est...

– Je connais votre devoir et votre serment. Partons.

Wellan fit un mouvement pour croiser ses bracelets. Onyx l'arrêta tout de suite.

– Vous voulez absolument annoncer notre arrivée avec un beau grand tourbillon lumineux ?

Il posa la main sur le bras du Chevalier et ils disparurent instantanément. Hadrian se tourna vers les centaines d'hommes qui se demandaient ce qui se passait, car tous ne possédaient pas de pouvoirs magiques. Il leur expliqua que les Elfes avaient lancé un appel de détresse, et que Wellan et Onyx étaient en route pour la côte afin d'évaluer la situation.

– Mon maître ne m'a pas attendu, s'attrista Lassa.

– C'était trop urgent, j'imagine, tenta de le consoler Dylan. Nous saurons bien assez vite ce qui se passe là-bas.

– Il n'y a vraiment qu'une seule explication, indiqua Cassildey. L'Empereur Noir nous a fait courir après des lapins, tandis qu'il préparait sa véritable invasion. Il a réussi à endormir notre vigilance.

– Et selon toi, il aurait fallu aller s'asseoir tranquillement sur les plages pendant que ces lapins mangeaient tout le monde ? se fâcha Jenifael.

– Nous aurions dû diviser nos forces, au lieu de laisser des sentinelles surveiller la côte.

– Cet Elfe est peut-être mort ! s'horrifia Lassa.

– Nous avons déjà du mal à contenir l'invasion des larves avec tous les soldats disponibles, lui rappela Jenifael.

Hadrian se rendit jusqu'aux jeunes gens pour désamorcer le conflit.

– Nous avons agi au mieux de notre connaissance et avec les informations que nous détenions, trancha-t-il. Un bon soldat obéit à ses ordres et ne remet pas en question le jugement de son commandant.

Cassildey ravala un commentaire qui aurait pu le faire expulser de l'Ordre.

– Un bon soldat sait aussi s'adapter aux changements de circonstances, poursuivit Hadrian. Je vous suggère donc de vous préparer à partir et de cesser de vous chamailler.

Laissant son fils, le Prince Xavier, en compagnie de ses jeunes amis, le Roi Giller s'empressa de rejoindre l'ancien chef des Chevaliers.

– Nous aussi ? s'enquit-il.

– J'ignore ce que Wellan trouvera là-bas, mais j'imagine qu'il ne laissera pas Émeraude sans défense. Le mieux que nous puissions faire, pour l'instant, c'est de nous préparer à réagir rapidement.

– Les hommes sont morts de fatigue, sire Hadrian.

– Je ne le sais que trop bien.

Le grand personnage s'adressa alors à toute l'armée.

– Reposez-vous pendant que vous le pouvez, conseilla-t-il, mais soyez prêts à partir.

Ils s'installèrent tous sur leurs couvertures, gardant leurs armes à portée de main. Hadrian demeura debout, profondément perdu dans ses pensées. Il devinait ce que Wellan lui demanderait de faire dans les prochaines minutes. Il lui faudrait diviser rapidement ses effectifs, et surtout ne pas causer de panique parmi les armées de Perle, de Jade, de Diamant et d'Opale, qui risquaient de se sentir abandonnées si tous les Chevaliers fonçaient en même temps sur la côte.

Même Nogait gardait le silence. Il ne pouvait s'empêcher de penser à sa femme et à son petit garçon, dont la survie dépendait de leur efficacité à arrêter la poussée des larves. Si tous les soldats magiques étaient rappelés à l'ouest... Derek posa la main sur son épaule.

– Les Elfes sont des hommes et des femmes de grande ressource, assura-t-il. Amayelle saura comment défendre le château.

– Nous avons tous vu ce qui s'est passé lorsque l'empereur s'y est présenté lui-même...

– Je ne crois pas qu'il commette la même erreur deux fois. Ce sont les larves qu'elle devra repousser.

– L'empereur est sur la côte, annonça Kevin, l'oreille collée sur le sol.

– Comment le sais-tu ? s'énerva Maïwen.

Hadrian enjamba les couvertures et les hommes au repos pour se rendre jusqu'à lui. Il s'accroupit et posa les mains par terre. Il perçut une vague d'agitation dans les tunnels que creusaient les imagos à la tombée du jour.

– Dis-moi ce que tu entends, ordonna-t-il à ce soldat sous son commandement.

– Elles reçoivent un message... Je ne suis plus relié à la collectivité, mais je comprends encore leur langue. Elles disent que leur grand protecteur ne les a pas oubliées, qu'il sera bientôt là.

– Continue à les épier.

La situation s'envenimait un peu trop vite au goût d'Hadrian. S'il ne recevait pas de nouvelles de Wellan et d'Onyx très bientôt, il serait contraint de prendre quelques hommes avec lui et d'aller lui-même constater l'étendue de l'invasion. Il se leva en soupirant et vit alors une curieuse étoile dans le ciel. Elle se rapprochait à une vitesse impressionnante. Hadrian n'eut pas le temps de prévenir ses hommes. L'étoile de feu passa si bas au-dessus de leurs têtes qu'ils en ressentirent la chaleur.

– Qu'est-ce que c'était ? s'écria Bergeau.

– Un mauvais présage, s'alarma Falcon. Rappelez-vous la dernière fois qu'un tel astre a été aperçu par ici.

– Il précédait de peu le massacre de Shola, affirma Dempsey.

Au lieu de paniquer, Chloé avait plutôt suivi la trajectoire de l'objet céleste. Si c'était vraiment un signe, il annonçait un grand malheur du Royaume de Cristal jusqu'au Royaume de Jade !

– Cette étoile nous indique-t-elle la route qu'empruntera l'ennemi ? demanda Jasson, perplexe.

– Ce n'était pas une étoile, tenta de les rassurer Dylan.

– Alors, qu'est-ce que c'était ? le pressa Bergeau.

– Je ne suis peut-être plus un Immortel, mais je sais encore en sentir un autre quand il passe près de moi.

– Cette boule de feu était maître Abnar ? s'étonna Wanda.

– Non, c'était Danalieth.

Cette déclaration soulagea tout le monde. Ils avaient suffisamment de problèmes, sans y ajouter une prédiction de catastrophe imminente !

22

UN PÈRE EN COLÈRE

Dylan avait vu juste : la boule de feu n'était nul autre que le demi-dieu Danalieth, qui poursuivait impitoyablement le sorcier qui avait osé s'en prendre à sa fille. L'Immortel n'avait pas du tout songé que sa forme enflammée jetterait l'effroi dans le cœur des humains. Il ne pensait qu'à détruire Asbeth. Dès qu'il eut laissé Dinath sous la bonne garde de sa mère, l'Immortel s'était mis à traquer le mage noir.

Imprudent, l'homme-oiseau l'avait suivi jusque chez les Fées. Sa hardiesse risquait de causer sa perte. En sentant que le demi-dieu avait fait demi-tour et le cherchait, Asbeth avait pris la fuite. Même s'il était le plus malfaisant personnage de l'univers, il n'était pas stupide pour autant. Il savait que sa magie pouvait lui permettre de capturer Danalieth, rien de plus. Mais Akuretari, lui, aurait certainement le pouvoir de le détruire.

Après plusieurs détours destinés à semer son poursuivant, Asbeth fila vers les volcans. Malheureusement pour lui, le père courroucé le repéra immédiatement. Utilisant toutes ses ressources, le demi-dieu rattrapa le corbeau alors qu'il survolait le Royaume de Jade. Il devança le fuyard et s'arrêta directement devant lui. Asbeth n'eut plus le choix : il piqua vers le sol. L'Immortel l'y suivit et reprit sa forme humaine en se posant dans la clairière éclairée par la lune. Il chargea ses mains sur-le-champ, bien décidé à en finir avec cette nuisible créature.

À l'autre bout de la percée, Asbeth avait ouvert complètement ses ailes.

– Vous avez fait assez de mal, sorcier.

– Danalieth... ami des Tanieths, croassa le corbeau.

– Pas des meurtriers, ni des ravisseurs d'enfants.

Sur ces mots, l'Immortel laissa partir une première charge, en même temps que le sorcier provoquait une explosion et disparaissait derrière un écran de fumée. Danalieth fonça. Il ne trouva évidemment pas son adversaire à l'endroit où il se tenait un instant plus tôt. Il le chercha donc avec ses sens magiques : Asbeth s'enfonçait dans la forêt, sans se douter que le demi-dieu la connaissait mieux que lui.

Danalieth choisit alors une route différente, mais il ne fit qu'un pas, car Abnar se matérialisa devant lui.

– Le dieu déchu se cache dans les volcans, annonça-t-il.

– Et le sorcier de l'empereur, dans ces bois.

– J'aurai besoin de votre aide pour faire sortir Akuretari de son trou.

– Dès que j'aurai débarrassé ce monde d'Asbeth. Cela ne devrait plus tarder, maintenant.

– Faites vite.

Le Magicien de Cristal disparut dans une pluie d'étincelles. Danalieth ne perdit pas de temps. Il s'enfonça entre les arbres, dans la noirceur la plus totale. Mais une créature divine n'avait pas besoin de ses yeux pour voir. La trace d'énergie laissée par le sorcier lui indiqua où il se rendait. L'Immortel prit donc un raccourci. Il devait coincer l'homme-oiseau avant qu'il puisse s'envoler à nouveau. Finalement, il distingua sa silhouette à quelques pas seulement de la berge.

Danalieth leva les bras pour charger ses mains, mais une panthère se laissa tomber d'une haute branche et atterrit devant lui, en grondant de façon menaçante. La lumière blanche qui émanait des paumes du demi-dieu fit briller les crocs du fauve.

– Si j'empiète sur votre territoire, c'est par accident, Anyaguara, soupira-t-il. Je vous en conjure, laissez-moi passer.

La panthère se transforma alors en une femme dont les traits rappelaient ceux des Jadois, mais Danalieth savait bien qu'elle n'avait en commun avec eux que le visage. Anyaguara était en fait la dernière des sorcières d'Enkidiev. Ces femmes, qui avaient choisi de pratiquer un art bien différent de celui des magiciens, avaient dû se cacher dans les forêts lorsque ces derniers avaient gagné la faveur du peuple.

– Vous êtes à la chasse, Immortel.

– Si on veut, et je ne dois pas laisser s'échapper ce gibier.

– C'est un sorcier.

– Il ne mérite même pas ce titre. Asbeth est un cruel assassin.

Danalieth sentit que le corbeau venait de prendre son envol. Il se dirigeait probablement vers le volcan où se cachait son maître.

– Je pourrais vous emprisonner dans cette forêt pour toujours.

– Je connais vos pouvoirs, belle dame, mais vous savez ce qu'il vous en coûterait.

Elle gronda avec mécontentement.

– Si c'est de la compagnie que vous cherchez, je reviendrai en de meilleurs temps, promit-il.

– Laissez-moi chasser avec vous.

– À moins que vous n'ayez appris à vous changer en oiseau, je crains que ce ne soit pas possible. Le sorcier vient de s'envoler. Il se dirige vers le nord, au-dessus de la rivière. Et vous savez ce qui vous arrivera si vous traversez le pays des terribles chasseurs de Rubis. Ils ne sont pas aussi tolérants que les Jadois.

– Ils périront tous ! menaça-t-elle.

Elle reprit sa forme de panthère. Danalieth savait que chaque fois qu'elle se transformait ainsi, elle ne pouvait pas utiliser ses noirs pouvoirs. Il en profita pour se changer lui-même en boule de feu et décolla vers le ciel.

23

Les sables de Fal

Lazuli marcha toute la journée, portant dans ses bras celle qui venait de délivrer les Enkievs de la menace des terribles dragons noirs. Il ne s'arrêta que le soir venu, à l'abri des racines d'un très vieil arbre. Il avait fait pleuvoir sur la forêt chaque fois qu'il était conscient, mais lorsqu'il s'endormait, la pluie cessait. Il ne savait donc pas encore s'il avait réussi à sauver la belle forêt de Turquoise. C'était un présent qu'il voulait offrir à la déesse, en remerciement de son sacrifice. Il attira Kira contre lui, puis se couvrit avec la couverture malheureusement humide, et mangea une petite quantité des vivres qui n'avaient pas été avariés par la rivière.

La Sholienne se réveilla en sursaut au milieu de la nuit. Lazuli referma aussitôt les bras sur elle pour éviter qu'elle n'incendie autre chose.

– C'est fini, chuchota-t-il dans son cou.

Le doux frôlement du nez du jeune homme sur le lobe de son oreille fit frissonner Kira.

– Où sommes-nous ? souffla-t-elle.

– Je n'en sais rien. J'ai couru dans la forêt pour fuir les flammes.

– Vous m'avez sauvé la vie ?

– Vous avez sauvé la nôtre...

– Je n'ai fait que tenir ma promesse. La plaine flambe-t-elle encore ?

– J'ignore ce qui brûle en ce moment, mais le vent a propagé le feu dans toutes les directions. J'ai utilisé la pluie pour protéger les arbres, mais je ne sais pas si j'ai réussi. Voulez-vous manger quelque chose ? Il nous reste très peu de nourriture, mais elle devrait vous suffire.

Kira mâcha leur dernier morceau de tentacule de lune en sondant le continent. Elle n'y trouva plus aucun dragon. Lazuli lui offrit de l'eau, qu'il avait puisée en mettant son écuelle à l'extérieur des racines de l'arbre. La jeune femme but lentement, en tentant de comprendre les sentiments qui naissaient en elle. Elle devait tenter à tout prix de détruire l'ancêtre d'Amecareth... mais elle ne voulait plus perdre Lazuli. « Serais-je une ancêtre d'Onyx ? » s'effraya-t-elle. Elle chassa cette terrible pensée et se blottit contre son compagnon.

Au matin, ils se mirent en route. Ils marchèrent jusqu'à la rivière Dillmun, où ils établirent un campement. Il y avait une âcre odeur de brûlé dans l'air, que la brise ne parvenait pas à chasser. Lazuli ferma les yeux et commanda au vent du sud de se lever, pour dissiper la fumée. Aussitôt, les voyageurs purent respirer à nouveau normalement.

– Tu transmettras cette magie à tes descendants, lui annonça Kira.

– Je suis content de l'entendre.

Il la laissa se reposer pendant qu'il attrapait du poisson, puis leur prépara un délicieux repas.

– Sommes-nous loin de ta destination ? voulut-il savoir.

– Encore plusieurs jours. Il nous faudra traverser une partie du Royaume de Fal, puis du Royaume de Perle, avant d'arriver à Zénor.

Ils s'enveloppèrent dans leurs couvertures, même s'il ne faisait pas aussi froid dans cette région qu'aux Royaumes de Béryl ou de Turquoise.

– Beaucoup de gens habiteront ces pays ? demanda Lazuli.

– Il y aura des villages sur les rives de presque toutes les rivières. Il m'est si difficile de croire que ton monde et le mien sont le même.

Ils dormirent d'un trait jusqu'au matin. Kira se montra courageuse et traversa la rivière devant son nouvel ami. Lazuli ne cacha pas sa surprise lorsqu'ils se retrouvèrent, quelques heures plus tard, sur une grande étendue de sable. Sa compagne lui expliqua que le paysage variait du nord au sud sur Enkidiev. Ils atteignirent une oasis pendant l'après-midi, où Lazuli mangea une banane pour la première fois. Son air surpris fit enfin rire Kira.

Malgré l'ensoleillement du Royaume de Fal et l'abondance des fruits qui y poussaient à l'état sauvage, le jeune homme déclara tout de même préférer un climat plus tempéré. « C'est sans doute pour cette raison qu'il s'établira un jour à Émeraude », songea la Sholienne. Ils se déplacèrent d'une oasis à l'autre, jusqu'à ce qu'ils soient en vue du Royaume de Perle. Juchée sur un gros rocher, Kira contempla alors pour la première fois l'étendue du désastre. Toute la plaine était calcinée !

« Si je fais la même chose sur Irianeth, j'arriverai à exterminer tout le monde », songea-t-elle. Lazuli ne savait plus quoi penser de son silence. Il la laissa donc observer la prairie encore fumante autant qu'elle le voulut.

– Les champs brûlés donnent souvent de belles récoltes la saison suivante, lança-t-il pour la réconforter.

– C'est gentil de vouloir apaiser ma conscience, Lazuli, mais je crois bien que c'était la seule façon de vous débarrasser des monstres. J'espère seulement que l'histoire ne m'en gardera pas rancune.

– Puisque c'est probablement moi qui raconterai cet exploit aux Enkievs, je m'assurerai de le faire en omettant certains détails.

Ses yeux bleus brillaient de plaisir. Parfois, il ressemblait à Onyx, et parfois, à Sage. Elle pouvait déjà sentir les qualités et les défauts qu'il léguerait à ses descendants.

Ils poursuivirent leur route en longeant la frontière de Fal, préférant marcher dans le sable plutôt que dans l'herbe noircie. À présent que la menace des dragons était écartée, les deux aventuriers passaient moins de temps à guetter les alentours et jacassaient comme des pies. Kira apprit ainsi que le peuple de Lazuli vivait originellement près de la Montagne de Cristal, mais qu'il avait été obligé de se diviser et de chercher refuge un peu partout lorsque les dragons étaient devenus légion.

Un peu avant d'arriver à la frontière de Zénor, Lazuli reçut une importante leçon sur les dangers qui se dissimulaient sous les sables blonds de Fal. Les deux voyageurs venaient d'atteindre la dernière oasis. Ils y passeraient la nuit avant de pénétrer dans le prochain royaume. Ils mangèrent des dattes, à l'ombre de larges feuilles palmées, regardant le soleil se coucher face à eux.

– Cet être cher que vous avez perdu, était-ce votre époux ? demanda soudain Lazuli.

Kira hocha tristement la tête.

– Était-il aussi un être divin ?

– Non. Il est né complètement au nord de ce continent, là où il neige constamment.

Elle n'allait surtout pas ajouter qu'il était sans doute l'un de ses descendants.

– Les déesses peuvent donc épouser des êtres humains ?

– Elles ont pas mal de liberté dans ce domaine.

– Avez-vous l'intention de vous remarier ?

– Je n'en sais franchement rien. Il m'est arrivé tellement de mésaventures, depuis la mort de mon mari, que je n'ai pas eu le temps d'y penser.

– Si vous ne deviez plus jamais rentrer chez vous, considéreriez-vous en choisir un nouveau parmi les Enkievs ?

« Les hommes sont décidément transparents », constata la Sholienne, amusée.

– Pensez-vous à quelqu'un en particulier ? fit-elle pour le taquiner.

– Il s'agit d'un homme d'âge à prendre femme, qui connaît autant la magie que le travail de la terre, et qui a le cœur gonflé d'amour...

Kira fit alors un geste qui l'étonna elle-même. Elle ne le laissa pas terminer sa phrase et déposa un baiser sur ses lèvres.

– Vous avez donc deviné de qui il s'agit..., murmura-t-il, ému.

– Pas du tout ! Donnez-moi d'autres indices.

Ce fut au tour de Lazuli de l'embrasser. Ces premiers gestes de tendresse le troublèrent beaucoup, car il craignait encore que le Grand Chef du ciel ne soit pas d'accord avec la décision de sa fille. Les conteurs de son village prétendaient que Parandar utilisait la foudre pour se débarrasser de ceux qui lui déplaisaient.

– Je vais aller chercher de l'eau, annonça-t-il en se dégageant.

« C'est la première fois qu'il goûte à l'amour », comprit Kira. Même avec ses joues rougies par l'embarras, le jeune homme était quand même séduisant. Il puisa de l'eau dans la source, puis revint vers celle dont il ne pourrait plus jamais se séparer. La Sholienne étudia sa démarche, les muscles de ses bras, ainsi que ses cheveux noirs qui flottaient dans la brise.

Alors qu'il n'était plus qu'à quelques pas d'elle, il s'arrêta net, chancela et s'affala sur le sol.

– Lazuli ! hurla Kira, terrifiée.

Elle bondit à son secours et comprit tout de suite ce qui s'était passé : un serpent, de la même couleur que le sable, fuyait vers les fougères. Elle examina les jambes du Gariésor, car le reptile n'avait certainement pas pu le mordre ailleurs. Elle trouva finalement deux petits trous sur sa cheville droite. Lazuli se mit alors à trembler de tous ses membres. Le venin ne pouvait pas avoir agi si rapidement !

Énervée, Kira alluma sa paume et aspira le plus de poison possible par les orifices, pour qu'il n'atteigne pas le cœur. Le jeune homme fut alors pris de convulsions.

– Non ! implora la Sholienne, qui ne supporterait pas de voir mourir un deuxième amant.

Elle appliqua les deux mains sur son torse et irradia tout son corps d'une intense lumière violette. Bientôt, les terribles spasmes qui secouaient le jeune Gariésor cessèrent. Kira mit fin à son traitement de choc. Elle appuya l'oreille sur sa poitrine et se détendit en entendant les battements de son cœur.

Au lieu de le traîner jusqu'à leurs affaires, elle alla plutôt chercher ces dernières. Elle aspergea le visage de Lazuli, remplit leurs deux écuelles d'eau fraîche et prit place près de lui en espérant le voir se réveiller bientôt. Pour éloigner les autres serpents qui se cachaient probablement dans la végétation environnante, elle fit apparaître un cercle de feu autour d'eux.

Un peu avant le coucher du soleil, Lazuli revint à lui. Kira l'aida à s'asseoir et lui fit boire de l'eau. Il ne se rappelait de rien.

– Vous avez été mordu par un serpent. C'est un animal qui ressemble à ça.

Elle le dessina dans le sable du bout d'une griffe.

– Ils ne s'attaquent pas sans raison aux humains, alors j'imagine que vous avez dû lui marcher dessus.

L'Enkiev se mit à regarder ses mains avec curiosité.

– Elles brillent d'une autre couleur ! s'étonna-t-il.

Une fois encore, Kira avait utilisé une trop forte dose d'énergie dans son traitement de guérison. « Je suis habituée à faire de gros efforts pour utiliser ma magie, alors qu'ici, c'est si facile », songea-t-elle.

– Je crains que ce ne soit ma faute. En vous traitant, je vous ai transmis ma propre force vitale.

– Mais ce n'est pas ainsi que nous guérissons les gens, s'étonna Lazuli.

Il lui expliqua que les Gariésors absorbaient en quelque sorte le mal de leurs patients, pour s'en débarrasser tout de suite après.

– Je sais le faire aussi, mais j'étais dans un tel état de panique quand je vous ai vu tomber sur le sable, que j'ai agi comme si je devais vous ressusciter.

Ce qu'elle avait peut-être fait, en fin de compte.

– Je vous dois donc la vie, comprit-il, le visage brillant de reconnaissance.

– À mon avis, nous devrions arrêter de compter ces sauvetages.

Il remarqua les petites flammes bien dressées qui les entouraient.

– Qu'est-ce que...

– Ne vous inquiétez pas, je n'ai pas l'intention de raser l'oasis, le rassura Kira.

– J'avais donc raison de dire que rien ne pourrait m'arriver à vos côtés.

– Pour le moment, en tout cas.

Elle l'installa confortablement contre lui pour la nuit, en lui promettant que dès le lendemain, ils entreraient dans un pays fort différent.

Lazuli ferma les yeux, persuadé que les extraordinaires pouvoirs de la divinité les protégeraient de tous les dangers.

24

Le débarquement

En sortant de l'imperceptible vortex du Roi d'Émeraude, Wellan et Onyx se jetèrent à plat ventre sur la petite butte où les avait emmenés le maelström. Il aurait été préférable de choisir un endroit protégé par les arbres, mais ce genre de déplacement magique était difficile à maîtriser. Ils se trouvaient à proximité de la hutte d'où les Chevaliers d'Émeraude avaient l'habitude de faire le guet.

– Je continue de ne sentir qu'une vague impression magique, grommela Onyx. Il faut nous approcher davantage.

Heureusement que la menace émanait du Royaume des Elfes plutôt que du Royaume de Cristal, où il n'y avait presque pas de végétation. Ils réussirent ainsi à gagner la plage en demeurant sous le couvert des arbres, alors que la lune éclairait tout le paysage d'une lumière bleutée. Wellan fut soudain frappé de stupeur lorsqu'il vit les centaines de vaisseaux qui mouillaient sur la côte. Il y en avait à perte de vue ! De gros scarabées argentés avaient d'ailleurs déjà débarqué sur l'étroite plage de ce pays, et ils semblaient y installer un bivouac.

En silence, de jeunes Elfes s'écrasèrent près du grand Chevalier.

– Ces insectes sont différents, annonça l'un d'eux. Nos flèches ne se fichent nulle part sur leur corps.

– Tout le monde a une faiblesse, répliqua Onyx.

– Mais ce n'est guère le moment de l'étudier, indiqua Wellan.

Il recommanda aux archers de ne prendre aucun risque inutile avant que les Chevaliers n'aient établi une stratégie. Les Elfes hochèrent vivement la tête.

– Allons voir ailleurs, décida Onyx sans même sourciller.

Ils firent un saut au Royaume des Fées et au Royaume d'Argent, où les paysans avaient malheureusement commencé à démolir la muraille qui les protégeait de la mer. Cachés dans les débris, les deux soldats évaluèrent rapidement la situation.

– C'est une invasion massive, commenta nerveusement Wellan. Nous ne sommes pas assez nombreux pour l'écraser tout en pourchassant les larves.

– Nous ne pouvons certainement pas nous replier à Émeraude et attendre que ces nouveaux attaquants nous y rejoignent. Ils dévasteront tout sur leur passage.

Et comme si cela n'était pas assez, un dragon vola au-dessus de leurs têtes, se dirigeant vers le sud-est.

– Ça commence sérieusement à ressembler à la première guerre, siffla Onyx entre ses dents.

– Si nous divisons intelligemment nos forces et que nous utilisons le terrain à notre avantage, nous pouvons les vaincre, affirma Wellan.

– Si nous trouvons la façon de les combattre.

– Cette fois, les Immortels nous viendront en aide.

– Arrêtez de toujours attendre que quelqu'un règle vos problèmes pour vous, Wellan. On n'est jamais aussi bien servi que par soi-même.

Le roi mit la main sur le bras du Chevalier et ils se retrouvèrent instantanément à la frontière des Royaumes d'Argent et de Cristal, où les scarabées argentés semblaient aussi s'installer de façon provisoire sur les galets. Les deux hommes observèrent les étranges agissements de l'armée impériale jusqu'à l'aube. C'est à ce moment-là qu'Onyx vit un homme-insecte s'éloigner du groupe pour s'approcher de la colline. Sans avertissement, le renégat sortit de sa cachette pour provoquer cet adversaire isolé.

– Onyx, revenez ! s'énerva Wellan, car les congénères de ce guerrier pouvaient facilement se retourner.

Le scarabée ne sembla pas surpris de voir surgir un humain devant lui. Pendant un moment, les deux opposants s'examinèrent mutuellement. Wellan préféra quant à lui surveiller la réaction du reste de l'armée, afin de couvrir son roi, si nécessaire.

Onyx cherchait en fait un point faible, mais cet insecte n'était pas bâti comme les rustres guerriers noirs qu'ils avaient affrontés pendant si longtemps. Toutes ses articulations étaient protégées par un allongement de sa carapace. Même si l'humain était immobile, le coléoptère adopta une position d'attaque. Ce n'étaient donc pas des ouvriers recrutés pour s'emparer d'Enkidiev, mais de véritables machines de guerre. Onyx fit apparaître son épée double entre ses mains.

– Onyx, ne faites pas ça, ragea Wellan.

Son monarque était toutefois bien trop concentré sur sa tâche pour l'entendre. Sans crier gare, il chargea l'homme-insecte. Malgré sa surprise, ce dernier para la plupart de ses coups, mais il devint évident qu'il ne savait pas comment réagir à ceux portés par la deuxième lame de l'épée double. Onyx tenta de sectionner les bras de son adversaire, sans succès. Tout comme il l'avait pressenti, la carapace l'empêchait d'atteindre les tendons, même lorsque le scarabée levait les bras. Le roi s'en prit donc aux genoux, au cou et aux mains de l'insecte, sans même faire une entaille dans sa peau épaisse. Puis, par hasard, la pointe de sa lame frappa l'œil bulbeux de son adversaire. Une fontaine de sang noir s'en échappa !

Le scarabée laissa tomber son arme et vacilla sur ses jambes en poussant des cris aigus. Lorsque Wellan vit ses congénères se retourner pour voir ce qui se passait, il fonça sur la plage en croisant ses bracelets. Le vortex se forma sur les galets. Le grand chef saisit alors son roi par le bras et l'entraîna dans le tourbillon de lumière.

Onyx et Wellan se retrouvèrent instantanément dans la campagne d'Émeraude, où les Chevaliers et leurs alliés avaient recommencé leur travail d'élimination des larves. Ayant atterri au beau milieu des affrontements, Wellan et Onyx échangèrent leurs commentaires sur ce qu'ils venaient de voir tout en repoussant les imagos qui fonçaient sur eux.

– Nous avons trouvé leur faiblesse ! cria Onyx en fauchant les bras de deux imagos d'un seul mouvement giratoire de son épée double. Ce sera surtout un combat d'archers !

– Je suggère de faire prévenir les royaumes côtiers de l'imminence d'une invasion, et de diviser nos forces entre les points d'entrée de l'ennemi sur la côte, fit Wellan en évitant des mandibules affamées.

– Il y en a cinq. Cela réduira de beaucoup le nombre de vos Chevaliers dans chacun. Et savent-ils tous se servir d'un arc ?

– La plupart l'ont appris.

– Demandez à vos soldats de se replier.

– En plein combat ?

– Les larves continueront à avancer jusqu'au coucher du soleil, et les scarabées qui viennent de débarquer sur la côte ne resteront pas longtemps cantonnés sur les plages.

– Les armées d'Opale, de Perle, de Diamant et Jade n'entendront pas ce commandement, protesta Wellan.

Il leur fallait trouver une autre façon d'arrêter le massacre. Onyx était un opportuniste. Il continua donc à abattre l'ennemi en cherchant le moment idéal pour rassembler les Chevaliers d'Émeraude sur la côte. Les armées de ses pairs faisaient de l'excellent travail, mais en raison du grand nombre de leurs soldats, elles éparpillaient les coléoptères sur la plaine au lieu de les rassembler en un seul lieu, où le renégat aurait eu une belle occasion de les faire tomber dans un piège.

Lorsque le dragon survola Émeraude, en fin d'après-midi, les larves s'immobilisèrent et levèrent la tête pour le voir passer. Elles étaient encore bien jeunes, mais elles savaient d'instinct ce dont ce prédateur était capable.

– Faites reculer vos hommes ! ordonna Onyx à Wellan. Qu'ils transmettent cet ordre à ceux qui les entourent !

Le chef des Chevaliers s'exécuta sur-le-champ. Il se créa aussitôt un espace entre les imagos et les humains. Mais une fois que le dragon se fut éloigné, les larves sortirent de leur léthargie. Tandis qu'elles se ruaient de nouveau sur les hommes, une profonde crevasse s'ouvrit par enchantement devant elles. Tout au fond coulait de la matière en fusion ! Poussés par leurs congénères, les imagos se mirent à y tomber tête première, les uns après les autres.

Qui est responsable de ce phénomène ? demanda Wellan. Aucun de ses guerriers ne répondit. Quant à Onyx, il semblait tout aussi médusé que lui. Mais ce n'était pas le moment de se poser des questions. *Jasson ! Chloé ! Dempsey ! Placez-vous derrière les larves et poussez-les dans le trou !* ordonna le grand chef. Chloé réagit instantanément et croisa ses bracelets. Les deux groupes sautèrent dans le vortex de la femme Chevalier. Ils réapparurent de l'autre côté de l'anfractuosité et se mirent tout de suite au travail, tandis que les troupes humaines formaient une barrière de l'autre côté de la crevasse, au cas où elle se refermerait brusquement.

Chloé fit également appel aux forces de la nature. Elle leva un vent violent, tandis que Jasson, Dempsey et les autres membres de leur division utilisaient leurs puissants pouvoirs de lévitation pour la seconder.

Au lieu de demeurer aux aguets, Wellan s'empressa de rejoindre chacun des chefs des armées amies pour leur expliquer, en peu de mots, que l'Empereur Noir profitait de leur distraction pour faire débarquer d'autres insectes sur la côte, et que les Chevaliers d'Émeraude devaient les intercepter avant qu'ils n'atteignent les villages. En leur absence, il remettait donc la défense du Royaume d'Émeraude entre leurs mains. Il acheva sa mission avec le Roi de Jade, flanqué de ses deux fils adultes, Aleck et Zabros, commandants de son armée. À ces derniers, Wellan ajouta, en plus de ses explications précédentes :

– Je vous en prie, veillez sur mon fils. Je ne peux pas l'emmener avec moi.

– Ma fille lui apprend à se battre, alors elle le suit comme son ombre, l'informa Lang. Shenyann ne laissera rien lui arriver.

– Je vous en suis reconnaissant.

– Je suis un père moi aussi, sire Wellan. Partez l'esprit en paix.

Wellan chercha Dylan du regard. Il se tenait au milieu des Jadois, arme au poing, guettant lui aussi les insectes qui s'abîmaient dans la crevasse. Il avait belle allure dans sa nouvelle cuirasse parsemée de rondelles métalliques. Le grand chef pria aussi Theandras de lui accorder sa protection, afin qu'ils puissent passer du temps ensemble après la guerre.

Il reprit ensuite sa place devant les Chevaliers et les Écuyers, qui surveillaient le travail des groupes de Chloé et de Jasson. Aucun coléoptère ne devait s'échapper. Un peu avant le coucher du soleil, ils réussirent à détruire la vague d'insectes.

– Ça fait des lustres que nous les pourchassons et, en quelques heures, nous arrivons à nous en débarrasser ? s'exclama Nogait, qui ne faisait qu'énoncer ce qu'ils pensaient tous.

– Quelqu'un s'est-il servi de sa magie pour fendre la terre ? s'enquit Bergeau en visant Jasson.

– Ce n'est pas moi ! protesta ce dernier. Tu ne trouves pas que j'étais suffisamment occupé ?

– Nous avons le pouvoir de creuser le sol avec nos facultés magiques, mais pas à cette profondeur, leur rappela Bridgess.

– Et d'où vient cette lave ? ajouta Wanda.

Tous se tournèrent vers Onyx.

– S'il avait accompli un tel exploit, il aurait tout de suite perdu conscience, le défendit Swan.

– Elle a raison, l'appuya Hadrian. Ce type de sortilège est bien au-dessus de nos forces.

– Quand même ? s'offensa Onyx.

– Sommes-nous enfin en train de recevoir de l'aide divine ? ricana Bailey.

– Écoutez-moi ! les arrêta Wellan. Pendant que nous nous épuisions à abattre ces larves, l'Empereur Noir en a profité pour envahir la côte.

– Toute la côte ? s'alarma Bridgess.

– Du Royaume des Elfes à Zénor.

– Avec des guerriers noirs ? voulut savoir Hadrian.

– Ils ne ressemblent à rien de ce que nous avons affronté jadis, précisa Onyx.

Le dragon, qui avait survolé tout l'est du continent, revenait vers eux, mais il volait à une haute altitude, trop haut pour que les tirs des Chevaliers puissent l'atteindre.

Santo, où en es-tu ? demanda Wellan. *Plusieurs centaines de ces créatures ont traversé la rivière. Elles se dirigent vers vous.*

Nous sommes au nord des premiers villages. Venez nous y rejoindre tout de suite, ordonna le grand chef. *Et les larves ?* s'étonna le guérisseur. *Nous avons des ennuis bien plus pressants.* Wellan se retourna vers la faille. Une puissante magie la refermait ! Il scruta aussitôt ses soldats pour savoir lequel déclenchait ce phénomène. Chloé et Jasson cherchaient aussi la source de cette énergie.

– Qui a fait ça ? explosa Bergeau.

– C'est un Immortel, comprit finalement Wellan.

Le groupe de Santo sortit d'un vortex, plus loin dans les champs. Le grand chef attendit que ses commandants soient autour de lui avant de leur raconter ce qu'il avait vu à l'ouest.

Onyx était impatient de se rendre sur la falaise de Zénor, mais Wellan vit que ses guerriers n'étaient pas en état de se précipiter dans un autre combat.

– Qui sait où seront rendus ces scarabées, si nous tardons ! se fâcha le Roi d'Émeraude.

– Pour l'instant, ils semblent se reposer sur les plages, répliqua Wellan.

– Ils viennent de traverser l'océan, ajouta Hadrian. Ils sont peut-être trop fatigués pour se mettre en route en mettant le pied sur Enkidiev.

– C'est le meilleur moment pout les attaquer, non ?

– Avec des hommes qui se sont battus toute la journée ? Onyx, écoute-moi. Il est certain que ces nouveaux arrivants se reposeront cette nuit, et qu'ils ne se remettront en marche qu'au matin. Il nous suffit de partir juste avant le lever du soleil pour leur barrer la route.

Onyx poussa un cri de rage, puis s'éloigna du groupe.

– Votre emprise sur lui est impressionnante, avoua Wellan à Hadrian.

– Mon ancien lieutenant est impulsif, mais intelligent. Au fond, il a besoin de sommeil, tout comme nous.

Les Chevaliers s'enroulèrent dans leurs couvertures tout de suite après le repas, et se levèrent avant les troupes de leurs alliés. Après s'être recueillis en groupe, ils avalèrent un peu de pain et de fromage, gracieusement offerts par leur monarque, et s'engouffrèrent en courant dans les maelströms.

Dès qu'il ferait jour, les commandants des armées de Jade, de Perle, de Diamant et d'Opale marcheraient sur les imagos qui remontaient vers le nord, au lieu de les attendre. Cette décision allait malheureusement permettre à un grand nombre de ces créatures de leur échapper.

– Que ferons-nous si le dragon nous attaque ? s'énerva le Roi Kraus en se servant un gobelet de thé.

– Ce n'est pas vous qu'il cherche, le rassura Dylan, en venant s'accroupir près de lui.

Fan de Shola se matérialisa alors près de son fils.

– Il dit vrai, l'appuya-t-elle. L'empereur lui-même chevauche cet animal, et c'est sa fille qu'il tente de retrouver.

Kraus était tellement sidéré par cette apparition qu'il était incapable de prononcer un seul mot. Le Roi Lang, plus habitué que lui aux phénomènes magiques, quitta la chaleur de ses couvertures pour venir saluer le maître magicien.

– Lady Kira est retenue prisonnière dans le passé, répliqua-t-il avec courtoisie.

– L'empereur ne le sait pas, affirma Fan. Faites votre travail sans vous soucier du dragon. S'il s'en prend à vous, je verrai si je peux détourner son attention.

Avant de se dématérialiser, Fan jeta un regard admiratif à Dylan. Beau, franc et courageux, il était décidément le digne fils de Wellan d'Émeraude.

25

Le plan de défense

Au Château d'Émeraude, Amayelle venait tout juste de se mettre au lit lorsque retentit le cri d'alarme de son compatriote du Royaume des Elfes. Comme tous les Elfes, qui détestaient les conflits et les agressions, elle sentit aussitôt la peur s'emparer d'elle. Toutefois, elle avait promis au Roi Onyx de protéger sa famille et sa forteresse en son absence. Au lieu de rire de son plan, le souverain l'avait même ratifié sur-le-champ. Elle ne devait donc pas le décevoir.

Avant de réagir à l'alerte sur la côte, elle prit une profonde inspiration et se répéta intérieurement qu'elle faisait partie de l'élite dirigeante d'Enkidiev et qu'il était de son devoir de demeurer inébranlable. Elle se montrerait digne de la confiance que lui accordait Onyx et elle rendrait son père, le Roi Hamil, fier d'elle. En faisant de gros efforts pour conserver son sang-froid, elle quitta ses appartements et dévala le grand escalier du palais. Jahonne venait quant à elle de franchir les portes de l'entrée, à peine éclairée par un unique flambeau. La Princesse des Elfes lui prit les mains et les serra avec force.

– Nous devons rester calmes, lui recommanda Jahonne. Les habitants du château comptent sur nous.

– Si vous avez entendu l'avertissement de la sentinelle, alors les garçons l'auront capté eux aussi.

– Espérons qu'ils dormaient à ce moment-là. Il faudra tout de même les empêcher de communiquer entre eux avec leurs esprits pour ne pas distraire les Chevaliers. Devons-nous réveiller les habitants du château ?

– Estimons d'abord la distance qui nous sépare de l'ennemi et la vitesse de sa progression, suggéra Amayelle.

Les deux femmes traversèrent la cour et grimpèrent sur la passerelle. En unissant leurs facultés de repérage, elles découvrirent qu'un nombre impressionnant d'envahisseurs débarquaient sur les plages de tous les royaumes côtiers.

– Combien de temps mettront-ils à atteindre Émeraude ? se découragea Amayelle.

– S'ils avancent à la même vitesse que les larves, nous disposons de plusieurs jours pour mettre notre plan à exécution.

– Je suggère de nous y mettre dès l'aube pour ne pas être prises au dépourvu.

Après avoir veillé toute la nuit, l'Elfe et l'hybride redescendirent l'escalier, en faisant bien attention de ne pas marcher sur leurs longues jupes. Le soleil se levait à peine, éclairant la façade de l'aile des Chevaliers ainsi que les écuries.

Elles n'avaient pas fait deux pas sur le sable que les cris de protestation des jeunes survivants de l'attaque d'Amecareth dans la tour de Hawke attirèrent leur attention. Ces enfants magiques savaient ce qui se passait et, téméraires comme leurs parents, ils voulaient sans doute participer. Jahonne et Amayelle s'engouffrèrent donc dans l'antre d'Armène avec l'intention de lui prêter main-forte.

– Pourquoi Nartrach mentirait-il ? se hérissa Cameron, les mains sur les hanches.

– Je n'ai pas dit qu'il mentait, jeune homme, répliqua Armène. J'ai dit qu'il était peu probable qu'une telle bête soit de retour à Émeraude.

– Le dragon est tout près, s'obstina Nartrach. Je le sens dans mon cœur quand Stellan approche.

– Je ne vous laisserai pas sortir, peu importe l'excuse que vous inventerez.

Jahonne savait que les garçons étaient dotés de pouvoirs exceptionnels. Elle sonda le ciel et y découvrit bel et bien le reptile volant !

– Non seulement ce dragon se dirige-t-il vers le château, mais c'est aussi son maître qui le chevauche, souffla-t-elle, accablée.

– Il ne sera pas son maître bien longtemps si vous me laissez sortir d'ici ! fanfaronna Nartrach.

– Tes parents ne nous le pardonneraient jamais s'il t'arrivait malheur, le sermonna Armène.

Nartrach, Cameron et Fabian se mirent à protester bruyamment. Atlance avait plutôt baissé les yeux : il haïssait les monstres.

– Écoutez-moi bien, intervint Amayelle dans le chahut.

Les garçons se turent, mais leur expression renfrognée fit comprendre à la princesse qu'elle devait bien choisir ses paroles.

– Il y a quelque temps, j'ai établi un plan de défense avec Jahonne, fit-elle. Je me souviens fort bien d'en avoir discuté avec vous.

– C'est différent, maintenant, résista Cameron.

– C'est exactement la même chose, l'avertit sa mère. Cette stratégie a pour but de sauver le plus de vies possible, pas de défendre des murs en pierre. On peut rebâtir des remparts, mais on ne peut pas ressusciter les morts.

– Et le Roi Hadrian, alors ? s'étonna Nartrach.

– L'Immortel Danalieth a risqué sa vie pour le ramener parmi nous, et il l'a fait pour une bonne raison. Ce n'est pas une pratique courante. Vous le savez très bien, puisque vous avez étudié les arts magiques.

– Si nous pouvions lui voler son dragon, cela donnerait aux Chevaliers l'occasion de tuer Amecareth, prétendit Fabian.

– Ne vous rappelez-vous donc pas ce qui s'est passé quand l'empereur s'est arrêté ici ? s'attrista Jahonne. Même ton père et sa terrible magie n'ont pas pu l'empêcher de s'en prendre à des innocents.

– Tout le monde a une faiblesse, riposta Fabian, en adoptant l'air supérieur d'Onyx.

– Si c'est vrai, les Chevaliers la trouveront, conclut Amayelle. À partir de cet instant, vous allez obéir à Armène sans vous lamenter, car elle semble se rappeler mieux que vous ce qu'elle a à faire.

– Moi, je le sais, affirma Atlance d'une voix presque inaudible.

– Se cacher, ronchonna Cameron.

– C'est exact, signala la Princesse des Elfes. Vous allez vous habiller et aider Armène à rassembler ce dont elle aura besoin pour survivre avec vous dans les cavernes jusqu'à ce que la menace soit écartée.

– Est-ce que c'est un ordre ? se raidit Nartrach.

– Puisqu'en tant de guerre, je deviens en quelque sorte le commandant de cette forteresse, alors, oui, c'en est un.

– Mais..., gémit son fils.

– Un mot de plus et tu auras affaire à ton père à son retour, jeune homme. Maintenant, mettez-vous au travail. Je ne vous le répéterai pas deux fois.

Cette fois, les enfants ne protestèrent pas. Armène en profita pour les pousser vers l'escalier qui menait à l'étage supérieur, où ils devaient préparer un petit baluchon renfermant leurs objets préférés. Ils se bousculèrent dans les marches avec leur entrain habituel.

– Vous êtes d'une telle patience, ne put s'empêcher de remarquer Jahonne.

– J'en ai élevé bien d'autres, répondit la gouvernante avec un sourire rassurant. Ne vous inquiétez pas pour moi.

– Merci, Armène.

Jahonne et Amayelle retournèrent au palais pour réveiller les conseillers, les serviteurs et les servantes, afin de les rassembler dans le hall du roi. En prenant garde de ne pas les effrayer, elles leur racontèrent ce qu'elles avaient capté à l'ouest. La situation n'était pas encore alarmante, mais elle pourrait le devenir assez rapidement, surtout si un dragon rôdait dans les parages. Elles leur demandèrent donc de commencer à réunir des couvertures, des cruches d'eau et des lampes à l'huile, puis d'aller les porter dans les grottes souterraines en utilisant les tunnels qui partaient de l'écurie.

– Avertissons les paysans, suggéra ensuite Amayelle.

Les deux femmes se séparèrent et allèrent prévenir du danger tous les groupes de villageois, qui commençaient à arriver dans la grande cour afin d'y vendre leurs produits. Ils avaient le choix de fuir vers l'est ou bien de ramener leurs familles au château. Blancs de peur, ils s'empressèrent de remonter sur leurs tombereaux et de quitter la forteresse.

Morrison sortit de la forge, couvert de sueur. Il n'eut pas à demander pourquoi les paysans désertaient l'endroit. Il le devina au visage angoissé de Jahonne.

– Je vais prévenir les palefreniers, annonça la Princesse des Elfes pour les laisser en tête-à-tête.

Le forgeron essuya ses mains sur son tablier, silencieux. L'hybride s'avança vers lui, les yeux chargés de tristesse.

– Ne me regardez pas comme si j'allais mourir, grogna-t-il.

Jahonne était habituée à ses manières revêches. Elle savait qu'au fond de cette large poitrine battait un cœur en or.

– Ils sont très nombreux, soupira-t-elle.

– D'autres larves ?

– Malheureusement, non. J'ai ressenti une énergie guerrière déterminée à éliminer toute vie.

– Cette fois, vous devrez suivre les autres jusqu'aux cavernes, Jahonne.

– Cela ne fait pas partie du plan.

– L'empereur pourrait vous enlever en croyant que vous êtes Kira.

– Cessez de croire que je suis sans défense, Morrison. Je ne suis pas une créature agressive, mais je possède de terrifiantes facultés.

– Je resterai à vos côtés.

– Je sais.

Le forgeron retourna dans son atelier. Il en ressortit avec des dizaines de javelots, qu'il aligna contre le mur de sa maison.

– Il ne sert à rien de vous mettre en colère, tenta de le calmer l'hybride.

– J'en ai assez de cette vie de peur et de toutes ces morts ! Je devrais être en train de fabriquer des fers pour les chevaux et des cerceaux pour les roues des charrettes, pas des épées et des lances par centaines !

Jahonne agrippa ses bras musclés de son mieux avec ses petites mains. Il se calma sur-le-champ.

– Vous n'avez pas le droit d'utiliser votre magie contre moi, se plaignit-il.

– Je vous ai seulement transmis ce que les Chevaliers appellent une vague d'apaisement. Vous ne nous serez d'aucun secours dans un tel état d'agitation.

– Comment faites-vous pour être toujours aussi placide ?

– N'en croyez rien. Je suis tout aussi tourmentée que vous. Seulement, je ne peux pas me permettre de le montrer aux autres.

Morrison la regarda dans les yeux un long moment.

– Lorsque cette guerre stupide aura pris fin, vous et moi parlerons d'avenir, déclara-t-il.

– Oui, je crois que ce sera le bon moment. Mais en attendant, nous devons nous assurer qu'il y aura des survivants lorsque les soldats de l'empereur auront été vaincus par les Chevaliers.

Amayelle revint de l'écurie pour leur dire qu'ils étaient incapables d'ouvrir la porte du souterrain. Morrison accompagna les deux femmes jusqu'au bout de l'allée jalonnée de stalles.

L'humidité rouillait parfois les charnières. Le forgeron examina les pièces de métal et jugea qu'elles devraient bientôt être remplacées. Cependant, en utilisant la force de ses bras, il parvint à déloger le large panneau de bois. Ce dernier dissimulait un escalier creusé dans la pierre des centaines d'années auparavant.

Le long tunnel menait à des cavernes qui se situaient, selon toute probabilité, quelque part au pied de la Montagne de Cristal. Des supports de fer avaient été enfoncés dans les murs jusqu'aux abris. Amayelle ordonna aux palefreniers d'y installer des torches que les paysans avaient préparées durant les dernières semaines. Une fois leur route éclairée, les serviteurs transporteraient dans la grotte les vivres ainsi que tout ce dont ils auraient besoin pour demeurer en vie.

Amayelle retourna au palais pour informer les domestiques que la voie était libre. Elle poursuivit sa route jusqu'à la tour du magicien d'Émeraude, pour discuter avec lui de la défense qu'ils devraient assurer au château tandis que ses habitants en fuiraient.

– Je peux entrer ? demanda-t-elle en arrivant sur la dernière marche du premier étage de la tour.

Elle entendit des sanglots et se précipita à l'intérieur. Ils provenaient d'en haut. Amayelle grimpa le deuxième escalier en vitesse. Assise sur son lit, la femme de Hawke était en pleurs.

– Élizabelle, que se passe-t-il ? s'énerva la princesse en la prenant dans ses bras.

– Depuis qu'il a accompagné sire Hadrian dans les passages secrets, il a tellement changé, parvint-elle à articuler.

– Votre mari ? Qu'a-t-il fait ?

– Au début, il se contentait de parler d'un rôle plus actif dans cette invasion, et il s'amusait à revêtir une cuirasse.

Élizabelle s'essuya les yeux avant de poursuivre.

– Je l'écoutais d'une oreille distraite, ne lui connaissant aucune agressivité. Je ne voyais pas comment il pourrait se transformer, du jour au lendemain, en féroce guerrier.

– Cela s'est produit ? s'étonna la princesse.

– Ce matin, il est parti au lever du soleil. Je croyais qu'il était allé voir les garçons. Je l'ai cherché partout et je ne l'ai pas trouvé.

Amayelle se servit alors des mêmes facultés qu'elle avait utilisées pour découvrir le message de Kira dans la Montagne de Cristal. Mais la protection que Jahonne venait de lever autour de la forteresse lui renvoya son énergie ! Étourdie, Amayelle réintégra son corps.

– Il pourrait être n'importe où, haleta-t-elle.

– Contrairement aux Chevaliers, il n'a reçu aucun entraînement militaire. L'ennemi n'en fera qu'une bouchée.

– Mais il possède plus ou moins les mêmes pouvoirs.

– Il ne sait pas s'en servir. Il sera tué !

– Ma pauvre Élizabelle, c'est une crainte avec laquelle les femmes de soldats sont toutes forcées de vivre. Je suis terrifiée chaque fois que Nogait accompagne son groupe au combat.

– Vous saviez qu'il irait à la guerre lorsque vous l'avez épousé. Moi, j'ai uni ma vie à celle d'un homme incapable de faire du mal à autrui.

– Jahonne est plus puissante que moi. Demandons-lui si elle peut le retrouver.

Elle prit la main de son amie et l'incita à la suivre. Dans la cour désertée, Morrison continuait à aligner ses armes. Entre la porte des cuisines et celle de l'écurie, des serviteurs défilaient comme une colonie de fourmis en transportant toutes sortes de denrées. Rien ne laissait présager ce qui allait suivre.

Jahonne était retournée se poster sur la passerelle et maintenait un faible rideau de protection autour du château. Élizabelle et Amayelle grimpèrent aux créneaux pour lui demander de localiser Hawke. Jahonne ferma les yeux et laissa son esprit le chercher.

– Il marche sur la plaine derrière la montagne, leur apprit-elle en revenant de sa transe.

– Qu'y a-t-il à cet endroit ? s'étonna Élizabelle.

– Rien de magique, c'est certain.

– Ces terres appartiennent à sire Onyx, mais elles sont devenues le pâturage préféré des chevaux-dragons de Kira, se rappela Amayelle.

– Il cherche une monture ? fit Élizabelle, incrédule.

– Si ce n'est que cela, vous pouvez vous détendre. Ces bêtes ne sont pas réellement des chevaux et elles ne se laissent pas facilement apprivoiser. Lorsqu'il en aura assez de les pourchasser, votre mari reviendra au château.

– Maman ! cria Cameron.

Amayelle aperçut son minois dans l'étroite fenêtre de la tour d'Armène.

– Regarde là-bas !

La princesse se tourna du côté où il pointait son index. Un frisson d'horreur la saisit tout entière lorsqu'elle distingua la silhouette du dragon effectuant un crochet au-dessus des volcans.

– Surtout, ne sortez pas de la tour ! ordonna-t-elle.

– Je vous suggère de rejoindre les enfants, conseilla Jahonne à Élizabelle.

– Est-ce mon mari que cette bête traque ? demanda cette dernière, paniquée.

– Nous allons nous occuper de Hawke. Allez vous mettre à l'abri.

La fille du forgeron leur obéit sur-le-champ, car elle leur faisait aveuglément confiance. Elle descendit en vitesse des remparts et disparut dans l'entrée de la tour.

– J'ai une autre mauvaise nouvelle, avoua alors Jahonne à son amie. Les Chevaliers ont l'intention de quitter la région et de se diriger vers la mer.

– Comment est-ce une mauvaise nouvelle, si c'est précisément là que débarque l'envahisseur ? s'étonna Amayelle.

– Il y a encore beaucoup de larves qui viennent par ici.

– Sire Wellan laissera certainement des hommes pour les ralentir.

– Les armées de ses alliés ne possèdent aucun magicien, lui rappela Jahonne. Rien ne prouve qu'ils pourront tout aussi efficacement les éliminer.

– Et il y a aussi ce dragon...

– Si vous voulez mon avis, l'Empereur Noir a décidé de nous donner le coup de grâce.

Amayelle se mordit la lèvre inférieure. Non seulement son mari courait-il un grave danger, mais leur fils risquait aussi de périr si Amecareth se mettait en tête de poursuivre sa destruction du Château d'Émeraude. Quant aux imagos, ils se nourrissaient de toute la chair qu'ils pouvaient trouver. Grimpaient-ils aux murs ?

– Ils ont des griffes pour le faire, soupira Jahonne qui suivait ses pensées.

– Je ferai le guet avec vous. Pouvez-vous demander à maître Hawke de rentrer ? Je ne suis pas très douée dans les communications télépathiques qui ne sont pas dans ma langue.

L'hybride l'appela en faisant bien attention de ne pas paraître alarmée. Tous les Chevaliers entendaient cette communication, alors il ne fallait surtout pas ajouter à leur misère. Hawke ne répondit pas.

– Rien, désespéra Jahonne.

– Je prie le ciel que ce monstre ne l'ait pas déjà dévoré...

Au matin, Amayelle et Jahonne constatèrent, à l'aide de leurs facultés télépathiques, la reprise du massacre dans la campagne. Les larves n'étaient plus qu'à une demi-journée de la forteresse et les Chevaliers étaient à Zénor. Amayelle prit alors la décision d'évacuer le palais, par précaution. Plusieurs familles des alentours vinrent aussi se réfugier au château. La Princesse des Elfes les fit conduire dans l'écurie, avec les servantes. Elle demanda ensuite aux sentinelles de ne refermer les grandes portes et de ne relever le pont-levis que lorsqu'elles seraient certaines que plus personne ne leur demanderait asile.

Quant à elle, Jahonne alla chercher Armène et les enfants. Ces derniers transportèrent leurs affaires en grommelant à travers la cour. Tenant Maximilien dans ses bras, la gouvernante marchait derrière Nartrach pour ne pas le perdre de vue, cette fois. Élizabelle tourna sur elle-même, cherchant son mari.

– Il n'est pas rentré, lui apprit Jahonne. Je crois qu'il a dû suivre les Chevaliers sur la côte.

– Mais vous n'en n'êtes pas certaine.

– Non, je suis désolée.

D'un bon pas, Amayelle rejoignit ses amies.

– Vous nous seriez d'un précieux secours si vous preniez en charge cette évacuation, dit-elle à la fille du forgeron.

– Je veux évidemment vous être utile.

– Surtout, tentez de les calmer.

Malgré son angoisse, Élizabelle se mit à encourager les habitants du palais, qui marchaient nerveusement vers l'entrée du tunnel, transportant des denrées essentielles qui leur permettraient de subsister plusieurs semaines.

Jahonne et Amayelle parcoururent tous les étages du palais et de l'aile des Chevaliers pour s'assurer que personne ne dormait encore. Une fois certaines que tous avaient suivi la consigne, elles retournèrent dans la cour. Les portes de la muraille avaient été fermées et le pont-levis était levé. Sur la passerelle, une lance à la main, Morrison surveillait la route qui menait à la forteresse. Les deux femmes s'y rendirent aussi.

– Voyez-vous quelque chose ? demanda Amayelle.

– Près de la rivière, des oiseaux se sont envolés d'un seul coup. Ce n'est pas bon signe.

– Vous avez raison, l'appuya Jahonne après avoir sondé le terrain. J'y capte la présence d'un grand nombre de larves. Ce qui est plus inquiétant encore, c'est qu'aucune armée ne les poursuit.

– Il s'agit sans doute d'un groupe qui a échappé à leur surveillance, estima Amayelle. Puisque ces soldats n'ont aucune faculté surnaturelle, ils ne peuvent pas savoir où tous leurs ennemis sont allés.

– Ces bestioles craignent-elles l'eau ? demanda Morrison en baissant les yeux sur les douves.

– Nogait prétend que non. Elles n'ont peur que du feu.

Jahonne chercha le dragon avec ses sens magiques. Il survolait l'ouest, sans doute à la recherche des Chevaliers. Pour l'instant, tout était calme.

Lorsque le dernier des habitants du château s'enfonça dans le tunnel qui menait aux grottes, Élizabelle fit sortir les chevaux dans l'enclos, où ils auraient une meilleure chance de s'en sortir. En effet, enfermés dans leurs stalles, ils ne pourraient pas se défendre contre des imagos affamés. La jeune femme entreprit alors de refermer derrière elle l'épaisse porte de bois pour masquer la fuite des humains. Sans se presser, elle descendit l'escalier en pierre à la lueur des flambeaux. Elle pouvait entendre les bavardages des réfugiés, au loin. Le sol était humide, alors elle fit bien attention de ne pas glisser. Ce n'était pas le moment de se blesser.

Lorsqu'elle arriva enfin dans la caverne, elle y trouva un bien triste spectacle. Hommes, femmes et enfants étaient entassés un peu partout. Ils avaient déposé leurs fardeaux à leurs pieds et ne savaient plus quoi faire.

– Nous vous avons demandé de vous cacher uniquement par précaution, expliqua-t-elle d'une voix sereine.

– Combien de temps serons-nous ici ? voulut savoir l'un des conseillers du roi.

– Je l'ignore. Jahonne et Amayelle viendront nous chercher dès que le danger sera passé.

– On dit que les larves s'enfoncent sans problème dans le sol. Comment pouvez-vous être sûre qu'elles ne passeront pas à travers ces murs ?

– Elles ne circulent que dans de la terre friable, pas dans du roc.

– Elles n'auraient donc pas pu franchir les murailles ?

– Elles auraient pu passer en dessous, ou même les escalader après avoir traversé les douves, car elles n'ont pas peur de l'eau.

– Et vous êtes bien certaine qu'elles ne pourront pas nous retrouver ici ?

– Vous n'avez rien à craindre si vous ne faites pas trop de bruit.

Ses paroles semblèrent rassurer la plupart de ces pauvres gens. La fille du forgeron commença à circuler d'un groupe à l'autre pour les apaiser davantage.

– Il fait sombre et froid, ici, dit une vieille femme qui tremblait sous sa couverture.

– Je peux réchauffer la grotte, offrit Cameron.

– Nous ne pouvons pas allumer de feu, l'avertit Élizabelle. La fumée ne pourrait pas s'échapper et elle nous ferait tous mourir.

– Mais les feux magiques n'en font pas.

– Et ils émettent de la chaleur, ajouta Nartrach.

Les élèves du magicien d'Émeraude combinèrent leurs efforts et allumèrent un grand feu au centre de la grotte, à la grande joie des réfugiés. « Jusqu'à présent, tout va bien », se félicita Élizabelle.

Pendant ce temps, au-dessus de leurs têtes, Morrison, Amayelle et Jahonne veillaient. Les mouvements ondulatoires qu'ils percevaient maintenant dans les champs cultivés ne signifiaient qu'une chose : l'ennemi était à leurs portes.

Le forgeron apporta ses lances jusqu'aux créneaux, d'où il pourrait les lancer. Jahonne ne l'en dissuada pas, même si elle jugeait ce mode de défense bien futile contre des coléoptères dont la carapace durcissait de seconde en seconde. Quant à elle, elle utiliserait ses serpents électrifiés pour tuer les larves, sans trop savoir ce qui se passerait par la suite.

De son côté, Amayelle ignorait comment elle pourrait utiliser sa magie pour défendre Émeraude. Elle avait reçu des dons de guérison, et non des facultés guerrières. Les Elfes étaient des as du camouflage. Certains parvenaient également à influencer les cours d'eau, les animaux et même le vent. Mais seuls ceux qui s'étaient joints aux Chevaliers d'Émeraude pouvaient faire jaillir des rayons destructeurs de leurs mains.

– S'ils y arrivent, je peux le faire aussi, décida-t-elle.

Elle se mit à lancer de petites flammes sur les pierres pour tester ses pouvoirs.

26

HARDJAN

Hawke avait eu plusieurs visions depuis qu'il avait tenu dans ses mains la pierre des Sholiens. Il savait fort bien que seuls Lassa et Kira pourraient détruire l'Empereur Noir, mais les vieux sages étaient d'avis qu'il leur rendrait un fier service en affaiblissant le seigneur des hommes-insectes. Ils lui avaient même indiqué la meilleure façon d'y arriver.

Le magicien d'Émeraude aimait sa femme, son travail et ses élèves, mais il ne pourrait plus jouir de tous ces petits bonheurs si les scarabées tuaient tous les habitants d'Enkidiev et détruisaient leur civilisation. Il ne pouvait tout simplement pas les laisser annihiler la race humaine. Élizabelle comprendrait son sacrifice.

Il avait donc pris une lance et revêtu l'armure des Chevaliers d'Émeraude, car il était l'un d'entre eux, après tout. Il avait effectivement étudié avec la deuxième génération de ces vaillants soldats, mais au lieu de devenir Écuyer, il était devenu apprenti magicien. Onyx était la preuve qu'un mage pouvait aussi être un Chevalier.

Dans toutes les scènes que les anciens avaient imprimées dans son esprit, Hawke se voyait sur le dos d'un magnifique cheval noir qui ressemblait à Hathir. Or, il n'y en avait aucun de cette race, ni de cette couleur, dans l'écurie et dans les enclos du château. Il entreprit donc d'aller à sa recherche parmi les chevaux-dragons de Kira.

Au bout de quelques heures de marche, le mage repéra le troupeau et parvint à s'en approcher. Toutefois, le passage du dragon dans le ciel, au sud, effraya les juments. Poussées par Hathir, elles galopèrent vers la montagne, où elles pourraient protéger leurs poulains. Cela ne découragea aucunement Hawke. Il poursuivit les bêtes toute la journée, jusqu'à ce qu'elles s'arrêtent enfin.

Épuisé et affamé, l'Elfe observa les chevaux : ils se ressemblaient tous ! Comment reconnaître celui qui lui était destiné ? Kevin, Hadrian et Liam lui avaient dit que ces animaux étaient très intelligents, qu'ils ne réagissaient pas comme les chevaux ordinaires. Ils comprenaient le langage des hommes, alors que ces derniers étaient incapables de déchiffrer leurs sifflements. Hawke décida donc de leur présenter sa requête directement.

– J'ai besoin d'une monture courageuse qui désire m'aider à sauver le monde ! annonça-t-il.

Hathir poussa quelques cris stridents, créant une vague de notes aiguës parmi les juments et leurs petits. Pendant un instant, Hawke eut peur que l'étalon ne les conduise encore plus loin.

– C'est une entreprise dangereuse, je ne m'en cache pas ! persista-t-il. Il est possible que nous y laissions la vie !

Les bêtes se déplacèrent lentement du centre du groupe vers les côtés, comme pour laisser passer l'une d'elles... Une femelle, plus musclée que les autres, sortit du troupeau, suivie de près par son poulain, presque aussi gros qu'elle. Il restait pressé contre le flanc de sa mère, timide. Lorsqu'ils ne furent plus qu'à quelques pas du magicien, la mère poussa son fils devant elle. Il protesta jusqu'à ce que Hathir s'en mêle. L'étalon piaffa d'impatience, achevant de convaincre le poulain de poursuivre sa route jusqu'à l'Elfe.

Hawke ouvrit la main. Hésitant, le cheval noir finit par y appuyer les naseaux.

– Nous avons beaucoup de points en commun, on dirait, lui dit son futur maître. Si tu es comme moi, tu es sûrement bourré de talents cachés. Comment t'appelles-tu, mon jeune ami ?

Il posa la paume sur le front du poulain et reçut un grand choc dans le bras. Des lettres de feu apparurent dans son esprit !

– Hardjan...

Le cheval-dragon secoua la crinière en gazouillant comme un oiseau.

– Sais-tu au moins ce qui t'attend ?

Il se produisit alors un événement dont ne lui avaient pas parlé les mages de Shola. De chaque côté de Hardjan s'ouvrirent deux grandes ailes noires.

– Depuis quand volez-vous ? s'émerveilla Hawke en regardant le troupeau.

Il caressa les plumes avec douceur. Kira avait bien découvert une pouliche blanche dans son troupeau, mais jamais elle n'avait mentionné un tel prodige !

– J'imagine que, tout comme moi, tu n'as jamais essayé tes ailes.

En effet, Hardjan n'osait même pas bouger depuis qu'il les avait déployées. Hawke se demanda si c'était là le destrier sur le dos duquel il sauverait ses amis. Avait-il vraiment le temps de lui enseigner à voler ?

– Essaie au moins de les remuer.

Il fit une démonstration de sa suggestion en battant des bras de chaque côté de son corps. Sans le savoir, il commençait déjà à communiquer avec son nouvel animal de combat.

Sur le dos du dragon, Amecareth étudiait la morphologie du continent qu'il allait bientôt annexer à son empire. Il était parfaitement conscient de la terreur qu'il provoquait dans le cœur des humains qui le voyaient passer au-dessus d'eux. Mais bientôt, ils apprendraient à le craindre bien davantage. Ses armées avaient débarqué sur toutes les plages et commençaient à avancer vers l'intérieur des terres. Ses larves progressaient lentement mais sûrement vers le pic central. Pendant que les Chevaliers étaient trop occupés pour l'importuner, le seigneur des hommes-insectes cherchait sa fille. Il ne l'avait vue qu'une fois, mais il avait eu le temps de goûter à sa puissance. C'était la sienne. Même si les Chevaliers tentaient de la cacher dans leurs ridicules habitations en pierre, il la trouverait.

Après avoir scruté chaque royaume, il retourna vers celui où il avait senti le plus de résistance. La vermine avait commencé à rebâtir la tour qu'il avait détruite. Au fond, les humains n'étaient guère plus intelligents que les ouvriers de la ruche. Ils faisaient toujours les mêmes gestes sans se poser de questions.

Morrison vit approcher la bête volante et comprit qu'elle allait attaquer le château.

– Baissez-vous ! ordonna-t-il aux deux femmes qui faisaient le guet avec lui.

– Je ne pourrai pas vous aider si je me cache, protesta Jahonne.

Amayelle courut sur la passerelle pour se positionner près de la tour de la prison. De cette manière, ils pourraient frapper le dragon sous plusieurs angles.

– Jahonne, par tous les dieux ! se fâcha Morrison.

– Ne perdez pas votre temps à me dissuader. Je ne vous laisserai pas l'affronter seul.

Le monstre était tout près, maintenant. Ils pouvaient entendre le battement de ses ailes.

– Je veux partager votre vie, pas vous accompagner dans la mort ! continua de vociférer le forgeron.

– Alors, aidez-moi à tuer cet animal.

Elle fit apparaître d'aveuglants serpents électrifiés dans ses mains. Stupéfait, Morrison ne pensa même pas à soulever son javelot. Jahonne laissa partir l'énergie mortelle, frappant Stellan en plein poitrail.

Amecareth ne permit pas à sa monture de faire d'incartade malgré le choc qu'elle venait de subir. Il resserra son emprise télépathique et l'obligea à foncer droit devant. De son côté, le forgeron commença à bombarder le dragon de lances, mais ses écailles luisantes l'en protégeaient.

Jahonne chargea ses paumes de nouveau. Cette fois, Stellan évita adroitement ses rayons. L'hybride devina alors ce qu'il allait faire. Elle agrippa la main de Morrison et l'exhorta à la suivre sur-le-champ. Ils coururent à toutes jambes en direction de la tour d'Armène, à l'autre bout de la passerelle, juste à temps d'ailleurs. L'énorme bête se posa au-dessus du pont-levis, ébranlant la muraille. Accroupie près de la tour de l'ancienne prison, Amayelle n'osait plus respirer. Le cou du dragon était très long : pourrait-il l'atteindre s'il le tendait sur le côté ?

– Je suis venu chercher ma fille ! clama Amecareth. Vous savez ce que je ferai si vous ne me la rendez pas tout de suite !

Amayelle se félicita d'avoir fait évacuer le château.

– Où est-elle ? tonna l'empereur.

Jahonne écrasait le forgeron contre la pierre, espérant de tout son cœur qu'il ne réagisse pas sur un coup de tête. Parfois, l'inaction était préférable à la témérité. Un halo violet commença à se former sur la poitrine de l'homme-insecte. « Il faut faire quelque chose », s'énerva la Princesse des Elfes, qui ne voulait pas qu'il détruise la forteresse. Comme s'il avait lu dans ses pensées, Amecareth se tourna vers elle. Voyant qu'il s'apprêtait à frapper, Amayelle eut la présence d'esprit de ne pas rester sur place. Elle s'élança dans l'escalier à l'instant même où la boule d'énergie décollait des poignets de son assaillant. Une pluie d'éclats de roc s'abattit sur la jeune femme et faillit lui faire perdre pied sur les marches, à présent couvertes de débris et de poussière.

L'empereur s'apprêtait à lancer une deuxième charge. Voyant son amie Elfe à découvert dans la cour, Jahonne ne put s'empêcher d'intervenir.

– Retournez d'où vous venez ! hurla-t-elle.

Morrison tenta de mettre sa main sur la bouche de l'hybride pour la faire taire, mais il était trop tard. L'empereur les avait vus.

– Qui es-tu ? siffla l'homme-insecte.

Jahonne devait détourner son attention suffisamment longtemps pour qu'il ne voie pas où Amayelle se réfugiait.

– Je suis l'un de vos enfants, répondit bravement l'hybride.

– Tes pouvoirs sont puissants, mais ils ne se comparent pas à ceux de Narvath.

– Vous avez raison. Toutefois, nos cœurs sont humains et nous ne voulons que le bien de l'humanité.

– Où est-elle ?

– Un dieu courroucé l'a emprisonnée dans le passé.

L'empereur conserva un silence qui mit la jeune femme sur ses gardes.

– Compte-t-il la ramener dans cette vie ? demanda-t-il finalement.

– Il est parti sans le dire, mais nous cherchons actuellement une incantation qui pourrait permettre à votre fille de retrouver sa route vers le présent.

– Personne ne possède ce genre de magie, à part les dieux.

– Nous le savons, hélas, mais nous ne pouvons pas abandonner Kira.

– Me dis-tu la vérité ?

Un halo se formait sur sa poitrine.

– Je n'ai pas appris à mentir.

– Jahonne, il va charger, s'énerva Morrison.

Amecareth n'en eut pas le loisir. Un rayon incandescent le frappa dans le dos, l'écrasant contre son dragon. Stellan poussa un cri de colère en se tordant le cou vers l'arrière pour voir qui venait de les attaquer. D'une formidable poussée de ses pattes arrière, il prit son envol.

Morrison et Jahonne risquèrent un œil entre les merlons. Une autre bête ailée planait au-dessus de la route qui sillonnait la campagne d'Émeraude.

– Qu'est-ce que c'est ? demanda le forgeron.

La jeune femme utilisa ses sens magiques pour sonder l'attaquant.

– C'est Hawke ! s'exclama-t-elle.

– Les Elfes savent voler ?

– Bien sûr que non. Hawke chevauche un animal ailé.

– Un dragon ?

– Non... C'est l'énergie de Hathir que je capte.

Stellan grimpa suffisamment haut pour que son maître évalue cette nouvelle menace. Amecareth constata avec stupéfaction que son adversaire était un Chevalier qui se déplaçait dans les airs sur le dos d'un cheval-dragon ! Il n'en ferait donc qu'une bouchée...

Au sol, des larves émergeaient de la forêt. Avant de poursuivre leur route vers la montagne, elles levèrent leurs yeux globuleux vers le ciel, tentant de déterminer si les créatures volantes représentaient un danger pour elles. En fait, ce ballet aérien attirait aussi l'attention des paysans, qui suivaient la trace des imagos depuis le lever du soleil, n'attendant que le bon moment pour les matraquer avec leurs fourches et leurs faux.

Hawke ne faisait pourtant pas exprès de virevolter en tous sens au-dessus de leurs têtes : sa monture volait pour la première fois ! À cette altitude, ses battements d'ailes irréguliers la faisaient même ressembler à une chauve-souris. La lance échappa à l'Elfe, qui s'accrocha solidement à la crinière noire de l'animal pour ne pas tomber dans le vide. Il n'était pas facile de bombarder le seigneur des insectes tout en conservant son équilibre sur un poulain inexpérimenté.

Un halo violet frôla son bras et explosa au sol, énervant Hardjan à un point tel qu'il voulut rebrousser chemin pour retourner auprès de sa mère.

– Notre mission est périlleuse, mon jeune ami, lui rappela le magicien. Mais lorsque toute une nation dépend de nous, il faut faire des sacrifices. Je t'en conjure, ne me laisse pas tomber.

Le cheval émit un long sifflement aigu. Hawke espéra qu'il s'agisse d'une réponse affirmative. Un autre cercle de lumière aveuglante apparut droit devant lui. Il n'eut pas le temps d'ordonner à Hardjan de plonger vers le sol. L'animal manqua un battement d'aile et changea brusquement de direction. Cependant, l'intense chaleur du halo qui passa tout près lui fit comprendre que ces boules d'énergie étaient dangereuses.

Hawke contre-attaqua d'une seule main, se cramponnant avec l'autre. Son destrier commençait à se fatiguer. L'empereur le savait fort bien. Il n'attendait que le moment de lui donner le coup de grâce. Stellan effectua un arc de cercle pour revenir sur sa proie. Mais à l'instant où Amecareth allait incinérer le soldat inhabile, son dragon et lui reçurent une volée de serpents électrifiés et de rayons ardents en provenance du château.

Au lieu de se cacher dans les bâtiments de la forteresse, Amayelle avait longé le mur sous la passerelle pour y remonter de l'autre côté. Jahonne et elle avaient alors conjugué leurs efforts pour venir en aide au magicien, qui risquait d'être massacré d'un instant à l'autre. Toutefois, ce ne furent pas leurs tirs qui découragèrent l'empereur de poursuivre son offensive.

Des jets de lave sortirent soudain de la terre et montèrent vers le ciel à une vitesse vertigineuse. Stellan n'attendit pas l'ordre de son maître pour se dérober. Mais peu importe où il allait, le magma le pourchassait. Amecareth comprit alors qu'il avait un nouvel ennemi, beaucoup plus puissant que les magiciens d'Enkidiev. Il n'attendit pas que son dragon soit blessé et le guida vers l'ouest. Dès qu'il eut disparu à l'horizon, les fontaines de roche liquide cessèrent de jaillir.

Hawke poussa doucement sur l'encolure de Hardjan pour le faire descendre vers le sol. Ce serait le premier atterrissage de l'animal ailé et il s'attendait au pire. Sous lui, les paysans s'attaquaient maintenant aux larves avec leurs armes rudimentaires. Le mage choisit donc de se poser dans la cour de la forteresse. Fatigué de battre des ailes, le poulain se mit à perdre rapidement de l'altitude.

– Doucement, Hardjan...

Ses pattes de devant touchèrent le sol, puis ses pattes de derrière. Il fit plusieurs bonds avant de s'immobiliser, tremblant de tout son corps. L'Elfe caressa son encolure trempée de sueur, puis se laissa glisser sur le sol.

– Voici ta nouvelle maison.

Il le fit marcher jusqu'à l'abreuvoir.

– Tu n'as rien à craindre, ici.

Hardjan but de l'eau et se coucha, à bout de forces. Voyant qu'il n'irait nulle part, Hawke le laissa se reposer. Il courut plutôt rejoindre Amayelle, Jahonne et Morrison sur la passerelle.

– Depuis quand les chevaux volent-ils ? demanda aussitôt le forgeron.

– Je n'en sais franchement rien, admit le magicien. Comment les villageois se débrouillent-ils ?

– Pas aussi bien que s'ils étaient habitués au combat, déplora Amayelle.

– Nous ne pouvons pas bombarder les larves sans risquer de les atteindre, ajouta Jahonne.

– Est-ce vous qui avez fait sortir le feu de la terre ? voulut savoir Morrison.

– Non. Je croyais que cette magie provenait du château, s'étonna Hawke. Aurions-nous un allié céleste ?

– Ce pourrait aussi être de la mauvaise magie, gronda le forgeron.

Jahonne y avait déjà songé, mais n'avait rien dit pour ne pas démoraliser ses amis.

– Pour l'instant, observons les progrès des Emériens, suggéra Amayelle. S'ils perdent trop de terrain, alors nous interviendrons.

Hawke acquiesça. Quant à Morrison, il se contenta de grommeler une injure à l'intention de l'empereur.

27

La vengeance

Savourant l'atmosphère de chaos qu'il captait sur tout le continent, Akuretari sortit de sa caverne volcanique et se posta sur la corniche. L'empereur avait mordu à l'hameçon qu'il lui avait lancé en prenant l'apparence du demi-dieu Ucteth, et finalement fait débarquer une grande armée sur la côte. Bientôt, cette dernière anéantirait les Chevaliers d'Émeraude. Leurs alliés humains poursuivaient les larves sur la plaine du Royaume d'Émeraude, ignorant qu'il y en avait des milliers. Les imagos avaient été programmés pour gruger le pied de la Montagne de Cristal et provoquer un terrible éboulement sur la forteresse la plus importante d'Enkidiev. Rien ne les arrêterait.

Le dieu déchu avait assisté par télépathie à la déconfiture d'Amecareth, aux prises avec un magicien pourtant moins puissant que lui. L'Elfe n'avait cependant rien à voir avec les jets de lumière qui avaient fait fuir le seigneur des insectes et son dragon. Akuretari savait que seul un Immortel pouvait accomplir un tel exploit. Il ne se soucia pas de savoir qui en était l'auteur, mais chercha plutôt une façon d'ajouter à tous les bouleversements qui secouaient l'univers des humains. Son but ultime était de réduire en cendres ce monde façonné par son frère. Pendant qu'il préparait son plan de destruction, deux Immortels se matérialisèrent au pied du volcan.

– Il est là, annonça Abnar en levant les yeux.

– Pourquoi m'avez-vous attendu ? se troubla Danalieth.

– Parandar m'a imposé des restrictions quant à l'utilisation de mes facultés.

– Vous croyez vraiment que le dieu suprême vous garderait rancune de lui offrir ce malfaiteur sur un plateau d'argent ?

– Vous êtes bien mal placé pour me critiquer, se défendit le Magicien de Cristal.

– Quel est mon crime ? D'avoir voulu connaître mon père ? N'avez-vous pas fait la même chose ?

– Oui, mais cela ne m'a pas empêché d'accomplir la mission qu'on m'a confiée, et je n'ai pas créé d'armes destinées à détruire tout le panthéon.

– Vous n'avez jamais aimé ceux sur lesquels Clodissia vous a demandé de veiller, sinon vous comprendriez mon empressement à les protéger.

– Si vous aviez obéi aux dieux, il n'y aurait pas eu d'invasion, se fâcha Abnar. Je n'aurais pas eu à détruire des soldats rendus fous par la guerre, ni à me mêler de cette nouvelle campagne !

– Vous ne l'avez peut-être pas encore remarqué, mais je n'ai cessé, depuis, de me racheter.

Trop pris par leur discussion, les Immortels ne virent pas le sorcier qui venait de se poser à son tour sur la corniche, près du dieu déchu.

– Ils me traquent, maître, gémit Asbeth en pointant de l'aile les deux personnages vêtus de blanc.

Akuretari ne leur accorda qu'un furtif coup d'œil.

– Ils seront bientôt trop occupés pour traquer qui que ce soit.

– Qu'allez-vous faire ?

– Si j'étais toi, j'irais me mettre à l'abri.

Le dieu déchu se transforma alors en petite étoile bleue. Asbeth devina qu'il allait déclencher une nouvelle catastrophe. Il s'envola au plus vite et piqua en direction de la falaise du Royaume des Esprits, d'où il pourrait assister au sinistre spectacle sans s'exposer au danger.

L'astre se mit à tourner sur lui-même en émettant de plus en plus de lumière. Cette activité magique mit fin à la discussion des Immortels.

– Il va faire exploser le volcan ! s'alarma Abnar.

Un tel phénomène ne menaçait pas une créature divine, mais il risquait de tuer beaucoup de gens. Soudain, la terre se mit à trembler. Danalieth n'avait pas le temps de rappeler à lui les instruments de pouvoir dans lesquels il avait emprisonné suffisamment de foudre céleste pour tuer une divinité. Il utilisa donc l'énergie de ses mains pour attaquer Akuretari. S'il arrivait à le déséquilibrer, il l'obligerait à reprendre sa forme reptilienne et il pourrait alors lui infliger de graves blessures. En combinant leur puissance, Abnar et lui l'affaibliraient suffisamment pour le conduire à son frère.

– Oubliez vos réserves et aidez-moi ! se fâcha Danalieth.

Abnar hésita un moment, puis tendit les bras. Des éclairs fulgurants s'en échappèrent. Mais il était déjà trop tard. Ils furent tous deux repoussés par le mouvement centrifuge de l'étoile. La partie supérieure du volcan éclata et des débris brûlants se mirent à jaillir du nouveau cratère, s'écrasant dans les montagnes voisines, dans la rivière Sérida et même dans les Royaumes d'Opale et de Rubis.

– Il faut éviter une réaction en chaîne ! cria le Magicien de Cristal.

– Je m'occupe d'isoler les volcans voisins, décida Danalieth. Empêchez celui-ci de faire trop de dommages.

Il disparut en laissant Abnar aux prises avec la plus terrible de toutes les énergies naturelles. Ce dernier retourna de l'autre côté du cours d'eau pour mieux voir ce qui l'attendait. Pour la première fois de sa longue vie, il se servit de ses pouvoirs de façon active. Créant un bouclier magique, il repoussa autant de scories et de projectiles enflammés qu'il le put. Il éteindrait les incendies plus tard. Un épais nuage noir se forma sur le cône de la montagne en colère. « Il ne doit pas descendre sur son flanc, réfléchit Abnar, car sur le continent, les humains n'y verraient plus rien. » Mais l'Immortel ne pouvait pas à la fois intercepter les débris et contenir cette fumée.

– Laissez-moi vous aider, fit une voix familière.

Jamais il n'avait été aussi content de voir Fan. Sans même un battement de cil, elle fit s'élever la colonne de cendres vers les hautes altitudes, permettant au Magicien de Cristal de poursuivre son travail d'obstruction. Une deuxième perturbation attira cependant leur attention : Akuretari venait de provoquer la fureur d'un autre volcan à la frontière des Royaumes de Jade et de Béryl !

– Je m'en occupe, annonça Fan.

Elle disparut promptement. Abnar rassembla alors toute son énergie et repoussa la lave vers le sommet du volcan afin de le refermer comme une urne. Une fois qu'il y aurait entassé suffisamment de roche en fusion, il ne resterait qu'à la refroidir très rapidement.

Lorsque Fan se matérialisa sur le bord de la rivière Sérida, au sud, elle assista au même spectacle, excepté que la montagne avait commencé à secouer ses voisines. L'Immortelle ressentit aussitôt l'énergie de Danalieth, qui tentait de contenir les volcans du nord. Jamais ils ne pourraient intervenir à tous les endroits où Akuretari mettrait le feu.

Tout comme Abnar, elle refoula les déchets en fusion vers l'est. Ne voulant courir aucun risque, les habitants des villages riverains quittaient leurs chaumières à la hâte. Ils n'emportaient que le strict nécessaire, persuadés qu'ils perdraient tout le reste. Mais les trois magiciens tinrent bon. Sans leur intervention, une grande partie d'Enkidiev aurait sans doute été dévastée par les flammes.

Akuretari s'éleva alors au-dessus du continent : plusieurs volcans étaient entrés en éruption et les larves s'approchaient de plus en plus de la Montagne de Cristal en dépit des efforts des armées humaines. Un dragon survolait les royaumes de l'ouest, et les Chevaliers d'Émeraude s'apprêtaient à affronter les troupes qui débarquaient sur la côte. Le moment de la vengeance du dieu déchu était enfin arrivé.

Son étoile bleue décolla à la verticale, traversant plusieurs couches de nuages immaculés, et pénétra la fine membrane qui séparait les mortels des dieux. Akuretari choisit de se matérialiser dans un coin reculé du monde céleste, loin du palais de Parandar. Avant de le provoquer en duel, il devait d'abord éliminer tous ceux qui tenteraient de lui venir en aide.

Reprenant son apparence d'alligator, Akuretari marcha sans se presser sur le sol moelleux. Ses sens subtils cherchèrent une première proie. Il la trouva un peu plus loin, assise sur le bord d'une fontaine, les pieds dans l'eau cristalline. Le traître reconnut les cheveux argentés de la déesse, qui descendaient en douces boucles le long de son dos. Lanta était la plus jeune divinité féminine du panthéon. Personne ne l'adorait, alors elle passait ses journées à s'amuser. Toutefois, le gavial ne devait épargner personne.

Il s'approcha en silence de Lanta. Lorsqu'il fut derrière elle, il plaqua sa main sur sa bouche et planta ses crocs dans son cou. Seul un dieu pouvait en tuer un autre. La pauvre victime s'éteignit sans comprendre ce qui s'était passé. Akuretari laissa tomber son corps dans le bassin, déjà à la recherche du prochain sacrifice. La déesse se désintégra en une fine poudre argentée, qui demeura à la surface de l'eau.

Akuretari élimina un à un tous ceux qui se trouvaient sur son passage. Plus il s'approchait de la cour de son frère, plus sa colère s'exacerbait. Puis, au détour d'une rangée d'arbres blancs auxquels pendaient des diamants, il aperçut enfin les marches de marbre qui menaient à l'agora.

28

La résistance

En rang sur le bord de la falaise de Zénor, les Chevaliers d'Émeraude observaient en silence l'avance des guerriers insectes, qui se comptaient par milliers. Même les plus jeunes d'entre eux comprenaient que les troupes qu'ils avaient affrontées dans le passé n'étaient que de petits bataillons. Cette fois, ils faisaient face à la véritable armée d'Amecareth.

– On dirait une répétition de ce qu'Onyx a écrit dans son journal, souligna Bridgess.

Justement, Wellan y pensait. Le renégat avait clairement indiqué que lors de la première invasion, l'Empereur Noir avait commencé par épuiser les Chevaliers avec des groupes de combattants médiocres, pour finalement prendre le continent d'assaut.

– Heureusement, l'ancien chef des Chevaliers d'Émeraude, qui a su repousser Amecareth lors de la première invasion, est une fois de plus parmi nous, ajouta-t-elle.

Un peu plus loin, au milieu de ses hommes, le Roi Hadrian étudiait aussi l'ennemi. Il ne connaissait pas ce type de coléoptères, car ils n'avaient jamais été jetés dans la mêlée cinq cents ans plus tôt. Ils semblaient plus agiles et plus rapides que leurs noirs prédécesseurs.

– Ils sont divisés en régiments d'environ trois cents combattants, remarqua-t-il.

– Qui les dirige ? demanda Falcon.

– C'est ce que j'essaie de déterminer.

– Les commandants ne sont pas nécessairement différents physiquement de leurs soldats, leur rappela Wanda.

– Kevin, approche, fit Hadrian.

En l'absence de Liam, ce fut Mann qui le guida jusqu'à leur chef. En raison de la clarté du soleil, le Zénorois était forcé de porter son bandeau noir.

– Comprends-tu ce qu'ils disent ? s'enquit Hadrian.

Kevin tendit l'oreille pour mieux percevoir les cliquetis qui résonnaient sur la paroi rocheuse.

– C'est difficile, soupira-t-il. Ils parlent tous en même temps.

– Concentre-toi, je t'en prie.

Parfaitement conscient que la stratégie de ses commandants dépendait des renseignements qu'il pourrait leur fournir, le Chevalier tenta d'isoler une seule voix.

– Ils donnent des ordres, perçut-il. Ils demandent aux autres insectes de laisser le moins d'espace possible entre eux, et de ne faire aucun prisonnier.

– Ils sont venus nous exterminer, s'étrangla Wanda, qui ne pouvait s'empêcher de penser à son petit garçon.

– Nous ne les laisserons pas faire, la rassura Falcon.

– Comment une poignée d'hommes pourra-t-elle les arrêter ? interrogea Ellie.

– Il est impensable de leur barrer la route, réfléchit Hadrian. Nous devons trouver une façon de les ébranler, puis de les frapper durement. Ils ne doivent pas se rendre jusqu'aux villages.

Onyx apparut alors près de lui.

– Familier, n'est-ce pas ? grimaça-t-il.

– Sauf que nous avions des milliers de soldats magiques, jadis, se désola Hadrian.

– Maître Abnar ne nous a-t-il pas promis son aide ? hésita Wanda.

– Regardez derrière vous, les avertit Onyx.

La fumée noire des volcans s'élevait très haut dans le ciel.

– Qu'est-ce que c'est ? s'énerva Kevin.

– Un cadeau du dieu déchu, expliqua le Roi d'Émeraude. Il a fait sauter les volcans un après l'autre.

– Menacent-ils les royaumes ? s'alarma Hadrian.

– Abnar et ses copains empêchent les débris de s'écraser sur Enkidiev, expliqua Onyx. Ils ne peuvent pas encore être à deux endroits en même temps, à ce que je sache.

– Ne peuvent-ils pas arrêter les éruptions ? demanda Kevin.

– Ce serait une bonne idée, renchérit Falcon. Ensuite, ils pourraient nous donner un sérieux coup de main.

– Mais nous ne pouvons pas compter sur eux pour l'instant, les stoppa Hadrian.

Il rejoignit Wellan, qui continuait à surveiller les scarabées, dont la carapace brillait sous les rayons du soleil.

– Nous ne savons rien de ces insectes, sauf que leurs yeux sont vulnérables, soupira le grand chef.

– Et qu'ils sont très nombreux, ajouta l'ancien Roi d'Argent. À quoi étiez-vous en train de penser ?

– Ces débarquements se produisent sur toute la côte. Pour les contrer, il faudrait que je divise mes hommes, mais mon instinct me dit que ce serait une mauvaise décision.

– Une quarantaine de soldats magiciens ne pourrait pas arrêter la progression d'une telle armée. Nous devons rester ensemble.

– Le sortilège de la faille remplie de lave contiendrait ces scarabées sur les plages, fit remarquer Bailey.

– Sauf que l'Immortel qui l'a utilisé à Émeraude est actuellement occupé à calmer des volcans, répliqua Bridgess.

– Que suggérez-vous ? fit Wellan en se tournant vers Hadrian.

– Prenons un royaume à la fois et utilisons ses ressources. Commençons par celui qui est le plus facile à défendre, puis progressons vers les autres.

– Dans ce cas, ce sera celui des Elfes.

Suivez-moi, ordonna Wellan par télépathie. Il était important qu'ils se retrouvent tous au même endroit. Un par un, les groupes s'engouffrèrent dans le tourbillon de lumière. Onyx ferma la marche. Le chef des Chevaliers choisit de faire réapparaître son vortex dans une clairière, en retrait de la plage. Les soldats entourèrent tout de suite les deux grands commandants.

– Quelle est la plus grande force de ce pays ? fit Hadrian avec un sourire entendu.

– Son peuple, répondit Bridgess.

– Ses archers ne manquent jamais leurs cibles, ajouta Rainbow.

Wellan réclama alors l'assistance des Elfes en se servant de ses facultés télépathiques.

– Et que ferons-nous pendant qu'ils crèveront les yeux de ces monstres ? s'impatienta Milos.

– Vous ferez la même chose avec vos propres pouvoirs, décida Wellan.

– Les flammes risqueraient de mettre le feu à la forêt, raisonna Volpel. Il nous faudra utiliser un autre type de rayon.

– Savez-vous dans quel état seront nos mains lorsque nous serons rendus à Zénor ? maugréa Nogait.

« Il a raison, pensa Wellan. Cette magie les mettra durement à l'épreuve, surtout celles des adolescents. »

– Kevin ne pourra pas combattre dans cette clarté, les avertit Maïwen.

– Je saurai me défendre, affirma ce dernier.

– Je le garderai près de moi, de manière à ce qu'il m'avertisse de tout changement d'ordre possible au sein de l'armée des hommes-insectes, la rassura Hadrian.

Stellan et son maître survolèrent alors la sylve, projetant leur ombre sur les Chevaliers.

– Nous les avions oubliés, ceux-là, fulmina Swan.

– Je m'occupe du dragon, annonça Onyx. Débarrassez-nous des fantassins.

Il s'éloigna et fut aussitôt rattrapé par son épouse. Croyant qu'elle allait une fois de plus tenter de l'arrêter, il s'apprêta à lui rappeler son rôle de protecteur de sa famille et de son royaume. Il n'eut cependant pas le temps d'ouvrir la bouche : elle l'embrassa avec passion.

– Sois prudent, l'implora-t-elle en plantant son regard dans le sien.

– Quand ne le suis-je pas ? la taquina-t-il.

– Quand tu as trop confiance en toi. Je sais que tu as tué des centaines de dragons autrefois, mais chaque bataille est différente.

– Sais-tu à qui tu parles ?

– À l'homme que j'aime.

Il la serra dans ses bras avec force, humant le parfum de ses boucles brunes.

– Ce soir, ou demain, tu mangeras des grillades de dragon, chuchota-t-il à son oreille.

Il l'embrassa sur le nez et se volatilisa. Swan avait appris que, peu importent ses supplications, elle ne pourrait jamais l'empêcher d'en faire à sa tête. Elle s'empressa de retourner auprès de ses deux commandants, Chloé et Dempsey. Wellan était en train d'expliquer aux chefs de groupe qu'ils devaient travailler en équipe et s'assurer que leurs Écuyers ne tombent pas entre les mandibules de ces nouvelles créatures.

Les Elfes commencèrent à arriver en grand nombre, tous armés d'arcs décorés à leur façon et de carquois remplis à craquer. Ils avaient quitté leurs villages bien avant l'appel de Wellan, alertés par leur sentinelle. Le grand Chevalier ne cacha pas sa surprise lorsqu'il constata que le Roi Hamil les accompagnait.

– Si ce n'est pas beau-papa ! s'égaya Nogait.

Swan lui ferma la bouche en relevant son coude sous son menton. Le visage du Roi des Elfes était sombre. Il avait très bien estimé la menace qui pesait sur son pays.

– Vous ne devriez pas être ici, lui reprocha Wellan.

– Quand je refuse de me battre, vous me faites des semonces, et lorsque je décide de m'y mettre, vous trouvez encore à redire ? riposta Hamil.

Bridgess réprima un sourire amusé, car ce n'était pas tous les jours que son mari se faisait ainsi clouer le bec.

– Si vous possédez quelque pouvoir que ce soit, nous serons heureux de vous compter dans nos rangs, répondit Hadrian à la place du grand chef.

– Mes facultés ne sont certes pas aussi étendues que les vôtres, mais j'ai quelques tours dans mon sac.

– Ils sont tout près, les avertit soudain Kevin, et ils ont senti notre présence.

– Allons-y ! ordonna Wellan. Vous savez ce que vous devez faire.

Les groupes s'enfoncèrent dans les bois avec les Elfes, qui connaissaient les endroits les moins faciles d'accès. Wellan, de son côté, n'avait pas encore bougé. Il avait capté le regard inquiet de son apprenti.

– Sois sans crainte, Lassa. Cassildey te couvrira.

– Mais c'est vous que nous devons seconder, protesta Cassildey.

– Un Écuyer fait ce que son maître lui demande, jeune homme.

L'adolescent baissa la tête en signe de soumission, mais ses joues s'étaient enflammées sous le coup de la colère.

– Venez, les pressa Hamil.

Ils reculèrent derrière d'immenses épicéas.

– Si vous me couvrez, je peux réaménager mes forêts, ajouta-t-il.

Ils entendaient maintenant les cliquetis de leurs adversaires.

– Jukos et Quill vous accompagneront, décida Wellan, qui n'avait pas le temps de lui demander comment il comptait s'y prendre.

Le roi fit signe aux Chevaliers désignés de le suivre. Leurs apprentis, ainsi que quelques Elfes, leur emboîtèrent le pas. Les Elfes qui étaient restés avec Wellan grimpèrent pour leur part dans les hautes branches, d'où ils pourraient lancer leurs flèches. Le grand chef s'adressa ensuite aux Écuyers.

– Si vos mains vous font trop souffrir, arrêter vos tirs et tentez de récupérer en toute sécurité les flèches qui se seront fichées dans les yeux des insectes. Nos alliés en auront besoin.

– Nous pourrions aussi utiliser des arcs, sire, suggéra Atalée.

– Si vos paumes sont meurtries, je ne vois pas comment vous arriverez à tendre la corde, répliqua Volpel.

– Préparez-vous, commanda Wellan.

Les soldats se dispersèrent dans la clairière afin d'avoir plus d'espace pour se battre. Ils sentirent alors la terre bouger sous leurs pieds.

– C'est magique, décela Bridgess.

– Le Roi Hamil a dû se mettre au travail, déduisit Bailey.

Les scarabées apparurent entre les troncs. Leur réaction fut diamétralement opposée à celle des adversaires habituels des Chevaliers. Au lieu de continuer d'avancer sans se laisser distraire, ils ralentirent le pas et s'arrêtèrent pour observer les soldats.

– Je pense que nous sommes les premiers humains qu'ils voient, plaisanta Curtis.

Chevaliers et Écuyers chargèrent leurs mains, mais les Elfes frappèrent avant eux. Du haut des arbres, ils se mirent à tirer leurs projectiles meurtriers dans les yeux des scarabées. Les insectes tombaient un à un en poussant de terribles cris, ce qui n'empêcha pas leurs congénères d'avancer. Les guerriers d'Émeraude secondèrent aussitôt le peuple de la forêt. Plus loin, dans d'autres trouées, les troupes de Santo, Bergeau, Dempsey, Chloé, Jasson et Hadrian faisaient la même chose.

En retrait des combats, le Roi Hamil s'était rapidement mis au travail. En faisant appel à la magie que ses ancêtres lui avaient léguée, il persuada les arbres de se déplacer sur toute la côte de son territoire, afin de former une longue palissade que les coléoptères ne pourraient pas franchir. Les Chevaliers pouvant s'échapper en utilisant leurs vortex, il ne se soucia pas d'eux. Cet exploit requérait cependant une immense quantité d'énergie. Le Roi des Elfes savait fort bien qu'il risquait de perdre la vie en l'employant, mais ce dernier geste glorieux, il voulait le faire pour Fan de Shola, assassinée par le sorcier de l'empereur.

Les chênes furent les premiers à réagir, mais leurs profondes racines ne leur permettaient pas de se déplacer aussi rapidement que les érables, les hêtres et les noyers. Tous ces géants verts quittèrent l'endroit où ils avaient grandi pour aller se poster près d'un frère sylvestre. Lorsqu'ils ne pouvaient pas se rapprocher suffisamment les uns des autres pour refermer l'espace entre eux, les épicéas s'empressaient de venir se placer derrière la brèche.

Cette opération nécessita plusieurs heures et épuisa considérablement le monarque. Ses gardes du corps le couchèrent sur la mousse pour qu'il se repose. Les archers, quant à eux, étaient déjà grimpés dans les plus hautes branches de la nouvelle barrière, afin d'y attendre l'ennemi en compagnie des deux Chevaliers.

Allez aider un autre peuple, implora Hamil avec son esprit. *Les Elfes se chargeront de détruire les attaquants sur leurs terres.* Wellan se réjouit d'entendre ces mots. Il communiqua mentalement avec tous ses commandants, les enjoignant de se rendre au Royaume des Fées, derrière les pics plantés dans les galets qui le protégeaient de la mer.

Les vortex se formèrent les uns après les autres entre des fleurs géantes. Les soldats furent accueillis par un tumulte de lamentations aiguës. Le Roi Tilly avait déjà resserré tous les rochers ensemble pour empêcher les scarabées de passer, et ces derniers trépignaient derrière cette muraille naturelle, sur laquelle se tenait un seul homme. Ce dernier gesticulait et vociférait des menaces à l'intention des coléoptères argentés. Le grand chef courut jusqu'au pied des menhirs et le reconnut : c'était Kardey ! Il encourageait les Fées à attaquer les insectes en leur lançant des pierres, et invectivait l'ennemi. Contrariés, les soldats impériaux émettaient un vacarme assourdissant.

– Ils ne sont pas très contents, car on leur avait dit que la côte d'Enkidiev était facile d'accès, traduisit Kevin.

– L'information devait émaner d'Asbeth, rigola Nogait.

– Kardey ! l'appela Wellan.

Au sommet du menhir, le capitaine pivota vers lui.

– Je savais que vous viendriez ! se réjouit l'homme Fée. Mais, comme vous pouvez le constater, nous avons la situation bien en mains.

– Je ne vois rien du tout, mais je peux effectivement entendre les récriminations de l'envahisseur.

Jasson crut alors qu'il était de son devoir d'aider son chef à rejoindre Kardey sur les rochers : il l'éleva dans les airs grâce à son pouvoir de lévitation. Wellan promena son regard sur la marée de carapaces argentées qui venait se briser sur la barrière de grosses pierres levées. Quelques hommes-insectes tentaient d'escalader la paroi, mais elle était trop lisse pour qu'ils puissent s'y accrocher. Les Fées planaient au-dessus de leurs ennemis et les bombardaient de projectiles lourds de toutes sortes.

– Combien de temps pourrez-vous tenir ? s'enquit Wellan.

– Nous avons une constitution différente de la vôtre, expliqua Kardey.

– Nous ?

– Je suis l'un d'eux, maintenant. Nous ne nous fatiguons pas aussi rapidement que vous. J'ai tout de même établi ma stratégie de façon à ce que le pilonnage soit constant, en formant deux groupes qui se relaieront jour et nuit.

– Dans ce cas, je vous laisse défendre le Royaume des Fées à votre manière.

Wellan se retourna vers ses hommes, qui attendaient impatiemment ses ordres. Seul Lassa ne semblait pas pressé de se jeter dans la mêlée.

– Jasson...

L'interpellé déposa son chef sur le sol.

– Te rappelles-tu le puits où nous puisions de l'eau lors de l'installation des pieux au Royaume d'Argent ?

– Mieux que quiconque, assura son frère d'armes.

C'était à cet endroit qu'ils s'étaient chamaillés dans la boue comme des gamins, des années auparavant.

– C'est là que nous allons.

Jasson croisa ses bracelets. Les Chevaliers et les Écuyers entrèrent au pas de course dans son vortex. Wellan salua Kardey d'un gracieux mouvement de la tête, puis suivit ses soldats.

29

Les renforts du sud

Le village était désert lorsque les Chevaliers d'Émeraude s'y matérialisèrent. Le peuple fuyait précipitamment vers la forteresse blanche juchée sur la colline. Wellan évalua rapidement la situation grâce à ses sens magiques. Les habitants d'Argent avaient commencé à démolir les murs en pierre qui les séparaient de leurs voisins, si bien que les scarabées utilisaient maintenant cette brèche pour s'infiltrer dans le royaume.

Par télépathie, Wellan ordonna aux Chevaliers de former une ligne, et aux Écuyers de se mettre à genoux devant eux. Les faisceaux aveuglants partirent presque tous en même temps alors que les scarabées remontaient la pente qui menait au village. Les seuls qui ne participaient pas au barrage de tirs étaient Wellan et Hadrian. Or ce dernier connaissait bien ce royaume, pour y avoir régné pendant cent soixante-dix ans. Quelle ressource naturelle du pays d'Argent pourrait-il utiliser contre les hommes-insectes ?

Il recula derrière les Chevaliers pour réfléchir. Son peuple, qui possédait autrefois une redoutable puissance maritime, ne détenait plus de bateaux et vivait dans la misère. C'est alors que son regard s'arrêta sur les pieux que Wellan et ses soldats avaient plantés, jadis, derrière les remparts. Mais ils pointaient vers la mer...

Hadrian retourna prestement se poster derrière le grand chef.

– Au lieu de les recevoir à coup de rayons ardents, attaquons-les par derrière, suggéra-t-il.

– Vous voulez les laisser passer ? s'étonna Wellan.

– Nous en détruirions un plus grand nombre si nous lancions ces pieux dans leurs rangs, ainsi que des blocs de pierre.

Wellan cessa d'observer le travail de ses soldats afin d'étudier rapidement ce nouveau plan. Il serait sans doute moins épuisant pour les adolescents de se servir de leurs pouvoirs de lévitation plutôt que de se brûler les paumes. *Dempsey, forme un vortex pour te rendre de l'autre côté des murailles. Ceux qui sont à ma droite, suivez-le !* commanda le chef. *Santo, fais la même chose avec ceux qui sont à ma gauche !*

Les tourbillons lumineux apparurent de chaque côté de Wellan, ralentissant les insectes, qui se laissaient apparemment distraire par tout ce qu'ils ne connaissaient pas. Lorsque le maelström de Dempsey se fut refermé, Wellan courut vers celui de Santo, où il fut le dernier à entrer. En une fraction de seconde, toute son armée se retrouva sur les galets.

– Sur les murailles ! ordonna Hadrian.

Ils se propulsèrent de chaque côté de la brèche.

– Dégagez ces pieux et embrochez les guerriers impériaux !

Les groupes coururent au sommet des remparts et s'y postèrent à bonne distance les uns des autres. Leur magie se mit en action, faisant trembler les piquets enfoncés dans la terre. Jasson dégagea les premiers, qui devinrent aussitôt des missiles meurtriers. Ils filèrent à une allure vertigineuse et transpercèrent une dizaine de scarabées avant de se ficher dans le sol. Ses frères d'armes l'imitèrent aussitôt.

Vous pouvez aussi utiliser les pierres ! fit Wellan.

Cela sembla plus réaliste à Lassa, comme à la plupart des Écuyers. Ils utilisèrent d'abord celles qui jonchaient le sol, puis se mirent à retirer celles de la muraille elle-même, élargissant la trouée.

– Ils commencent à être hors de notre portée ! maugréa Nogait.

Derek eut soudain une idée. Jadis, avec Swan, il avait réussi à créer une illusion si convaincante qu'il avait pu évacuer de leur village des paysans qui ne voulaient pas fuir. Cependant, il ignorait ce que craignaient ces coléoptères...

– Mais Amecareth, bien sûr !

L'Elfe ferma les yeux et tenta de se rappeler le visage et le corps massif du seigneur des insectes, tel qu'il l'avait vu jadis, lorsqu'il avait sauvé Kira sur Irianeth. Une fois tous ces détails bien assimilés, Derek projeta l'image au loin. Les Chevaliers et les Écuyers s'immobilisèrent en même temps que les insectes argentés lorsque l'Empereur Noir leur barra la route.

– C'est une illusion ! indiqua Wellan.

– Elle émane d'un de vos hommes, fit remarquer Hadrian.

Wellan se douta de son identité, mais il était plus important pour l'instant de détruire l'envahisseur que de féliciter le responsable de cette diversion. *Frappez pendant qu'ils sont immobiles !* exigea-t-il.

Les commandants des six groupes ordonnèrent à leurs soldats de poursuivre l'attaque. Nogait fit ce qu'on lui demandait, puis s'arrêta au bout de quelques secondes.

– J'ai une idée ! s'exclama-t-il joyeusement.

Il se faufila derrière ses compagnons afin de rejoindre Chloé. Tout comme lui, la femme Chevalier n'utilisait plus sa magie.

– L'armée d'Argent vient de quitter le château, lui apprit-elle. Si nous ne faisons rien, elle se heurtera de plein fouet à cette marée de scarabées.

– Justement, j'ai une suggestion.

– Si elle peut sauver la vie du Prince Rhee, parle, Nogait.

– Utilisons les palis pour encager ces bestioles.

Une vision se forma dans l'esprit de Chloé. Si les longs piquets étaient plantés autour de l'envahisseur, cela permettrait aux soldats d'Argent de l'achever sans danger. La femme Chevalier relaya tout de suite l'idée de son frère d'armes à Wellan. *Si nous laissons un petit espace entre les pieux, le prince et ses hommes n'auront qu'à viser les yeux des insectes jusqu'à ce qu'il n'en reste plus un seul*, expliqua Chloé.

Rien ne prouvait que cet enclos de fortune contiendrait efficacement l'ennemi, ou que l'armée d'Argent possédait suffisamment d'archers pour massacrer un si grand nombre de scarabées. Mais les Chevaliers devaient aussi se porter au secours de deux autres royaumes... « Qu'avons-nous à perdre ? » soupira intérieurement Wellan. Il demanda donc à ses compagnons de faire de leur mieux, en se disant qu'ils pourraient revenir plus tard poursuivre les guerriers impériaux qui auraient réussi à s'enfuir.

Les projectiles se mirent à voler par-dessus la tête des attaquants. Les Écuyers observèrent le travail de leurs maîtres et se servirent aussi de leur magie pour les seconder. Lassa trouva moins pénible de déterrer les piquets pour Wellan que de tuer des insectes. Le grand Chevalier apprécia beaucoup son aide. Il pouvait ainsi se concentrer uniquement sur la trajectoire qu'il devait imposer au palis pour le planter près de ceux de ses frères.

Les scarabées se heurtèrent à la barrière qui les séparait de l'image d'Amecareth. Épuisé par cet effort magique soutenu, Derek faillit basculer de la muraille. Son apprenti l'agrippa par sa ceinture pour l'empêcher de tomber sur le sol.

La soudaine disparition de leur maître affola les hommes-insectes. Heureusement, les Chevaliers avaient commencé à refermer le cercle géant autour d'eux. Dès que Bridgess ficha le dernier poteau en terre, Wellan descendit de son perchoir. Oubliant qu'il devait protéger Lassa, Cassildey le suivit. Bientôt, toutes les troupes furent sur le sol, courant derrière leur grand chef. Ils contournèrent la palissade à l'intérieur de laquelle tempêtaient les prisonniers.

Lassa évita de justesse la lance qu'un scarabée décocha par un interstice. Le cœur battant la chamade, il sentit à peine la main d'Hadrian lui saisir le bras et l'emmener avec lui. Les Chevaliers et leurs Écuyers foncèrent sur l'armée du Royaume d'Argent, l'obligeant à s'arrêter.

– Cette fois, nous vous serons utiles ! affirma fièrement le Prince Rhee. Mes hommes sont bien entraînés.

– Savent-ils se servir d'un arc ? haleta Wellan.

– Oui, bien sûr, mais ils sont aussi de puissants escrimeurs.

– Ces bêtes assoiffées de sang ne combattent pas selon les règles du combat loyal. Leur seul but est d'exterminer la vie sur Enkidiev. Nous avons réussi à les enfermer dans cette enceinte, mais il n'est pas impossible qu'elles finissent par s'en échapper. La seule façon de les tuer est de leur crever les yeux.

– Nous aiderez-vous à les détruire ?

– Les Royaumes de Cristal et de Zénor subissent le même assaut, et ils ne possèdent pas d'armées.

– Dans ce cas, partez tout de suite.

Wellan remercia le prince d'un geste de la tête et croisa ses bracelets, persuadé que Rhee ferait un bon roi. Hadrian pensa la même chose en suivant les Chevaliers et leurs Écuyers dans le tourbillon de lumière. Le grand chef savait que les terres de Cristal étaient vallonnées mais dépourvues de végétation importante. Il choisit donc de réapparaître en retrait de la mer, là où il ne risquerait pas de tomber au milieu des envahisseurs.

Les Chevaliers sortirent du maelström suffisamment loin de la poussée ennemie, mais ils s'attendaient à trouver les scarabées à proximité, car ces derniers avançaient rapidement. Ils arrivèrent bientôt au beau milieu d'une échauffourée entre les guerriers argentés de l'avant-garde et les guetteurs de

Cristal. Ces derniers étaient un peu plus de deux cents, et ils massacraient les hommes-insectes à coups de massue sur la tête. Il s'agissait d'une méthode épuisante, mais qui semblait avoir du succès.

Wellan n'eut pas besoin de dire à ses commandants de former une ligne, car ils avaient déjà commencé à s'éparpiller. Il ne restait plus qu'à persuader les guetteurs de mettre fin à l'escarmouche et de reculer derrière les Chevaliers. Ce fut Bergeau qui s'en chargea, de façon spontanée. Il aboya un ordre que les Cristallois comprirent sur-le-champ :

– Repliez-vous, ou vous serez coincés entre nous et ces bestioles !

En constatant qu'ils n'étaient plus seuls pour contrer l'avance de l'ennemi, les guetteurs cessèrent les combats et coururent se placer derrière les soldats magiques. Ils n'allèrent cependant pas plus loin, ne reprenant leur souffle que pour se jeter de nouveau dans la mêlée après l'intervention des Chevaliers.

– Il n'y a pas d'arbres ni de pierres, ici, remarqua Bridgess.

– Ce sera certes le plus dur de nos combats aujourd'hui, nota Wellan.

Qui plus est, le soleil avait entamé sa descente vers l'ouest. Que se passerait-il s'ils étaient obligés d'affronter les hommes-insectes dans le noir à Zénor ? Le grand chef chassa cette pensée négative. Rien ne devait le distraire de la bataille qui se préparait. À ses côtés, Cassildey était prêt à se battre, mais Lassa aurait vraiment préféré être ailleurs. L'armée ennemie ressemblait à une énorme tache argentée qui épousait le contour des collines en marchant vers l'est.

Au milieu de son groupe, Hadrian étudiait rapidement le terrain afin de voir si les Chevaliers pourraient l'utiliser à leur avantage. C'était un pays balayé par le vent, coincé entre les murailles d'Argent et les falaises de Zénor. S'il survivait aux plans de l'Empereur Noir, Hadrian se promit de mener une campagne pour planter des arbres chez ses anciens voisins de Cristal. Mais dans le présent, rien ne pouvait les aider à repousser une cohorte au moins dix fois plus grosse que la leur.

On devrait creuser des tranchées comme on l'a fait pour les larves, suggéra Bergeau, *même si cela ne sert qu'à les ralentir.* Wellan n'avait rien de mieux à proposer. Sous les yeux émerveillés des guetteurs, ils labourèrent profondément le sol, formant un large ravin que les coléoptères seraient obligés de franchir s'ils voulaient poursuivre leur route.

– C'est comme si on venait de creuser leur tombe, chuchota Jenifael à son maître.

– Nous ne savons encore rien de cette espèce, l'avertit Swan. Ce fossé ne représentera peut-être pas un obstacle de taille pour elle.

– Ces insectes ne possèdent pas d'ailes, sinon on les verrait sur leur dos. Ils n'ont pas essayé non plus de grimper sur les remparts du Royaume d'Argent. Ils ont plutôt utilisé la brèche pour s'y infiltrer.

– Mais ils semblent plus curieux que leurs prédécesseurs. S'ils ont une étincelle d'intelligence, ils ne tomberont pas dans ce piège.

– Un peu d'optimisme, ici ! s'exclama Nogait. Avec tes talents enflammés, jeune fille, tu nous sauveras tous !

– Nous ignorons s'ils brûlent, riposta Swan. Leurs carapaces sont inhabituelles.

– Nous le saurons bien assez vite, trancha Chloé.

Préparez-vous, ordonna Wellan. Toutes les mains se chargèrent.

– On dirait qu'il y a encore plus de ces affreux insectes ici que dans les autres royaumes, remarqua alors Jasson.

– C'est justement ce que j'étais en train de me dire, renchérit Ariane. Il doit y en avoir un millier.

– Nous ne devons pas nous laisser décourager par leur nombre, les encouragea Yamina.

N'attendez pas qu'ils soient dans le fossé, leur recommanda Wellan. *Frappez dès qu'ils seront à votre portée.*

Les premiers faisceaux partirent du groupe de Jasson. Les autres Chevaliers les imitèrent sur-le-champ. Wellan et Kevin ne participaient pas aux tirs de barrage. Derrière ses compagnons, Kevin tendait l'oreille, percevant des centaines de phrases courtes, surtout des commandements, mais rien qui pouvait véritablement aider ses frères d'armes. Maïwen restait près de lui pour assurer sa sécurité.

Hadrian visait les yeux des coléoptères avec de plus en plus de précision. Les scarabées s'écrasaient un à un sur le sol et ceux qui les suivaient leur marchaient sur le corps pour continuer à avancer. C'est alors que l'ancien roi crut apercevoir un mouvement au-dessus de leur tête, sur l'océan. Le soleil ne lui permettait pas de distinguer quoi que ce soit, aussi utilisa-t-il ses sens magiques. Il capta alors la présence d'un grand nombre de bateaux, qui venaient se joindre à ceux qui mouillaient déjà sur la côte.

– Wellan ! s'écria Hadrian en le rejoignant en vitesse. Des renforts !

Le grand chef venait aussi de les repérer. Les scarabées allaient atteindre les tranchées et mettre ses hommes à dure épreuve. Ces derniers ne pourraient pas éliminer autant d'adversaires.

– Ne pouvez-vous pas utiliser la magie qui vous a jadis permis de gagner la guerre ? s'alarma-t-il.

– Elle ne fonctionnait que contre des sorciers, et je ne la possède plus.

Hadrian regretta aussi de ne plus avoir vingt mille soldats magiques sous ses ordres. L'Empereur Noir allait-il gagner cette deuxième manche ? « Je ne suis pas revenu pour le voir massacrer mes descendants », se fâcha Hadrian. Il tenta de rappeler dans sa poitrine l'énergie qu'il avait jadis maîtrisée, mais ne réussit qu'à matérialiser un halo autour de ses avant-bras. Il le laissa tout de même partir, assommant une dizaine d'insectes. La force brute ne leur ferait décidément pas gagner cette bataille : il lui fallait trouver une ruse.

Il discerna alors la forme des nouvelles embarcations. Elles dépassaient celles qui avaient jeté l'ancre au large. Plus légères, elles s'approchaient davantage de la plage. Hadrian plissa les yeux. « Ce ne sont pas des barques impériales... », observa-t-il. D'ailleurs, leurs occupants se jetaient à l'eau ! Santo reconnut soudain leur essence, pour l'avoir côtoyée plus longtemps que quiconque.

Ce sont bien des renforts, mais c'est nous qu'ils secondent ! annonça-t-il pour remonter le moral des troupes. *Ce sont les hommes-lézards !* Hadrian n'en avait jamais entendu parler, mais le soudain enthousiasme des Chevaliers l'apaisa. Les créatures vertes atteignirent finalement les galets et foncèrent sur l'arrière-garde des envahisseurs. Elles étaient étonnamment agiles pour leur taille. Sans la moindre frayeur, elles se jetèrent sur les scarabées. Des sifflements perçants s'élevèrent dans les rangs de ces derniers.

– On les attaque par-derrière ! indiqua Kevin, qui n'avait évidemment pas capté le message télépathique de Santo.

– Ce sont les hommes-lézards, le rassura Maïwen. Ils viennent à notre aide.

Les Chevaliers d'Émeraude redoublèrent d'efforts, abattant les coléoptères qui atteignaient maintenant la tranchée : ils y tombaient tête la première en poussant des plaintes déchirantes. Jenifael aurait bien aimé utiliser ses pouvoirs divins pour voir si leurs carapaces résistaient au feu, mais un mur de flammes aurait empêché les soldats de poursuivre leur travail de destruction.

Un lézard plus gros que les autres réussit bientôt à se frayer un chemin dans la masse compacte des insectes. Wellan identifia les motifs foncés sur sa tête : c'était Kasserr. Celui-ci reconnut également le chef des Chevaliers. D'un bond prodigieux, le reptile franchit la tranchée et se retrouva à ses côtés. Il lui adressa aussitôt des sifflements métalliques sur un ton plutôt dur. Sans la magie d'Abnar, Wellan ne pouvait évidemment pas comprendre ce qu'il lui disait.

– Il est venu payer sa dette, traduisit Kevin.

Hadrian prit le soldat par le bras et l'emmena jusqu'à Wellan, afin qu'il lui serve d'interprète.

– Je comprends ce qu'il dit, mais je ne parle pas cette langue, se défendit le soldat invalide.

Kasserr ajouta que son peuple ne quitterait pas Enkidiev avant que tous les serviteurs d'Amecareth n'aient été tués. Wellan le remercia en s'inclinant devant lui. Le lézard comprit ce langage universel. Il se tourna vers les combats pour encourager les siens à éliminer leurs ennemis.

30

UN ROI AUDACIEUX

Il n'y avait pas beaucoup de trouées au Royaume des Elfes, couvert de denses forêts. Onyx se rendit donc magiquement sur la grande plaine d'Opale, qui bordait à l'est le pays du Roi Hamil. Il était facile d'attirer un dragon affamé, à condition toutefois que celui qui le chevauchait soit un Midjin. La présence qu'il avait sentie sur le cou du monstre était celle du meurtrier de son fils. Or l'Empereur Noir exerçait une emprise sûrement plus considérable sur la bête que les minuscules dompteurs jaunâtres. Néanmoins, Onyx devait éloigner cette arme terrible de ses Chevaliers. Il produisit magiquement l'odeur du sang et la fit s'élever en spirale, s'assurant que le vent ne l'entraînerait pas vers Émeraude, puis scruta attentivement le ciel.

Stellan capta tout de suite l'alléchante exhalaison d'un animal blessé. Il survolait ces terres depuis un long moment déjà, et il avait faim. Lorsqu'il piqua soudainement vers le nord, l'empereur comprit que quelque chose le captivait. Il n'empêcha pas Stellan de suivre son instinct de prédateur, curieux de voir ce qui l'intéressait à ce point. Il ne vit d'abord rien dans le grand champ. Son dragon semblait cependant avoir repéré sa proie.

Onyx vit le dragon qui fonçait vers Opale. Cette bête était vraiment stupide si elle tombait une fois de plus dans le même piège, mais le Roi d'Émeraude n'allait certainement pas s'en plaindre. Il demeura donc immobile, même si tout son corps brûlait d'impatience. Il savait qu'il ne pouvait pas attaquer le dragon en vol, car celui-ci risquait de tomber à des lieues en faisant d'autres innocentes victimes. Il devait plutôt attendre qu'il se pose près de lui et qu'il cherche à le dévorer.

En apercevant l'humain isolé sur la plaine, l'Empereur Noir ne vit d'abord qu'un repas pour sa monture. Puis, en balayant l'endroit de ses sens particuliers, il capta la magie de cet homme et la reconnut. Il s'agissait là de l'insolent qui l'avait attaqué dans le château où sa fille avait été détenue. Il aurait pourtant dû succomber, à ce moment-là...

Le dragon se posa brusquement sur la plaine, en gardant toutefois ses ailes ouvertes. Onyx ne remua pas un cil. Il savait que ces reptiles géants préféraient déchiqueter des proies qui ne pouvaient plus courir, car ils n'étaient pas très habiles au sol. Habituellement, ils ne perdaient pas de temps et leur arrachaient tout de suite le cœur. Pourquoi celui-là hésitait-il ? « Ou bien il me reconnaît, ou bien son maître l'en empêche », déduisit le Roi d'Émeraude.

Amecareth passa la jambe par-dessus le cou de Stellan et se laissa glisser sur le sol. Il semblait encore plus grand que dans la cour du château d'Émeraude. En l'absence de Kevin, Onyx ne pourrait pas comprendre ce qu'il lui dirait. Il lui faudrait se fier à son instinct.

– Aucun humain ne possède une magie comme la tienne, cliqueta l'empereur. Qui es-tu ? Un dieu ?

– Je sais que vous comprenez ma langue, mais je ne peux pas en dire autant. Ne gaspillez pas votre salive, et écoutez bien mes paroles. Ce continent appartient aux humains, aux Fées et aux Elfes, alors allez pondre vos œufs ailleurs.

– C'est à moi que les dieux ont donné ce monde.

Un halo violet se forma au milieu de la poitrine du scarabée géant. Onyx adopta une position défensive. La lumière courut le long des bras recouverts de carapaces et fila vers lui. Le Roi d'Émeraude l'évita de justesse en se jetant de côté sur le sol. Il en profita pour contre-attaquer avec des serpents électrifiés d'une incroyable puissance. Ils heurtèrent l'empereur de plein fouet et le firent chanceler. Stellan se redressa aussitôt de façon menaçante, en poussant un cri aigu destiné à terroriser celui qui attaquait son maître. Mais Onyx en avait vu d'autres et ne s'en préoccupa pas. Avant que le seigneur des insectes ne puisse reformer un autre halo, il l'atteignit à la tête avec ses rayons bleutés.

Le dragon projeta alors son long cou en avant pour mordre l'assaillant. Onyx s'esquiva, sans toutefois avoir le temps de tirer son épée. Les mâchoires du monstre claquèrent près de son oreille. Stellan chargea une seconde fois. En même temps, du coin de l'œil, Onyx vit une décharge partir de la main griffue de l'empereur. Il se dématérialisa et réapparut plus loin, évitant une mort certaine.

Amecareth émit un grondement de déplaisir. Pendant qu'il perdait son temps à combattre cet énergumène, il ne pouvait pas surveiller les progrès de son armée. S'il n'était pas une créature divine, cet humain affichait cependant beaucoup de résistance. Aucun empereur Tanieth n'avait rencontré autant d'opposition lors d'une campagne militaire. Il se prépara à assaillir Onyx avec toute sa puissance, mais ce dernier le pressentit. Il s'apprêtait à réagir lorsqu'il perçut la course d'un animal dans les broussailles. Il y avait certes des loups à Opale, mais ils n'auraient jamais osé s'attaquer à un dragon.

Sur ses gardes, Onyx surveillait la direction que prendrait le halo. Tout à coup, l'animal tout noir fonça sur Amecareth ! La force de l'impact renversa le scarabée géant et, une fois au sol, les hommes-insectes devenaient aussi vulnérables qu'une tortue retournée sur le dos. Le roi s'élança aussitôt pour aider le prédateur à mettre à mort le tyran. Stellan l'intercepta en lui assenant un violent coup d'aile qui le fit rouler plus loin. Onyx ne vit que les yeux rouges du dragon fonçant à vive allure sur sa poitrine. Il fit tout de suite partir des serpents électrifiés de ses paumes. Ils explosèrent sur le museau du monstre, qui rétracta aussitôt le cou en rugissant.

Sans perdre une seconde, Onyx bondit vers l'empereur tout en guettant la réaction du dragon. Ce dernier se frottait la tête dans l'herbe, comme pour apaiser la douleur sur les écailles de son nez. Le roi assista alors à un curieux spectacle. L'animal qui avait attaqué l'empereur était une panthère noire. Ces félins ne fréquentaient pourtant pas le centre du continent. On les retrouvait surtout sur les berges de la rivière Sérida, au Royaume de Jade... La panthère tentait désespérément d'enfoncer ses crocs entre deux sections de carapace de l'homme-insecte, tout en le maintenant difficilement au sol avec ses puissantes pattes. Amecareth se débattait en émettant des cliquetis qui devaient sans doute être des ordres pour Stellan.

Le roi d'Émeraude chargea ses mains, cherchant à viser l'intérieur du coude de l'empereur. Ce dernier replia les bras pour se débarrasser du carnassier, qu'il parvint finalement à rejeter plus loin au moyen d'une décharge d'énergie. La panthère poussa une plainte aiguë et se traîna plus loin. Onyx se retrouva de nouveau seul devant l'immense coléoptère, qui essayait de se relever. Il le bombarda sur-le-champ de rayons variés. Ils ricochèrent de toutes parts, risquant de mettre le feu à la prairie. Amecareth se mit finalement à genoux. « Comment Lassa pourra-t-il le tuer si moi je n'y arrive pas ? » s'énerva le roi.

Il se sentit saisi par le dos de sa cuirasse et soulevé de terre, accroché à la patte du dragon. Dans l'autre, Stellan tenait la panthère. La pauvre bête ne semblait pas en état de se défendre. Onyx n'était même pas certain qu'elle soit encore vivante. C'était donc à lui de faire quelque chose, avant que le reptile ne monte jusqu'aux nuages pour les laisser retomber.

Onyx avait heureusement pris possession d'un corps jeune et agile en la personne de Farrell. Il balança ses jambes et les ramena au-dessus de sa tête, les croisant fermement autour de la patte du dragon. En sentant sa proie bouger, Stellan baissa son long cou. Onyx lança aussitôt un rayon incandescent qui lui effleura l'oreille. Le reptile perdit de l'altitude en grondant de colère. Incapable de se dégager, le renégat bombarda ensuite l'abdomen de son ravisseur. Le dragon se rapprochait dangereusement de la rivière Amimilt. « Je préfère tomber dans l'eau que sur la terre ferme », décida le roi, en poursuivant le pilonnage des écailles plus molles du ventre de Stellan.

Écorché par les tirs enflammés, le dragon se mit à battre irrégulièrement des ailes, puis piqua carrément vers le sol. En réponse aux prières du roi, il s'écrasa dans la rivière, relâchant ses proies. Onyx se hâta de nager vers la berge, pour éviter que son uniforme de cuir et son épée l'entraînent vers le fond. Stellan se laissa flotter, les ailes ouvertes, comme s'il laissait la fraîcheur de l'eau le soulager des brûlures qu'on venait de lui infliger. Le courant l'entraîna lentement vers le Royaume de Rubis.

Onyx cessa de se préoccuper de lui. Il pensait plutôt à l'empereur, qui était resté sur la plaine et qu'il devait neutraliser à tout prix. Il allait se dématérialiser lorsqu'il entendit un gémissement dans les roseaux. La panthère lui avait sauvé la vie. Il se devait de mettre fin à ses souffrances pour la remercier. Malgré la lassitude de ses jambes et une atroce douleur au dos, il se rendit jusqu'à l'endroit d'où provenaient les lamentations. Il sortit son épée de son fourreau trempé et l'utilisa pour écarter les quenouilles. À sa grande surprise, ce n'était pas un félin qui gisait dans l'eau, mais une femme aux longs cheveux noirs. Elle portait une étrange tunique sombre qui lui collait à la peau. C'était une chose d'achever un animal souffrant, mais un être humain ? Même lorsqu'il avait participé à la première invasion, Onyx n'était jamais parvenu à abattre ses soldats blessés mortellement pour leur éviter des souffrances inutiles.

Il rengaina son épée, souleva la femme dans ses bras et la transporta sur la terre ferme. Son corps était lacéré un peu partout, et elle perdait énormément de sang. Il la déposa sur un lit de mousse, où elle ouvrit subitement les yeux. Ses traits étaient ceux d'une Jadoise.

– Ne le laissez pas vivre, gémit-elle.

– Qui êtes-vous ? D'où vous vient ce pouvoir de vous transformer en animal ?

– Je suis Anyaguara...

Onyx n'avait pas entendu ce nom depuis cinq siècles, mais il faisait partie d'une vieille légende que les mères racontaient à leurs enfants pour les forcer à rentrer à la tombée du jour... Les sorcières étaient des créatures redoutables que les rois avaient refoulées au pied du Royaume des Esprits.

– Laissez-moi et allez tuer le seigneur de la destruction, le supplia-t-elle.

Il hésita. Cette femme, aussi dangereuse soit-elle, lui avait sauvé la vie. Il n'allait certainement pas la laisser mourir au bout de son sang. Il appliqua donc les mains sur ses blessures pour les refermer. Cela apaisa immédiatement les douleurs d'Anyaguara.

– Au fond, vous et moi sommes pareils, déclara-t-elle. Notre puissance ne provient pas du même endroit que celle des Immortels. Vous avez eu accès aux pouvoirs d'un dieu.

Elle voulut caresser la griffe, qui se mit à gronder.

– Vous avez, comme moi, trouvé le secret de la longévité, poursuivit-elle en étudiant son visage.

– Serez-vous capable de rentrer chez vous ? la coupa Onyx.

– Ce n'est pas mon destin.

– Cet insecte est bien trop fort pour vous.

– Je l'ai affaibli. Pouvez-vous en dire autant ?

Onyx ravala son commentaire. Cette créature enchantée n'avait certainement pas besoin de sa protection. Il disparut sans rien ajouter.

Lorsqu'il reprit forme sur la plaine où il avait affronté l'empereur, il ne le trouva pas ! Utilisant ses sens magiques, il scruta la région, la côte, ainsi que tout l'intérieur du continent, sans repérer sa trace. Sans son dragon, où pouvait-il être allé ?

31

UN PEU DE RÉCONFORT

Tout à fait inconsciente de la menace qui pesait sur le continent dans le futur, Kira attendit que Lazuli se remette de la morsure du serpent avant de reprendre la route. Ces quelques jours de répit leur permirent de faire davantage connaissance. Assis à l'ombre d'un palmier et entourés d'un écran magique qui bloquait le passage aux insectes, aux scorpions et aux ophidiens, ils bavardaient presque toute la journée.

Lazuli confia à la Sholienne ses pensées les plus intimes sur sa famille, son village et l'avenir des Enkievs. Il fit aussi l'éloge de son père, qui lui manquait beaucoup. Le jeune Gariésor avait appris de lui tout ce qu'il savait sur l'univers, les dieux, la chasse, la culture du sol, la guérison et la vie.

– Tout le monde le consultait, car il possédait un savoir immense, ajouta-t-il. Dans ces moment-là, je m'assoyais près de lui et je l'écoutais parler. C'était un homme extraordinaire.

– Je pensais justement la même chose de vous...

Lazuli baissa timidement la tête et garda le silence pendant un moment.

– Est-ce que je ressemble à cet être cher que vous avez perdu ? fit-il enfin.

– D'une certaine façon, mais il y a en vous une audace dont Sage n'a jamais fait preuve. Vous la léguerez à plusieurs de vos descendants.

Ne voulant pas s'étendre davantage sur le sujet, Kira indiqua qu'il leur faudrait bientôt partir.

– La saison des pluies approche, annonça-t-il en humant le vent du sud. Nous ne pourrons nous abriter nulle part dans cette région désertique.

– Ne vous en faites pas. Là où nous allons, il y a des...

Elle s'arrêta, confuse. Aucun de ses souvenirs des contrées qu'elle avait connues ne s'appliquait à cette époque. En réalité, elle ignorait ce qu'elle trouverait à Zénor.

– Je suis certain que nous rencontrerons des Bordiers, et qu'ils nous accueilleront avec bonté, affirma-t-il d'un air confiant.

– Merci de me rassurer.

Elle se blottit dans ses bras et y resta toute la nuit. Au matin, elle se dégagea sans le réveiller. Elle s'agenouilla sur le bord du bassin naturel, au centre de l'oasis, et but quelques gorgées en utilisant le creux de ses mains. Il y avait bien longtemps qu'elle ne s'était pas purifiée et l'étang ne semblait pas très profond. Elle retira donc sa tunique, son pantalon et ses bottes, puis se risqua dans l'eau. Cette dernière était fraîche et sentait si bon...

Kira marcha sur le fond d'argile jusqu'à ce que l'eau lui atteigne les épaules. Elle rassembla son courage, prit une profonde inspiration et submergea sa tête pour débarrasser ses cheveux violets de la poussière et de la sueur. Le bruit d'un plongeon lui arracha un cri. Elle fendit la surface miroitante en imaginant le pire, mais trouva le visage souriant de Lazuli près du sien.

– Vous ne craignez pas l'eau ? s'étonna-t-elle.

– Pourquoi aurais-je peur de cette substance magique qui permet la vie ?

Il n'avait évidemment pas la moindre goutte de sang insecte dans les veines.

– Mon mari n'aimait pas se baigner.

Elle ne lui parla pas de ses propres réserves concernant les ablutions. Lazuli nagea comme un poisson autour d'elle. Il essaya plusieurs fois de l'entraîner avec lui vers le centre de la mare, mais elle résista et finit par sortir de l'eau.

– Je ne voulais pas vous déplaire, s'excusa son compagnon d'aventure, en la rejoignant sur le sable.

– Ce n'est pas votre faute si je ne nage pas très bien.

– Je croyais que les dieux savaient tout faire.

– Contrairement à ce que les Enkievs prétendent, je ne suis pas une déesse, bien que mon ascendance soit un peu céleste.

– Expliquez-vous.

Il s'allongea près d'elle pour se laisser sécher au soleil. Tout comme Onyx, il n'éprouvait aucune gêne à se prélasser sans ses vêtements.

– Mon grand-père maternel est un dieu, et ma mère est un maître magicien, avoua-t-elle.

– Et du côté de votre père ?

– Je n'ai pas vraiment envie d'en parler.

Il prit sa main et l'embrassa avec douceur.

– Vous savez que je ne vous jugerai pas, insista-t-il.

– C'est ce que vous croyez ?

– Votre père était-il de la même couleur que vous ?

– Oui... en dessous de sa carapace.

– Carapace ? répéta Lazuli.

Il s'assit, incapable de cacher sa surprise.

– Mon père est un énorme scarabée sans pitié, et mon grand-père paternel devait lui ressembler en tous points.

– C'est difficile à concevoir...

– Arrêtons d'en parler, d'accord ?

– Soit. Mais un jour, j'aimerais que vous me fassiez suffisamment confiance pour m'expliquer comment votre mère a pu s'éprendre d'un être si éloigné de nous.

Sur ce point, Lazuli différait tout à fait du Roi d'Émeraude. Pour lui montrer à quel point elle appréciait sa délicatesse, Kira l'embrassa sur les lèvres. Elle sentit aussitôt la passion s'emparer de son corps. Après la mort de Sage, elle ne s'était intéressée à aucun autre homme. Il y avait si longtemps qu'elle n'avait pas été ainsi aimée. Elle sentit fondre sa résistance tandis que les baisers du jeune Enkiev devenaient de plus en plus fiévreux. Mais pouvait-elle vraiment lui promettre une relation qui ne durerait que jusqu'à son retour chez elle ? Elle savait pertinemment qu'elle ne pourrait pas ramener dans le futur l'ancêtre de son défunt mari sans changer l'histoire d'Enkidiev.

Avec regret, Kira repoussa doucement son prétendant. Elle décela la déception dans ses yeux pâles.

– Je ne suis qu'un mortel, c'est cela ? se désola-t-il.

– C'est encore plus compliqué, Lazuli. Que se passera-t-il si je trouve la façon de retourner dans mon monde ?

– Alors vous m'aurez donné quelques lunes de bonheur.

La Sholienne le fixa avec hésitation. Armène lui avait souvent répété, lorsqu'elle était petite, que la vie était courte et que les humains avaient l'obligation d'en profiter au maximum, sans toutefois quitter le droit chemin. Or Kira était veuve. En vertu de la loi, elle pouvait prendre un second époux. Et Lazuli ressemblait tellement à Sage qu'elle vivrait certainement un autre grand amour auprès de lui.

– J'ai connu la peine déchirante d'un cœur qui a perdu sa raison de vivre, hoqueta-t-elle.

Il l'étreignit avec force pour la réconforter.

– Moi aussi, chuchota-t-il à son oreille. J'ai beaucoup souffert à la mort de mon père.

Il la laissa pleurer sur son épaule pendant un moment. Lorsqu'elle se fut apaisée, il lui tendit ses vêtements en lui disant qu'une longue marche leur ferait du bien. Il remplit les gourdes d'eau pendant qu'elle s'habillait. « C'est une décision difficile à prendre », se découragea-t-elle.

Ils ne quittèrent le Royaume de Fal que quelques jours plus tard et arrivèrent devant l'imposante rivière Mardall. Les relents de fumée avaient été remplacés par une odeur de soufre, annonciatrice d'orages. Lazuli admirait le paysage sans se presser.

– De l'autre côté, ce sera le Royaume de Zénor et, plus au nord, celui de Cristal, lui apprit Kira.

– Le grand lac est-il encore loin ?

– Nous ne l'atteindrons pas avant la prochaine lune.

– Dans ce cas, je suggère que nous construisions un abri et que nous attendions la fin de la saison des pluies.

Cette période de l'année durait au moins trois lunes. Kira ne répondit pas tout de suite. Elle considéra cette solution pendant qu'ils marchaient sur la rive, à la recherche d'un endroit où le courant de la rivière était moins fort. Ils trouvèrent un tronc d'arbre tombé en travers du cours d'eau. Ce dernier n'était pas très large, mais la Sholienne préféra ce franchissement périlleux au moutonnement des vagues.

Lazuli passa devant elle et lui tendit la main. Sur son visage apparut alors le sourire sadique d'Onyx. « C'est une malédiction », ne put s'empêcher de penser Kira en serrant fortement ses doigts. Elle avait épousé son premier mari en croyant qu'il était Sage pour s'apercevoir, après sa nuit de noces, qu'il était possédé par le renégat. Lazuli était à la fois Sage et Onyx !

À son grand soulagement, elle atteignit enfin l'autre rive. Ils aboutirent entre deux affluents de la rivière Mardall, ce que la Sholienne considéra hasardeux, puisque les pluies gonflaient souvent les cours d'eau. Lazuli la rassura aussitôt.

– Ce n'est pas dangereux quand on sait choisir son abri, affirma-t-il. Mon peuple habite aussi près d'une rivière. Il a construit le village sur un petit plateau que les crues ne peuvent jamais atteindre.

– Je ne me suis jamais vraiment intéressée à la géographie, avoua-t-elle honteusement.

– Moi non plus. C'était surtout une question de survie.

Ils passèrent le reste de la journée à chercher un promontoire sur lequel ils bâtiraient un abri temporaire. Le terrain était inégal à Zénor, mais le jeune Enkiev ne voyait rien qui lui offrirait la sécurité qu'il désirait offrir à la déesse.

– Je crois pouvoir vous aider à ma façon, annonça Kira qui voyait descendre le soleil.

– Vous pouvez faire bouger la terre ? la taquina Lazuli.

– Si vous saviez...

Elle tourna sur elle-même pour évaluer l'endroit. Il y avait à l'ouest un massif de vieux chênes qui trônaient comme des rois au confluent des deux cours d'eau. Kira utilisa ses sens magiques et découvrit également de gros rochers au sud. Elle ferma les yeux et leur commanda de venir à elle.

Lazuli étouffa un cri d'effroi en voyant les pierres géantes approcher par la voie des airs. Toutefois, contrairement à ce qu'il craignait, elles ne s'écrasèrent pas mais se posèrent en douceur à proximité des arbres.

– C'est vous qui les dirigez ? souffla-t-il, admiratif.

– Vous n'avez rien vu, le taquina-t-elle à son tour.

Une fois que tous ses matériaux de construction furent arrivés, elle les disposa de façon à obtenir une petite butte plus haute que son compagnon de voyage.

– Et comment y accéderons-nous ? fit-il.

Avec des rayons incandescents, elle sculpta de petites marches dans le roc.

– Vous êtes renversante !

Il grimpa sur la plateforme de fortune pour en tester la solidité, et constata avec surprise que même un torrent ne la déplacerait pas.

– Que vous faut-il ensuite ? demanda Kira.

– Vous, bien sûr.

Elle le rejoignit sur le terre-plein, contente de son travail. Curieusement, elle n'était pas aussi épuisée que lorsqu'elle avait construit des ponts, jadis.

– Savez-vous aussi charpenter le bois ? voulut-il savoir.

– Parce que vous croyez que je vais tout faire seule ?

L'espièglerie qu'il capta dans ses yeux violets le fit rougir de plaisir. Ils remirent cependant la fabrication de leur refuge à plus tard, car il allait bientôt faire nuit. Pour rendre leur sommeil plus confortable, Kira fit lever de la forêt un tourbillon de feuilles, qui se déposèrent autour d'eux.

– Je n'ai plus aucun doute sur votre identité, confessa Lazuli.

Il étendit sa couverture sur ce matelas végétal et Kira utilisa la sienne pour les couvrir tous les deux. Elle se pressa contre le Gariésor encore ébloui, ressentant aussitôt sa chaleur. S'ils devaient passer trois lunes à cet endroit, elle finirait bien par céder à ses avances. Mais Lazuli se montra très respectueux cette nuit-là, se contentant de la protéger dans ses bras. Ils n'échangèrent plus une seule parole. Cela aurait été bien inutile, puisqu'ils savaient déjà ce qu'ils ressentaient l'un pour l'autre.

En fermant les yeux, Kira se remit à songer à Sage. Les guerriers qui habitaient désormais les grandes plaines de lumière pouvaient-ils voir ce qui se passait dans le monde des vivants ? Si oui, l'Espéritien savait-il qu'elle était sur le point de donner son cœur à un autre homme ? Elle se serra davantage contre Lazuli en s'efforçant de ne plus y penser.

32

L'angoisse de l'oubli

De l'autre côté de l'océan, un millier d'années plus tard, le nouveau favori d'Amecareth n'aurait pas pu en vouloir à Kira de poursuivre sa vie avec courage, car il se souvenait de moins en moins de la sienne. Lentement mais sûrement, le sang noir que l'empereur avait fait boire à Sage le transformait en homme-insecte. Son apparence physique n'avait pas vraiment changé, mais sa façon de penser n'était plus du tout la même.

Ses souvenirs s'étaient effacés les uns après les autres, malgré tous ses efforts pour les conserver. Non seulement ne reconnaissait-il plus les noms qu'il avait gravés sur les parois de sa grotte préférée, mais il n'arrivait même plus à les lire. Les images de son passé s'envolaient comme des papillons. Il répétait encore un mot, le seul qui ne s'était pas échappé de sa mémoire : « Kira ». Il lui arrivait même de ne plus savoir ce qu'il représentait. En le répétant, il revoyait un sourire sur des lèvres violettes, une larme sur une joue mauve, une pupille verticale...

Il ne reconnaissait pas non plus les petits animaux qu'il avait façonnés dans de la pierre malléable et du bois provenant de la plage. Il passait des heures à les étudier au creux de sa main, perplexe. Que représentaient-ils ? Il n'en avait plus la moindre idée.

Son rythme de vie avait considérablement ralenti. Il ne ressentait plus le besoin de faire quelque chose de particulier durant ses heures de veille. Il ne voulait même plus s'échapper d'Irianeth. Les jours se succédaient et se ressemblaient sans que cela l'effraie... jusqu'à l'arrivée d'Aubèrone.

Amecareth lui avait confié le petit dragon rouge pour l'occuper tandis qu'il dévastait le continent des humains. L'empereur ne désirait pas voir mourir son héritier, qu'il affectionnait de plus en plus. Pour cette raison, il ne l'exposait pas aux armes de la vermine qu'il entendait bien conquérir, cette fois-ci. Il y avait aussi le danger que Sage fléchisse en revoyant des gens qu'il avait connus. Amecareth avait travaillé trop fort à noircir le cœur de l'hybride pour que ce dernier lui échappe aussi bêtement.

Le bébé monstre grossissait à une vitesse effarante. Il réclamait sans cesse de la nourriture, sans se soucier des habitudes de sommeil de son maître. Sage ignorait à quel âge ces bêtes commençaient à se nourrir elles-mêmes. De toute façon, les ailes sur le dos d'Aubèrone ne lui permettaient pas encore de s'élever dans les airs. Il sautillait sur ses longues pattes et grimpait partout grâce à ses griffes. Un matin, Sage l'avait même trouvé suspendu au plafond de son alvéole !

Aubèrone était aussi d'un tempérament indépendant. Il ne venait vers la main nourricière que lorsqu'il avait faim. Le reste du temps, il s'occupait seul, fouinant dans tous les coins de la ruche. Sans doute s'entraînait-il instinctivement à la chasse, en poursuivant tout mammifère qui osait s'introduire dans le palais de l'empereur par ses petites fenêtres. Toutefois, il ne s'éloignait jamais longtemps de Sage, au cas où il aurait un petit creux.

Les premiers jours, le dragon avait adopté la routine de son maître, dormant la nuit et le suivant partout durant la journée. Mais, bien rapidement, il imposa son propre rythme à

Sage, préférant dormir lorsque le soleil était haut dans le ciel et jouer dès qu'il commençait à se coucher. L'hybride avait tenté de corriger cette situation, en vain. Aubèrone obtenait toujours ce qu'il voulait.

Le ciel était couvert, ce jour-là. Sage était couché à plat ventre sur le bord de la falaise et observait la migration des troupeaux de femelles dragons sur la plage. De l'autre côté de cet océan sans fin, l'Empereur Noir était parti chercher Kira.

– Si je pouvais au moins me rappeler son visage, soupira-t-il.

Aubèrone dormait, roulé en boule, dans la petite caverne qui avait servi de refuge à Sage à son arrivée à Irianeth. Il était inutile de tenter de le réveiller. Son maître s'était trop souvent fait griffer en tentant de lui imposer de la discipline.

– Kira, murmura Sage.

Aucune image ne se forma dans son esprit. Pourtant, il ressentait une étonnante émotion lorsqu'il prononçait son nom, comme si elle représentait toute sa vie...

Un bruit de galopade lui fit tourner la tête. Quelque chose avait effrayé son petit dragon, qui fuyait vers la falaise.

– Aubèrone, attention ! s'alarma Sage, sachant qu'une chute du haut pic entraînerait la mort de l'animal incapable de voler.

La jeune créature, maintenant aussi grosse qu'un chien, lui sauta sur le dos et lui mordit une oreille. Sage roula sur le côté pour éviter qu'il s'en prenne aussi à sa nuque. Il planta son regard dans celui du dragon et comprit qu'il voulait simplement jouer.

– Depuis quand es-tu aussi actif en plein jour ?

Aubèrone se serra contre sa poitrine en se lamentant.

– Tu as fait un cauchemar, devina son maître. Moi aussi, il m'arrive d'en faire.

Le dragon rouge étira son long cou jusqu'à ce que sa petite tête se positionne devant le visage de Sage, puis émit de longs sifflements. Il avait rêvé que Stellan avait enlevé l'hybride dans ses griffes et qu'il l'avait laissé tomber dans l'océan après lui avoir arraché la tête.

– Cela pourrait fort bien m'arriver un jour, commenta Sage. Stellan ne m'aime pas du tout.

Aubèrone frotta son museau dans le cou de son maître. Heureusement, ses petites cornes étaient encore molles !

– Je sais que toi, tu m'aimes, même si tu te conduis de façon bien égoïste, parfois.

Sage lui gratta doucement les oreilles, le faisant ronronner.

– Moi, je rêve souvent à des lieux dont je ne me souviens pas. Je vois des visages qui ne me disent rien.

Aubèrone ne l'écoutait plus. Rassuré, il fermait lentement les yeux.

– Je n'ai pas grandi ici, alors ce sont peut-être mes parents ou, du moins, mes gardiens. L'empereur refuse de me parler de ma première vie. Pourtant, je ne le quitterais pas, même s'il m'en racontait de petites parties.

Cette accalmie ne dura pas longtemps. Aubèrone se mit bientôt à réclamer de la nourriture. Pensant qu'il allait dormir tout l'après-midi, Sage n'avait rien apporté.

– Je n'en ai pas ici, mais...

Le petit animal bondit sur ses pattes et se mit à pousser des hurlements de colère.

– Arrête ça tout de suite ! lui ordonna Sage.

Il allait ajouter que des languettes de viande saignante l'attendaient dans leur cellule, mais le dragon le prit de court. Il pivota sur lui-même et galopa en direction de la profonde fissure dans la montagne, qui donnait accès aux pouponnières. Découragé, Sage le suivit, croyant qu'il se rendait de lui-même à leurs quartiers. Il avait à peine mis le pied à l'intérieur qu'il entendit les cris d'effroi des femelles de l'empereur. Comprenant que son dragon venait de faire une bêtise, Sage s'élança en direction des alvéoles. Il s'arrêta net en apercevant Aubèrone qui poussait un œuf dans le tunnel avec son nez.

– Il est vraiment temps que tu apprennes qui est le maître ! rugit l'hybride.

Il bondit en direction du petit animal à la vitesse d'un félin et le saisit par le cou, juste en dessous de sa tête triangulaire. Aubèrone cria et battit des ailes pour se dégager. Sage passa l'autre bras autour de son corps et le pressa contre lui jusqu'à ce qu'il arrête de se débattre, à bout de forces. Une des femmes d'Amecareth s'approcha alors prudemment et reprit son œuf. Sage la suivit du regard : il vit le reste de la couvée éparpillée sur le sol. Il observa le travail des femelles, qui resserraient délicatement les œufs les uns contre les autres. Heureusement, aucun ne semblait cassé.

Convaincu que son animal favori n'avait causé aucun dommage irréparable, Sage poursuivit son chemin jusqu'à sa cellule. Il déposa durement Aubèrone sur la caisse de bois et mit les mains sur ses hanches, le regard brûlant. Si le petit dragon ne saisissait pas toujours les mots qu'utilisait son maître, il savait déchiffrer son langage corporel. Il comprit tout de suite que l'hybride était fâché.

Aubèrone se coucha en boule et cacha sa tête sous son étroit poitrail, un geste de soumission qui n'échappa pas à Sage. Ce dernier attendit sa prochaine réaction, mais la petite bête demeura immobile.

– La prochaine fois, je te rendrai aux Midjins !

Un frisson parcourut les écailles écarlates du dragon, mais il ne bougea pas. Sage se laissa tomber sur sa couche, découragé. Tout à coup, il se sentit bien démuni devant la tâche colossale que représentait l'éducation d'une bête de combat. Aubèrone lui atteignait pour l'instant les genoux, mais bientôt, il aurait la taille de Stellan. Il devait donc trouver une façon de se faire obéir.

L'hybride se coucha sur le dos pour réfléchir à son engagement. L'empereur avait pourtant semblé si sûr de lui, lorsqu'il lui avait confié cet animal.

– Tu es de la couleur du rubis..., répéta Sage. Mais où ai-je déjà entendu ce mot ?...

Son incapacité à se rappeler son passé le faisait terriblement souffrir. Il entendit le bruit des griffes de son dragon qui venait de sauter à terre, mais n'eut pas le courage de le sermonner davantage. Aubèrone se dressa sur ses pattes arrière et posa celles de devant sur le bord du lit. Émettant des plaintes étouffées, il chercha à faire pénétrer le bout de son museau entre les doigts de Sage.

– Je n'aime pas me fâcher contre toi, Aubèrone, mais tu passes ton temps à me désobéir.

Il sentit la langue rêche lui lécher l'intérieur de la paume.

– Tu n'es qu'un petit enjôleur, va...

Aubèrone se propulsa aussitôt sur le lit et se blottit contre Sage en ronronnant.

– Quand tu seras grand, nous partirons ensemble à la recherche de Kira, murmura son maître en fermant les yeux.

33

Au pied du mur

La vague de destruction qui déferlait sur le monde des dieux créa une grande panique. Ressentant la terreur de leurs semblables, dieux et déesses convergèrent sur la rotonde de leur chef suprême. Parandar était assis sur son trône de marbre blanc, immobile comme une statue. Son esprit suivait la progression meurtrière d'Akuretari dans son royaume, tout en revivant les événements qui avaient mené à son exil.

Les véritables auteurs de l'univers étaient Aiapaec et Aufaniae, les principes masculin et féminin. Ils avaient créé une multitude de mondes à leur image, puis étaient devenus pure lumière afin de veiller à leur équilibre. Ils avaient confié la bonne marche du panthéon à leurs trois enfants : Parandar, Theandras et Akuretari, des dieux inférieurs, certes, mais en qui ils avaient aveuglément confiance. Les choses avaient bien fonctionné pendant des milliers d'années, jusqu'à ce que leur benjamin sombre dans l'ennui.

Pour faire plaisir à sa femme, Parandar avait façonné une planète, en plus d'installer sur l'un de ses continents un paradis de fleurs. À la demande de Clodissia, il y avait ensuite déposé de douces créatures humaines. Jaloux du pouvoir de son frère, Akuretari avait alors tenté lui-même quelques enchantements dans le plus grand secret. Mais il avait vite constaté que leurs parents n'avaient pas divisé leurs pouvoirs de façon égale entre leurs rejetons. Akuretari ne parvint qu'à faire naître des êtres sans cervelle, qui ne pouvaient même pas obéir à un commandement très simple. À son grand désespoir, ces bêtes ailées s'étaient également mises à se reproduire, si bien qu'il ne fut bientôt plus capable de les cacher dans les vastes territoires célestes.

Parandar se rappela la douloureuse décision qu'il avait dû prendre face à l'indiscipline de son jeune frère. Aiapaec n'avait accordé qu'à son aîné le droit de créer la vie. Akuretari avait donc enfreint la loi. Incapable de se résoudre à le mettre à mort, Parandar avait plutôt choisi d'exiler Akuretari à tout jamais, ainsi que les dieux qui l'avaient encouragé à commettre ce sacrilège. Le chef du panthéon était loin de se douter qu'une éternité dans un gouffre sans fin représentait un bien plus cruel châtiment que l'exécution.

Il fit apparaître devant lui une large glace, sur laquelle se profila aussitôt le gavial, avançant sans se presser en direction du pavillon circulaire. Akuretari avait décidé d'adopter la forme primitive des premiers dieux afin de narguer son aîné. Toutefois, rien n'intimidait Parandar, qui régnait sur le ciel depuis des milliers d'années. Il remarqua également les blessures sur le poitrail de son frère : ou bien elles étaient récentes, ou bien elles étaient d'origine divine, car elles ne se cicatrisaient pas.

Les divinités grimpèrent les marches et se précipitèrent entre les larges colonnes blanches. Elles se prosternèrent devant leur chef, effrayées. La plupart se mirent à trembler davantage en apercevant l'alligator sur le miroir magique.

– Fais quelque chose, le supplia Sauska. Il a déjà fait disparaître Lanta, Crolyn, Vetsev, Withem et Podra !

– Il ne pourra pas entrer ici, répondit calmement Parandar.

– Tous les dieux ne sont pas encore arrivés, protesta Ialonus. Et si les autres ne peuvent pas nous rejoindre, ils seront certainement assassinés.

– Akuretari ne tue que ceux qui se trouvent sur sa route. C'est moi qu'il cherche.

– As-tu l'intention de l'affronter ? demanda Theandras, en contournant le trône de marbre.

– Je n'en sais rien encore...

– Il est évident qu'il ne partira pas avant d'avoir exercé sa vengeance, l'avertit Hunhan.

Clodissia repoussa les voiles blancs qui masquaient l'entrée de sa chambre. Parandar contempla son visage lunaire. Jamais il ne l'avait vue si inquiète. Elle demeura immobile, ses longs cheveux blonds touchant presque le sol se mêlant aux innombrables plis de sa tunique dorée.

– Il ne partira pas, annonça-t-elle à son mari.

– Ses blessures sont graves, dit-il pour la rassurer. Je ne crois pas qu'il y survive.

– Il possède encore toutes ses capacités.

Clodissia avait raison. Akuretari était l'un des héritiers des plus puissants maîtres de l'univers. S'il n'avait pas reçu de ses parents la faculté de créer des êtres pensants, il n'en demeurait pas moins un dieu redoutable, malgré les profondes lésions qu'il avait subies.

– Nous pourrions tenter de le raisonner, suggéra Theandras.

– Je ne compterais pas trop là-dessus, rétorqua la déesse Shushe. Si j'avais été jetée dans un gouffre sans fond et que j'avais réussi à m'en échapper, je n'aurais certainement pas envie de bavarder avec celui qui m'a infligé une peine pareille.

– Voyons d'abord ce qu'il fera, trancha Parandar.

– À condition qu'il ne prenne pas une autre vie, s'opposa Theandras.

Le dieu suprême attendit que le gavial se soit rapproché des marches menant à son palais avant de créer un mur d'énergie destiné à lui barrer la route. Akuretari émit un grondement sonore en se heurtant à cet obstacle invisible. Sans perdre une seconde, il se mit à bombarder l'écran de protection avec de fulgurants éclairs qui sortaient de ses griffes.

Clodissia se rapprocha peureusement de Parandar. Elle savait que son époux se donnait des airs de bravoure uniquement pour ne pas provoquer d'affolement parmi les dieux. Elle prit doucement sa main et l'appuya sur sa joue aussi douce que de la soie.

– Ne le laisse pas détruire notre monde, murmura-t-elle.

Au grand soulagement de son entourage, Parandar se leva. Il embrassa Clodissia sur le front, puis se dirigea vers les longues marches qui donnaient accès à la rotonde. À travers le voile brumeux du champ d'énergie qu'il avait élevé autour de son palais, il distingua la forme monstrueuse de son frère.

– Aucun de vous ne survivra ! hurla Akuretari.

– Lorsqu'une pomme menace de contaminer toute la récolte, il faut la jeter, se contenta de répliquer le chef des dieux.

– Tu t'arroges des privilèges que ne t'ont jamais octroyés Aiapaec et Aufaniae ! Ils t'ont confié la garde de cet univers ! Ils ne t'ont jamais donné le droit d'y faire régner la justice !

– Ils m'ont ordonné de faire tout ce qui était nécessaire pour y préserver la paix.

– Pas de me bannir !

– Si tu ne retournes pas volontairement dans le gouffre où je t'ai jadis enfermé, cette fois c'est ta vie que tu perdras.

Au lieu de s'attaquer au bouclier de protection divin, Akuretari projeta ses éclairs flamboyants dans le sol moelleux au pied de l'escalier. La foudre courut le long des marches et toucha les pieds du chef des dieux. Il fut projeté à l'intérieur du pavillon circulaire, où il s'écrasa brutalement sur le dos. Theandras sentit défaillir les pouvoirs de son frère. Croyant qu'il était de son devoir d'intervenir, elle se tourna vers les divinités terrifiées.

– Si nous joignons nos forces, nous pourrons maintenir la cloison magique qui empêche Akuretari de pénétrer dans le palais, les encouragea-t-elle.

– Elle a raison ! la seconda Kunado.

Alors que les dieux alimentaient le mur d'énergie, Theandras se pencha sur Parandar, en même temps que Clodissia. Le chef du panthéon secoua la tête et tenta de se redresser sur ses coudes. Il était évident qu'il souffrait, même s'il s'efforçait de le leur cacher.

– Où a-t-il acquis cette puissance ? grommela-t-il.

Les deux femmes le ramenèrent sur son trône. Clodissia posa la paume sur son chiton, à la hauteur de sa poitrine.

– Non, protesta son mari, tandis qu'elle lui insufflait sa propre force vitale.

La dernière charge d'Akuretari secoua durement la rotonde. Parandar écarta la main de la déesse.

– Même si vous me donniez tous votre énergie, cela ne suffirait pas, leur apprit-il. Rien ne freinera la rage meurtrière du dieu déchu.

– Pour chaque problème, il y a une solution, énonça Theandras. Je suis certaine que tu la connais.

– J'ai exécuté le seul Immortel qui fabriquait des armes capables d'anéantir un dieu.

– Même s'il était encore parmi nous, il n'aurait certainement pas le temps d'en créer une autre, déplora Clodissia. Le bouclier d'énergie s'affaiblit rapidement.

La déesse de Rubis ne le savait que trop bien.

– Certains humains se sont appropriés trois de ces armes, se rappela-t-elle.

Un large sourire apparut alors sur son visage.

– Nous sommes sauvés, ajouta-t-elle.

Des flammes montèrent de ses pieds à sa tête et elle s'évapora pour retourner chez elle. Elle se dressa devant la vasque de marbre, à la surface de laquelle elle pouvait voir ce qui se passait dans le monde des hommes. Elle n'eut plus qu'à penser à celui qui les tirerait avec vaillance de ce mauvais pas.

– Viens, j'ai besoin de toi, lui ordonna-t-elle.

34

Le plus terrible des sacrifices

Pendant que les Elfes, les Fées et les soldats d'Argent défendaient leurs territoires respectifs, et que les hommes-lézards massacraient les coléoptères sur les collines de Cristal, les Chevaliers d'Emeraude se précipitèrent à Zénor pour tenter de repousser l'envahisseur. Wellan dispersa ses troupes au nord du château, devant les ruines de l'ancienne cité. Les scarabées argentés étaient presque arrivés à leur hauteur.

Les sept commandants de l'armée magique crièrent leurs ordres. Kevin resta derrière son groupe, mais il savait qu'il pourrait bientôt enlever le bandeau qui lui cachait les yeux, car le soleil se couchait sur la mer, obscurcissant les longues plages de galets. Ce fut cependant le groupe de Bergeau qui essuya la première charge, car ses hommes s'étaient avancés devant les vestiges des fondations zénoroises pour mieux se mouvoir. Ils visèrent tout de suite les yeux des insectes, mais se heurtèrent rapidement à leurs javelots acérés. En grondant de rage, Bergeau saisit la lance du coléoptère qui s'était planté devant lui et lui donna un solide coup de pied au milieu de la cage thoracique. Elle craqua comme un œuf ! Suffoquant et pris de convulsion, son adversaire s'écrasa sur le sol. Le Chevalier transmit aussitôt sa découverte à ses frères d'armes par télépathie.

Dans le groupe de Chloé, Swan utilisa immédiatement cette nouvelle méthode et défonça la poitrine de tous les scarabées qui arrivaient à l'entrée de l'ancienne cité. Jenifael jugea préférable de ne pas imiter son maître, puisque les muscles de ses jambes n'étaient pas aussi puissants. Elle se contenta de crever les énormes yeux des insectes cliquetants, en se jurant toutefois d'utiliser le feu si la situation devait tourner au désavantage des Chevaliers.

Bientôt, le bruit devint insoutenable sur la plage. Jasson se concentrait tant bien que mal afin d'ignorer les sifflements stridents, les claquements de mandibules, le choc métallique des épées de certains de ses compagnons contre les lances de l'ennemi, ainsi que les encouragements retentissants de Bergeau. Il aurait aimé surveiller les progrès de son groupe, mais le nombre croissant d'insectes ne lui permettait pas de jeter le moindre regard derrière lui.

De son côté, Dempsey se battait en silence, évaluant avec angoisse l'envahissement de cette portion de la côte. Il remarqua rapidement que les soldats impériaux ne tentaient pas à tout prix d'atteindre la falaise, comme les imagos l'auraient fait. Ils s'arrêtaient pour affronter les humains, et ils savaient se servir de leurs lances. Près de lui, Indya, son Écuyer, se battait de manière intelligente. Dempsey n'avait donc pas besoin de se soucier de lui. Il l'avait bien formé et, de toute façon, rien n'empêcherait les dieux de le reprendre si telle était leur volonté.

Comme à son habitude, Chloé préférait utiliser la magie pour défaire les scarabées. Elle levait des tourbillons de petits cailloux autour des coléoptères qui, surpris, suivaient la trajectoire des projectiles volants. Elle laissait alors Coralie les achever avec des rayons incisifs lancés directement dans leurs yeux globuleux. Chloé se battait aussi vaillamment que ses compagnons lorsqu'un effroyable pressentiment de danger lui serra de plus en plus l'estomac. Les Chevaliers d'Émeraude avaient essuyé des revers au fil des ans, mais elle avait l'impression que, cette fois-ci, ils subiraient d'importantes pertes.

Elle n'était pas la seule à entrevoir une issue funeste à ces combats. Dans le groupe de Jasson, Ariane captait un curieux bourdonnement qui n'émanait pas des hommes-insectes. Elle devait sans cesse chasser de ses pensées l'image du visage troublé de Kardey. Son époux remuait les lèvres, comme pour lui dire quelque chose, mais elle n'entendait pas ses paroles. L'ancien capitaine était devenu une Fée, mais il ne maîtrisait pas suffisamment les communications télépathiques pour entretenir une conversation avec elle... La pointe d'un javelot déchira la manche de sa tunique et entailla la peau de son épaule, la ramenant aussitôt à sa dangereuse réalité. Elle répondit à cet assaut par un violent coup de pied.

Santo, qui habituellement préférait rester en retrait des combats afin de guérir les blessures, se battait maintenant avec fougue. Loin derrière lui, dans le Royaume d'Émeraude, sa femme s'efforçait de rester en vie afin qu'ils aient un jour une vie de famille. Il savait qu'il devait stopper cette invasion à cet endroit même. Il n'aimait pas les tactiques déloyales, mais il n'avait plus le choix. L'Empereur Noir avait dépassé les bornes. Tout comme les autres commandants, il n'avait cependant pas le loisir de veiller sur ses hommes. En frappant durement l'ennemi, il récitait donc les prières qu'il avait apprises à Fal.

Les Chevaliers et leurs Écuyers défendaient leur continent sans se soucier de leur propre sécurité. Ils frappaient les coléoptères avec force, conscients que si ces derniers réussissaient à pénétrer plus avant dans les terres, ils anéantiraient la race humaine.

Le groupe de Wellan luttait férocement. Même Lassa multipliait les charges magiques pour abattre autant de scarabées qu'il le pouvait. Il n'avait pas le temps de voir ce que faisaient ses amis apprentis, mais il sentait leur courage au fond de son cœur. Les guerriers argentés continuaient malgré tout à arriver comme s'ils poussaient du sol. « Peut-être devrions-nous appeler les hommes-lézards à notre secours », songea-t-il en s'efforçant de demeurer près de Wellan.

Contrairement au porteur de lumière, Bridgess avait vidé son esprit de toute pensée, négative comme positive. Elle était absorbée par son devoir de protectrice d'Enkidiev et détruisait sans sourciller tout ce qui portait une carapace. Elle combattait entre Milos et Rainbow, qui commençaient à se décourager. Leurs bras se fatiguaient, malgré la force divine que leur avait prodiguée Abnar. Ils ne savaient que trop bien que les armées des royaumes voisins étaient occupées à chasser des imagos et qu'elles ne pourraient pas leur venir en aide. Le soleil allait bientôt toucher l'eau et les scarabées avaient, comme Kevin, une vision parfaite dans le noir, ce qui n'était pas le cas des Chevaliers. Ces derniers pourraient certes se servir de leurs sens magiques, mais que feraient-ils contre autant de guerriers ?

Même s'il voulait donner l'exemple à ses soldats, Wellan ne pouvait pas lancer de rayons incandescents avec ses paumes, où étaient incrustées les spirales enflammées. Il devait donc utiliser son épée pour crever les yeux de ses adversaires, ou défoncer leur carapace avec ses bottes. C'était un travail exténuant, mais il ne se résoudrait jamais à perdre cette bataille.

En écartant la lance d'un scarabée, il pensa à sa femme et à sa fille, qu'il voulait emmener à vivre sur une ferme, dans la campagne d'Émeraude. Bridgess et Jenifael apprendraient en même temps que lui à travailler la terre pour en tirer leur subsistance et, le soir, ils liraient ensemble.

Viens, j'ai besoin de toi, s'exclama soudain une voix de femme dans son esprit. Il n'eut pas le temps de se demander si ce message le concernait ou s'il était adressé à l'un de ses compagnons par une de leurs sœurs d'armes. Un reflet lumineux sur la carapace de son ennemi l'aveugla tout à coup. Il éprouva alors une cuisante douleur à l'abdomen. Avant qu'il ne comprenne ce qui lui arrivait, il sentit ses forces l'abandonner. Il vit sa main lâcher son épée, puis le javelot planté dans sa cuirasse.

Wellan chancela sur ses jambes, cherchant désespérément à conserver son équilibre. Les scarabées passaient de chaque côté de lui sans se soucier qu'il se tienne toujours debout. Ils savaient qu'il ne représentait plus la moindre menace pour l'empire. Incapable de lutter plus longtemps contre le vertige, Wellan s'écrasa sur le dos. Lassa ne vit pas la lance qui avait transpercé son maître, mais Cassildey, lui, avait assisté à toute la scène. Il s'élança, bousculant les combattants et hurlant de rage. Il s'attaqua à tous les scarabées qui avançaient vers son maître pour les empêcher de lui marcher sur le corps.

Hadrian comprit alors ce qui se passait. *Wellan est blessé ! Repliez-vous !* ordonna-t-il. *Formez vos vortex et rendez-vous sur la falaise !* Des tourbillons étincelants apparurent un peu partout sur la plage. Hadrian parvint à se rendre jusqu'au chef des Chevaliers et le souleva dans ses bras. Kevin, maintenant libéré de son bandeau, lui donna un coup de main. Ils transportèrent immédiatement Wellan dans le maelström de Falcon.

Fidèle à lui-même, Cassildey ne se plia pas aux ordres du Roi Hadrian. Il continua à frapper les coléoptères en les invectivant. Puis, au bout d'un moment, il constata qu'il était le seul humain sur le champ de bataille. Il évita de justesse la pointe acérée d'une lance et reçut un violent coup à la mâchoire qui faillit lui faire perdre conscience. Un autre insecte tendit la main vers lui avec l'intention de planter ses griffes dans sa gorge. Cassildey s'esquiva et chercha à se dématérialiser, mais il reçut un autre coup derrière la tête, ce qui l'empêcha de se concentrer suffisamment pour se servir de sa magie. Il baignait dans un océan d'ennemis qui cherchaient à le tuer, et il n'arrivait pas à disparaître !

Il se sentit alors empoigné par-derrière et fit volte-face pour se défendre. Les yeux pâles du Roi d'Émeraude arrêtèrent net son geste.

– Ne vous enseigne-t-on pas à obéir ? lui reprocha Onyx en lui saisissant le bras.

Les deux hommes disparurent à l'instant même où trois scarabées allaient leur enfoncer leur javelot dans le corps. Ils se matérialisèrent sur la falaise, où tous les Chevaliers entouraient déjà leur chef tombé au combat. Hadrian et Santo étaient agenouillés de chaque côté de Wellan, tandis que Bridgess caressait ses cheveux en lui transmettant une vague d'apaisement.

– Si nous retirons cette lance, il mourra, hoqueta Santo, impuissant.

– J'ai déjà été blessé de la même façon et Farrell m'a sauvé, leur rappela Falcon.

Ils n'eurent pas besoin d'appeler l'ancien maître de magie. Suivi de Cassildey, Onyx se frayait déjà un chemin au travers des Chevaliers et des Écuyers. Sans consulter qui que ce soit, il passa une main lumineuse sur la poitrine du blessé pour poser son propre diagnostic. Son expression s'assombrit, ne laissant présager rien de bon.

– Faites quelque chose, le supplia Bridgess, le visage baigné de larmes.

– Je n'ai pas peur de mourir..., lâcha Wellan dans un souffle.

Il avait perdu tellement de sang que sa peau blanchissait à vue d'œil.

– Mais j'aurais aimé mettre fin à cette guerre..., regretta-t-il.

– Nous les exterminerons tous ! explosa Bergeau, le cœur en pièces.

Wellan parvint à tourner doucement la tête vers Santo.

– Rappelle-toi ta promesse...

Le guérisseur glissa sa main entre les doigts ensanglantés de son meilleur ami et les serra avec force. Assis sur ses talons, Onyx demeurait silencieux et morose. Il avait vu tellement d'hommes rendre l'âme...

– Où est Jenifael ? murmura Wellan.

– Je suis ici, papa, s'étrangla l'adolescente, qui pleurait à chaudes larmes.

Hadrian la plaça devant lui, pour qu'elle soit le plus près possible du grand Chevalier, qui avait du mal à respirer.

– Ne sois pas triste, l'implora Wellan.

– J'en encore besoin de tes conseils et de ton amour...

– Ta mère et la déesse veilleront sur toi, ma petite chérie. Où est Lassa ?

Aussi blême que son maître mourant, l'apprenti tremblait près de Santo.

– Ne crains rien... Sire Hadrian achèvera ta formation...

La gorge serrée par un étau de chagrin, le porteur de lumière fut incapable de lui dire à quel point il était effrayé de le voir partir. Malgré sa grande force physique, Wellan sentait la vie le quitter lentement. Il fit un ultime effort pour s'adresser aux siens.

– Mes frères, mes sœurs, protégez Enkidiev...

– Nous ne laisserons pas l'empereur nous déloger, affirma Onyx.

– Bridgess...

– Je suis là.

Elle se pencha pour l'embrasser sur les lèvres, une dernière fois. Il lui sourit et s'immobilisa. Les dieux venaient de l'aspirer dans leur monde. À la surprise de tous, Jasson poussa un cri de rage, arracha la lance du corps de son chef et ami et la projeta dans la marée de coléoptères qui se massaient au pied de la falaise.

– Il faut ramener son corps à Émeraude et lui rendre un dernier hommage, décida Chloé, agenouillée au pied de la dépouille.

– Non, s'opposa Bridgess. Ce n'est pas ce qu'il aurait voulu.

– Il aurait voulu que nous poursuivions les combats, l'appuya Dempsey.

– Incinérons-le ici, sur ces terres où il a si souvent combattu, proposa Falcon.

– Il n'y a rien pour faire un bûcher, lui fit remarquer Bergeau.

– Reculez, les pria Jenifael.

Les soldats hésitèrent, mais lorsqu'ils virent Bridgess obéir à l'enfant, ils en firent autant. Jenifael s'enflamma et se coucha sur le cadavre de son père, le serrant dans ses bras comme lorsqu'elle était petite. Les Chevaliers et les Écuyers assistèrent en silence à ce grand départ.

L'apparition d'un vortex derrière eux les fit soudain sursauter. Ils eurent à peine le temps de se retourner que le tourbillon lumineux disparaissait déjà.

– Qui était-ce ? s'énerva Bergeau, en cherchant les aînés des yeux.

Un rapide décompte lui indiqua qu'il s'agissait de Jasson. Mais où était-il donc allé ? Bergeau craignit qu'il ne soit retourné seul au combat. Il courut sur le bord de la falaise, mais ne vit pas se reformer le vortex sur la plage. Toutefois, il constata avec horreur que les insectes avaient trouvé le sentier creusé dans la falaise. Dempsey se posta près de lui.

– Il faut les empêcher d'atteindre le plateau, dit-il, la voix chargée de colère.

– Et de façon permanente, ajouta Bergeau.

Onyx se joignit à eux.

– Il suffit de leur bloquer le passage, lança-t-il.

– Avec quoi ? s'enquit l'homme du Désert. Il n'y a pas de rochers ni d'arbres morts sur cette falaise.

– Nous avons tout ce qu'il nous faut dans la citadelle en ruines.

Sur ces mots, le Roi d'Émeraude déplaça les premiers blocs grâce à ses facultés de lévitation. Ils volèrent dans les airs et vinrent obstruer l'étroit chemin.

– On pourrait utiliser la même méthode pour broyer les carapaces de l'ennemi, suggéra Dempsey.

– Dès que Wellan sera parti, s'étrangla Bergeau.

Ils retournèrent auprès du brasier pour se recueillir une dernière fois. Tandis que le corps du grand Chevalier se consumait, Abnar apparut près de Lassa.

– Mon... sire..., hoqueta le porteur de lumière.

– Je sais, répliqua l'Immortel sans manifester la moindre émotion. Je l'ai senti de très loin. Il est en route pour le monde des dieux, et rien de ce que je pourrais faire ne le ramènera. Si tu ne veux pas subir le même sort, je dois tout de suite te mettre à l'abri.

– Où étiez-vous lorsqu'on avait besoin de vous ? s'écria Nogait en apercevant le Magicien de Cristal.

Au lieu de lui répondre, Abnar disparut avec Lassa.

– Non ! protesta Cassildey.

Hadrian vit l'expression sur le visage d'Onyx passer de la tristesse à la rage.

– Maître Abnar sait ce qu'il fait, le défendit l'ancien Roi d'Argent.

– Aucun Immortel ne m'a prouvé que je pouvais lui faire confiance ! rugit son ami.

– Lassa doit demeurer en vie si nous voulons mettre fin à cette guerre.

– Je possède cent fois la puissance de cet enfant, et je ne suis pas arrivé à tuer l'empereur !

Alors qu'ils débattaient de la nécessité de rattraper l'Immortel et de lui reprendre le porteur de lumière, Bridgess assistait passivement à la crémation de son époux. Il avait été un mari parfait, un amant exceptionnel et un père attentif. Personne ne pourrait jamais le remplacer dans son cœur. Si elle-même survivait à cette guerre, il lui faudrait aider Jenifael à supporter sa peine.

Santo l'observait depuis un petit moment. Le courage de cette femme le fascinait. Elle venait de perdre l'amour de sa vie et déjà elle entrevoyait son avenir, ainsi que celui de sa fille. Santo avait fait une promesse à Wellan, et les Chevaliers ne donnaient jamais leur parole à la légère. Il ne pouvait certes pas épouser Bridgess, puisqu'il avait déjà uni sa vie à celle de Yanné, mais rien ne l'empêcherait de veiller sur elle.

Lorsque le corps de Wellan fut réduit en cendres, Jenifael fit disparaître les flammes qui émanaient du sien, puis se tourna vers sa mère. Bridgess fut incapable d'ouvrir la bouche pour la rassurer. L'adolescente se réfugia dans ses bras en pleurant. Toute parole était inutile, car sa mère savait exactement ce qu'elle ressentait.

Pour mettre fin à la discussion orageuse entre Hadrian et Onyx, Swan proposa d'une voix forte d'aller anéantir l'armée d'Amecareth avant que la nuit ne les enveloppe complètement. Dempsey et Bergeau expliquèrent aussitôt à leurs compagnons la stratégie de leur monarque. Chevaliers et Écuyers se précipitèrent sur le bord de la falaise et commencèrent à détacher les pierres des fondations de la citadelle. Les plus habiles d'entre eux les soulevèrent, puis les laissèrent tomber sur les scarabées. C'était un exercice exténuant, mais qui assouvissait en partie leur besoin de venger la mort de leur chef.

Bientôt, l'obscurité envahit totalement la plage, mais cela n'empêcha pas les hommes-insectes de chercher une façon de pénétrer dans le Royaume de Zénor. Or les Chevaliers n'avaient plus la force de redescendre sur la plage pour les affronter en combat singulier.

– Ils vont tenter de contourner la falaise par le sud, les informa Kevin, qui épiait les échanges de cliquetis.

– Puisqu'ils voient dans le noir, comme toi, ils ne s'arrêteront pas jusqu'au lever du soleil, déplora Nogait, à bout de forces.

– Il n'y a pas d'accès à Zénor du côté du Désert, leur rappela Chloé.

– Elle a raison, l'appuya Wanda. Cette falaise se poursuit jusqu'au Royaume de Fal.

– Nous profiterons donc de leur inexpérience pour dormir cette nuit, trancha Santo. Car sans sommeil, aucun de nous ne pourra combattre demain.

Sa calme autorité surprit tout le monde. Sans attendre que ses frères suivent sa suggestion, Santo alluma un feu magique et s'assit sur le sol. Après un moment d'hésitation, son groupe le rejoignit, ainsi que celui de Wellan. Hadrian fit la même chose, non loin, avec sa troupe, tout comme Dempsey et Chloé. Bergeau rallia le reste des soldats.

– Il nous faut un plan, lança Bailey.

– S'ils ne comprennent pas leur erreur avant demain, ces insectes périront par leur propre faute, affirma Wanda.

Bridgess, qui d'ordinaire était un fin stratège, gardait le silence. Le regard perdu dans les flammes bleutées, elle n'écoutait même pas ce que disaient ses compagnons. Sa fille était serrée contre elle, inconsolable.

– Demain, nous irons les écraser, peu importe où ils se trouvent ! maugréa Bergeau.

– S'ils sont dans le Désert, ce sera encore plus facile, raisonna Onyx. Il suffira de les confiner sur le sable et de les regarder mourir.

– Mais le dragon ? se souvint Nogait.

– Je n'ai pas réussi à le tuer, mais je l'ai blessé, tout comme l'empereur.

– Tu as encore affronté Amecareth sans aide aucune ? s'étonna Swan.

– En fait, une créature m'a donné un coup de main. Une panthère.

Lorsque le Roi d'Émeraude prononça le nom d'Anyaguara, plusieurs des Chevaliers eurent une réaction de crainte.

– C'est une sorcière, expliqua Onyx. Elle déteste les hommes-insectes tout autant que nous.

– Où est l'empereur ? s'alarma Chloé.

– Je n'en sais rien. Le dragon nous a enlevés, et lorsque j'ai réussi à me libérer et à retourner sur la plaine où je l'avais laissé, il avait disparu.

– Il possède une puissante magie, indiqua Dempsey. Il était peut-être encore là, mais masquait sa présence.

– Je sais que c'est une discussion importante, mais est-ce qu'on ne pourrait pas trouver quelque chose à manger ? les interrompit Rainbow.

Onyx ferma les yeux. Soudain, des mets en provenance des Royaumes d'Opale, de Diamant, de Rubis, de Jade, de Béryl, de Turquoise et de Perle apparurent devant les soldats affamés. Le monarque subtilisa aussi au Roi de Fal plusieurs urnes de son excellent vin rouge. Les Chevaliers se sustentèrent en se remémorant les derniers événements de la journée, souhaitant tous secrètement que Wellan fût encore parmi eux.

Lorsqu'il vit que Bridgess ne mangeait rien, Santo alla s'asseoir près d'elle.

– J'ai la gorge trop serrée, murmura-t-elle.

Épuisée, Jenifael s'était endormie à ses côtés, roulée en boule comme un petit chat.

– Je comprends ta tristesse mieux que quiconque, chuchota Santo. Je sais fort bien qu'elle ne te quittera jamais. Cependant, il faut continuer à vivre pour prendre soin de ceux que nous aimons et qui sont toujours de ce monde. Lorsque tu auras repris courage, il faudra bien que ton corps soit capable de suivre ton esprit.

Bridgess le contempla avec fascination.

– Pourquoi me regardes-tu ainsi ? s'inquiéta-t-il.

– Depuis que je suis toute petite, je vois une étrange lumière autour de toi. Est-ce cette puissante énergie de guérison qui viendra à bout de ma résistance ?

« L'aura des âmes sœurs ? » s'étonna Santo. Le premier choc passé, il crut lui aussi distinguer autour de la tête de la femme Chevalier un reflet qui ne provenait pas du feu. Mais ce n'était pas le moment de la chagriner davantage.

– Peut-être bien, choisit-il de répondre. Maître Abnar a accru mes facultés de guérisseur lorsque nous étions sur l'Île des Lézards.

Ce n'était pas la seule chose remarquable qui s'y était produite, mais il décida de ne pas lui parler de la promesse qu'il avait faite à son ami. Ce fut en fait Hadrian qui lui épargna ces confidences. Voyant que les esprits s'étaient calmés mais que les apprentis étaient encore fébriles, l'ancien souverain décida de leur raconter une histoire, celle de son père, le Roi Kogal d'Argent.

– C'était un grand homme, aussi habile avec l'épée qu'avec la plume.

Les soldats déposèrent leurs écuelles. Santo constata avec soulagement que Bridgess grignotait un fruit, même si elle avait beaucoup de difficulté à avaler.

– Il était très grand et bien bâti, poursuivit Hadrian. Sa stature imposait le respect, mais ses manières étaient suaves et sa voix savait rendre justice aux plus beaux poèmes de son siècle.

Onyx se coucha sur le côté, déposant sa joue dans sa main, le coude appuyé sur le sol encore chaud. Contrairement aux autres, il avait déjà entendu cette histoire. Swan se pressa contre lui, curieuse. Onyx observa son profil qui se découpait sur les flammes. C'est à elle qu'avait ressemblé Nemeroff...

– Kogal n'avait que des amis, même parmi les Fées et les Elfes, poursuivit Hadrian. Il affectionnait tout particulièrement ces derniers et, s'il n'avait pas été promis à une princesse humaine, il aurait épousé l'une de leurs filles. À cette époque, les rois se visitaient souvent entre eux. Après la première invasion, ils furent forcés de reconstruire leurs pays respectifs et n'eurent plus le temps de voyager. Le Roi des Elfes lui avait donné un prénom dans sa langue : il l'appelait Driance, ce qui signifie « fils de l'océan ». Ce fut à compter de cette époque que les animaux marins firent partie de nos emblèmes.

Hadrian leur parla aussi de l'amour que lui avait voué la déesse Cinn. Kogal était ainsi devenu le père d'un Immortel, mais il ne put jamais voir son enfant, car cela était contraire aux règles célestes. Il avait donc tenté de l'imaginer et il peignait sans cesse son visage, tel qu'il le voyait, sur des peaux de chèvre.

Lorsque l'ancien monarque acheva ce récit, sans exploit militaire ni grand coup d'éclat, la moitié des Chevaliers et des Écuyers s'étaient assoupis. Onyx ne s'en étonna pas. Il connaissait l'effet pacificateur de la voix de son vieil ami. Avant que la lune ne soit haute dans le ciel, toute l'armée dormait. Seul le Roi d'Émeraude n'arrivait pas à fermer l'œil. Il finit par se lever et alla se poster sur la falaise.

L'astre du soir éclairait les flots. Il n'y avait plus aucune trace des scarabées ni sur les galets, ni dans les ruines de

Zénor. Le renégat les chercha par conséquent avec ses sens magiques : ces imbéciles marchaient toujours vers le sud.

Les bras de Swan lui entourèrent alors la taille. Elle s'appuya dans son dos et embrassa sa longue chevelure noire.

– Pourquoi n'as-tu pas sommeil ? bâilla-t-elle.

– Je pensais à l'histoire d'Hadrian. Moi aussi, je serai forcé d'imaginer le visage qu'aurait eu mon fils s'il avait pu se rendre à l'âge adulte.

– Je croyais que tu étais attaché à tous nos enfants de la même façon. Ce n'est pourtant pas toi, mais Farrell, qui a conçu Nemeroff.

– J'avais un faible pour ton aîné, car il te ressemblait beaucoup. Il était intelligent, impétueux et incisif.

– On dirait plutôt ta description à toi, le taquina Swan.

– Il aurait été un roi magnifique.

– Il n'aurait jamais régné, puisque tu n'as pas l'intention de mourir avant des siècles.

Cette boutade lui arracha un sourire.

– Les dieux ne m'ouvriront pas les portes qui donnent accès aux grandes plaines de lumière, alors aussi bien rester ici, soupira-t-il.

– Ne te fais plus de souci pour Nemeroff. Il a une autre vie à vivre là-haut, et nous ne pouvons plus le guider. Je l'embrasserai pour toi lorsque mon tour sera venu de quitter ce monde.

– Parce que tu crois que je te laisserai partir ?

Il pivota et étreignit sa femme avec force.

– Je t'enseignerai la magie qui permet à une âme de choisir un autre corps, chuchota-t-il à son oreille.

Puis, avant qu'elle lui explique que cette pratique allait à l'encontre des lois naturelles, il l'embrassa avec passion.

35

Le grand saut

Tout comme Abnar, Fan avait réussi à contenir suffisamment la colère des volcans du sud pour éviter qu'ils ne détruisent les Royaumes de Jade et de Béryl. Elle allait seconder Danalieth au nord lorsqu'elle entendit la voix de Theandras. Le maître magicien écouta attentivement ses ordres. Fan faisait partie des serviteurs des dieux et leur devait obéissance. Si le ciel était en danger, elle devait se porter à son secours.

Elle quitta le monde physique et se matérialisa dans l'antichambre que tous les trépassés devaient traverser pour se rendre aux portes de la vie éternelle. La déesse de Rubis lui avait demandé de conduire le prochain mortel qui franchirait le portail jusqu'au palais de Parandar. Fan se planta donc sur l'allée de gravier blanc pour l'y attendre.

Wellan avait ressenti une grande souffrance dans les derniers instants de sa vie, puis la douleur était soudainement disparue. Il se sentit aspiré vers le ciel, léger comme une plume. L'ascension ne dura pas longtemps, mais elle lui apporta beaucoup de réconfort. Il vit autour de lui les visages de tous les gens qu'il avait aimés : Élund, Burge, Émeraude Ier,

Cameron, Buchanan... Ils souriaient et lui recommandaient de rester calme. Pourtant, le Chevalier ne s'était pas senti aussi bien depuis des années.

Il vit alors une étrange porte en forme d'arche qui flottait dans le vide. Une mystérieuse force semblait le pousser vers elle. L'inconnu n'avait jamais effrayé cet homme de son vivant. Il ne résista donc d'aucune façon à cette attraction. Lorsqu'il arriva devant la porte, il constata qu'elle était protégée par une membrane tendue. Il y avait de la lumière de l'autre côté, mais le matériau diaphane ne lui permettait pas de distinguer ce qui s'y cachait.

Wellan tendit la main et s'étonna de la voir pénétrer sans difficulté dans la mince pellicule, sans même l'endommager. Sa curiosité l'emportant, il fonça dans la porte. Il se retrouva alors sur un palier de verre, relié à un escalier qui descendait dans l'obscurité.

Il se retourna pour examiner la membrane. Celle-ci ne portait aucune trace de son passage. Elle semblait tout autant éclairée de l'intérieur que de l'extérieur, et pourtant, c'était le noir de l'autre côté. Le tour de la porte en demi-cercle semblait incrusté de joyaux qui émettaient une lumière dorée. Ce qui frappa le plus Wellan, c'est que cette construction n'était rattachée à aucun mur. Elle semblait plutôt plantée dans le plancher transparent.

– Mais quel est cet endroit ?

– C'est l'antichambre de la mort, lui répondit une voix de femme.

Le Chevalier fit volte-face. Au pied de l'escalier de verre venait d'apparaître Fan de Shola.

– J'ai été atteint à la poitrine, se souvint-il.

Il baissa les yeux, mais sa cuirasse verte était intacte.

– Je ne comprends pas...

– Dans cet univers, tout est parfait, lui expliqua l'Immortelle.

Wellan descendit prudemment les marches. Elles semblaient si fragiles qu'il craignait qu'elles ne se brisent sous ses bottes.

– Bien des pieds les ont foulées, le rassura Fan.

– Tous les défunts passent par cette porte ?

– Absolument tous.

Il marcha sur le fin gravier immaculé et l'entendit crisser sous ses semelles. Tout semblait si réel. De chaque côté du sentier se dressaient de grands arbres de cristal, dans lesquels on pouvait voir la pulsation de la sève bleutée.

– Où est l'entrée des grandes plaines de lumière ? demanda le Chevalier.

– Plus loin par là, au bout du sentier. Mais ce n'est pas là qu'on m'a demandé de vous emmener. La déesse Theandras a besoin de vous.

– De moi ? Pourquoi ? Je ne suis qu'un simple mortel.

– Il s'agit apparemment d'un problème que vous seul pouvez régler. Malheureusement, elle ne m'en a pas dit davantage.

– Pourquoi n'est-elle pas venue me chercher elle-même ? Elle a ce pouvoir, non ?

– Je n'en sais rien, Wellan. Je ne questionne jamais les commandements des dieux. Venez.

Elle tourna les talons en lui faisant signe de la suivre. Même dans l'au-delà, elle continuait de se déplacer comme un fantôme, en douceur et en silence. Wellan lui emboîta le pas sans pouvoir s'empêcher de ressentir un certain malaise. Il ne voyait rien entre les arbres translucides. Ils semblaient avoir été plantés dans la nuit noire. Soudain, au détour du chemin, il aperçut au loin des portes dorées, gardées par deux entités brillantes qui flottaient au-dessus du sol.

– Elles donnent accès aux grandes plaines, l'informa Fan, qui avait entendu sa question silencieuse. Une fois qu'on y entre, on ne peut plus en ressortir, à moins que Parandar lui-même n'en décide autrement.

– Le Roi Hadrian a pourtant quitté les plaines sans son aide.

– Il s'agissait d'un geste défendu de la part d'un hors-la-loi.

– Danalieth n'est qu'un Immortel, alors comment a-t-il pu accomplir un exploit dont seul le dieu suprême est capable ?

– Vous posez beaucoup de questions auxquelles je n'ai pas de réponses.

Ils passèrent près d'un grand étang sombre, bordé de grosses pierres. Wellan ralentit le pas, croyant percevoir un mouvement à sa surface. Il s'agissait d'images animées ! En reconnaissant le visage de sa fille, il s'arrêta net et se pencha au-dessus de l'eau.

– Jeni ! l'appela-t-il.

Fan se retourna, contrariée de le voir ainsi s'attarder.

– Ne perdons pas de temps, le pressa-t-elle.

Wellan fit la sourde oreille, sidéré par le spectacle qui s'offrait à ses yeux. Il voyait son propre corps, gisant sur le sol, inerte. Jenifael s'enflamma brusquement et se coucha sur sa poitrine pour l'incinérer.

Le grand Chevalier porta les mains à sa cuirasse, qui n'affichait pourtant aucune trace de brûlure.

– Comment puis-je être à deux endroits en même temps ?

– C'est votre corps physique qui se consume.

– Je ne l'ai donc pas transporté avec moi dans le monde des morts.

– Les humains ont tous deux corps. Celui dans lequel vous évoluez maintenant se trouvait à l'intérieur de celui que vous voyez dans l'eau. Il en a été libéré par la mort.

– Pourquoi porte-t-il toujours ma cuirasse ?

– Ce sont vos souvenirs que vous avez apportés avec vous, comme le font tous les disparus. Vous auriez très bien pu arriver ici nu comme un ver, mais, apparemment, vous préférez la guerre.

Wellan ne releva pas le sarcasme.

– Si je tends la main pour toucher cette image, sentirai-je quelque chose ? voulut-il plutôt savoir.

– Pourquoi voudriez-vous faire une chose pareille ?

– Pour caresser la joue de ma fille...

– L'étang révélateur essaie de vous montrer ce qui vous est arrivé afin de satisfaire votre curiosité. Il ne s'agit pas nécessairement du présent. Dans quelque temps, vous ne vous souviendrez plus de tous ces liens qui vous font souffrir.

Le manque d'empathie de la magicienne causa au soldat une douleur encore plus aiguë que celle de la lance qui l'avait tué. Au lieu de la suivre, il prit place sur l'une des pierres plates et continua à observer sa crémation.

– Wellan, il faut nous hâter, insista Fan.

– Vous ne savez même pas ce que veulent vos maîtres, rétorqua Wellan.

Le silence de l'Immortelle lui fit tourner la tête. Il connaissait suffisamment son visage pour deviner qu'elle était fâchée.

– À moins que vous ne le sachiez, mais que, cette fois encore, vous me jugiez incapable de comprendre leurs desseins, soupira-t-il.

– Vous avez été le plus grand de tous les Chevaliers, mais vous avez atteint vos limites.

– Dites à ma bienfaitrice que j'ai besoin de temps pour m'orienter dans ce monde inhospitalier.

– Si vous n'agissez pas bientôt, elle cessera d'exister.

Wellan demeura imperturbable. Il contempla les visages éplorés de sa femme, de sa fille et de tous ses amis, et sentit son cœur défaillir. Il avait quitté les siens bien trop tôt. Qui les dirigerait ? Qui leur insufflerait le courage d'affronter les troupes de l'empereur ?

– Vous avez un autre combat à mener, ici même, lui indiqua Fan.

– Contre mon amertume ?

– Non, contre un dieu déchu.

Wellan se redressa en entendant ce nom.

– Akuretari est à Enkidiev, où il fait sauter les volcans, se rappela-t-il.

– Nous avons réussi à les apaiser, pour finalement constater que le responsable de cette catastrophe avait disparu.

– Il est donc ici.

L'Immortelle eut une seconde d'hésitation, car la déesse ne lui avait pas demandé de fournir toutes ces explications à son Chevalier préféré.

– Seul un dieu peut en détruire un autre, non ? demanda Wellan, confus. Parandar est certainement en mesure de défendre son propre monde contre Akuretari.

– Il n'en a plus la force, avoua finalement la magicienne.

– C'est du dieu suprême dont vous parlez ainsi ?

– Il dirige en effet le panthéon inférieur, mais si...

– Il y a un panthéon supérieur ? s'étonna Wellan. Après toutes ces années passées à nous venir en aide, les Immortels n'ont jamais cru bon de nous parler de cette distinction.

– Vous n'aviez pas à tout savoir.

Dégoûté, le Chevalier s'éloigna de cette reine, qu'il avait pourtant tant aimée. Il marcha le long de l'étang, s'enfonçant dans l'obscurité.

– Wellan, revenez, ordonna-t-elle.

Voyant qu'il ne lui obéirait pas, la magicienne contourna la mare en sens inverse pour lui bloquer la route. Wellan s'immobilisa, sombre et rancunier.

– Aiapaec et Aufaniae dominent la hiérarchie céleste, l'informa-t-elle. Nous ne savons pas si ce sont de véritables personnages ou s'ils sont uniquement les principes masculin et féminin à la base de la création du monde. On nous a appris que Parandar, Theandras et Akuretari étaient leurs héritiers, et qu'ils gouvernaient les dieux secondaires en leur absence.

– Pourquoi sont-ils partis ?

– Nous l'ignorons. On nous a seulement dit que cela faisait des milliers d'années. Maintenant, cessez de faire l'enfant et venez avec moi avant qu'il ne soit trop tard. Si Akuretari réussit à annihiler le panthéon inférieur, ce ne sont pas seulement ce monde, les grandes plaines de lumière et les âmes des défunts qui seront détruits, mais aussi Enkidiev. Il ne restera plus un seul être vivant dans tout l'univers.

Persuadée qu'il le suivrait cette fois-ci, Fan retourna sur le sentier.

– Pourquoi n'utilisez-vous pas vos pouvoirs pour nous matérialiser immédiatement là où vous devez m'emmener ? demanda-t-il.

– Le dieu déchu capterait cette énergie. Il pourrait nous attaquer avant même que nous n'ayons atteint le palais.

Wellan comprit alors qu'il allait être le premier mortel à poser les yeux sur la citadelle céleste.

– Pourquoi moi ? demanda-t-il en marchant sur le fin gravier.

– Parce que vous possédez l'une des armes forgées par Danalieth.

– Tout comme Onyx et la fille du demi-dieu.

– Mais les leurs sont des objets de métal magique qui ne pourraient jamais franchir le portail de l'antichambre des morts.

Le Chevalier baissa le regard sur ses paumes. Ses cicatrices brillaient en effet d'une faible luminosité.

– Elles ne cherchent pas à vous attaquer, remarqua-t-il.

– Danalieth les a ensorcelées pour qu'elles vous défendent uniquement contre les créatures divines qui ont de mauvaises intentions. Malgré ce que vous croyez, je n'ai toujours voulu que votre bien.

Wellan jugea préférable de ne pas commencer une discussion qui risquait de mal se terminer. Il préféra changer de sujet.

– Si Onyx avait trouvé les spirales enflammées avant moi, c'est lui qui vous accompagnerait aujourd'hui, et je serais toujours vivant ?

– Oui, par nécessité. Mais c'est à vous que la déesse aurait tout de même préféré confier cette mission. N'oubliez pas les sentiments particuliers qu'elle a pour vous.

Wellan la suivit en silence, se demandant où menait ce nouveau chemin. Tout à coup, l'obscurité de l'antichambre céda la place à une éclatante lumière. Tout le paysage était immaculé, mais il n'aveugla pas pour autant le nouveau défunt. Il remarqua même, au bout d'un moment, qu'il ressemblait beaucoup à celui d'Enkidiev avec ses plaines, ses montagnes à l'horizon, son ciel et ses nuages, excepté que celui-ci était sans relief, sans vie.

– C'est ici que notre fils a grandi, expliqua Fan.

Il y avait un peu partout de petites huttes, constituées d'un matériau crayeux que le Chevalier n'avait jamais vu de son vivant.

– Il était libre de circuler dans cette partie du royaume de Parandar, mais il n'a jamais été capable d'obéir aux consignes, poursuivit la reine.

– La curiosité intellectuelle n'est pas un défaut, répliqua Wellan.

– Chez un Immortel, elle entraîne la perte de la pérennité.

– Pourquoi les dieux craignent-ils d'accorder un peu d'initiative à leurs serviteurs ?

– Ils ne veulent pas qu'ils se laissent influencer par les idées rebelles d'autres créatures.

– Comme les humains, par exemple ?

– J'imagine que votre besoin viscéral de poser sans cesse des questions finira par disparaître dans votre nouvelle demeure.

À ces mots, Wellan s'immobilisa. Lorsque Fan sentit qu'il avait cessé de la suivre, elle se retourna.

– Je voue à Theandras une adoration sans bornes, mais j'aimerais demander quelque chose en retour de mes services apparemment indispensables.

– L'arrogance aussi vous passera, répondit-elle sur un ton sarcastique.

– Si vous croyez que ma protectrice n'écoutera pas cette requête, alors conduisez-moi plutôt aux portes des grandes plaines de lumière.

Fan se croisa nerveusement les bras.

– Que désirez-vous ? lança-t-elle.

– Si je réussis à débarrasser le ciel du dieu déchu, je veux qu'on me retourne au combat avec mes hommes.

– Votre corps physique a été incinéré, Wellan.

– Parandar ne possède-t-il pas le pouvoir de faire toute chose ?

– Pour reprendre forme dans le monde, il aurait fallu que l'on vous dépose dans un tombeau en pierre, comme on l'a fait pour le Roi Hadrian. Néanmoins, je répéterai vos paroles à la déesse, promit Fan.

Satisfait, Wellan continua son périple dans le monde des Immortels. Lorsqu'il atteignit enfin la frontière du domaine réservé aux divinités, il vit des éclairs au loin et entendit des roulements de tonnerre.

– C'est Akuretari, l'informa Fan. Il cherche à briser le mur d'énergie que les dieux ont élevé pour protéger le palais.

– Allons-y, s'échauffa le guerrier.

Il prit même les devants, sans se rendre compte du regard admiratif que lui lançait à présent l'Immortelle et qui avait remplacé le masque de contrariété qu'elle affichait quelques secondes plus tôt.

36

L'amour d'un enfant

Les habitants du Château d'Émeraude avaient fui dans les différentes grottes, auxquelles menait le tunnel d'évacuation de la forteresse. Bien qu'elles fussent enfouies sous terre, ces cavernes étaient habitables grâce à de petites galeries d'aération. Chacun s'était trouvé un coin pour entasser des vivres et des couvertures, en attendant des nouvelles de la surface. Comme plusieurs autres paysans, Sanya et Catania s'étaient réfugiées au château avec leurs enfants, qu'elles tentaient d'égayer. Quant à elle, Armène avait choisi un enfoncement dans le mur le plus éloigné, de façon à ne pas perdre ses protégés de vue. Elle ressemblait à une poule ne cessant de compter ses poussins, et ces derniers commençaient à en avoir assez de leur immobilité.

– Ne pourrait-on pas au moins se délier les jambes ? gémit Fabian.

Assis près de lui, Atlance était silencieux. Blême, il craignait le retour du monstre au long museau.

– Où pourrions-nous aller, de toute façon ? lança Cameron.

– Le roi m'a donné des ordres, jeune homme, répliqua Armène.

Deux serviteurs offrirent alors à la gouvernante de se poster devant l'unique sortie, afin de s'assurer que les garçons ne quittent pas la grotte. Armène accepta cette solution avec soulagement, car elle n'avait pas envie d'entendre les enfants se plaindre jusqu'à ce qu'on leur permette de retourner dans la tour. Cameron décolla le premier, tout de suite suivi de Fabian et de Nartrach. Atlance préféra rester avec son petit frère Maximilien. Inconscient du danger qu'ils couraient tous, le bambin jouait avec ses petits chevaux de bois. Armène caressa leurs cheveux et les embrassa sur le front, heureuse de garder deux des enfants auprès d'elle.

Les trois garçons se poursuivirent autour des adultes, qui ne se plaignirent pas de cette soudaine activité dans ce lieu inquiétant. Parfois, ils aidaient même l'un d'eux à échapper aux deux autres, qui tentaient de l'attraper. « Qu'ils dépensent leur énergie, se dit Armène. De cette manière, ils me donneront moins de fil à retordre lorsque viendra le temps de les coucher. »

Nartrach participait à ce jeu avec beaucoup de plaisir. Il avait en effet très peu d'occasions de s'amuser avec ses amis depuis la destruction de la tour de maître Hawke. Moins rapide que Cameron et moins rusé que Fabian, Nartrach faisait de son mieux pour les rattraper. Il allait enfin saisir la tunique du demi-Elfe lorsqu'il crut entendre un gémissement. Il s'arrêta net, afin de s'assurer que son imagination ne lui jouait pas des tours. Un autre sifflement le fit sursauter. Pourquoi les adultes ne réagissaient-ils pas ? « Ce doit être dans ma tête, comme lorsque papa et maman me parlent », conclut-il.

Il se faufila entre les groupes de servantes, cherchant la provenance de la longue plainte. Si les affreux imagos avaient trouvé une façon de s'infiltrer dans leur refuge, il était de son devoir de le découvrir et d'en informer les grands. Il s'immobilisa sous une aspérité dans le plafond. En l'observant attentivement, il découvrit qu'il s'agissait d'un étroit tunnel qui menait vers la surface. Un vent frais s'en échappait, ébouriffant ses cheveux noirs. Mais comment grimper là-haut avec un seul bras ?

Il se rappela alors la leçon de lévitation qu'avait eu le temps de leur enseigner le magicien d'Émeraude. « Si je me concentre suffisamment, je pourrais m'élever jusqu'en haut », songea-t-il. Mais qu'arriverait-il si quelqu'un venait le distraire ? Une chute d'une telle hauteur pourrait être fatale. « Et si je ne me tue pas, que je ne fais que me blesser, maman va me punir pour toujours ! »

Un nouveau son aigu résonna dans son esprit. Cette fois-ci, l'enfant l'identifia : c'était Stellan qui appelait à l'aide ! Nartrach n'eut besoin d'aucune autre motivation. Il leva les yeux vers le petit point de lumière au bout de la galerie d'aération et canalisa toute sa puissance magique sous ses pieds. Il se sentit soulevé dans les airs, puis propulsé dans le plafond. Son ascension fut vertigineuse ! En un battement de cil, il se retrouva à l'extérieur, sur un petit monticule au milieu de la forêt, mais laquelle ? Nartrach n'avait jamais quitté le château, pour des raisons de sécurité. Il ne connaissait pas la région.

Il se laissa donc guider par son intuition. Son père lui avait appris à balayer la cour à l'aide de ses sens magiques pour retrouver de petits animaux comme des crapauds, des souris ou des oisillons. Il utilisa la même technique pour repérer son dragon. Il sentit sa présence au nord, sans toutefois être capable d'évaluer la distance qui les séparait.

Nartrach poussa un sifflement strident pour voir si Stellan se trouvait à une distance où il pourrait l'entendre. Ce dernier ne lui répondit pas. Il tenta ensuite de l'appeler avec son esprit, en faisant toutefois attention à ne pas utiliser des mots humains. Il savait que tous les Chevaliers entendaient les communications télépathiques et que plusieurs d'entre eux n'aimaient pas les dragons. Cette fois, la réponse fut instantanée. L'enfant s'élança vers le nord, oubliant que les imagos convergeaient vers la Montagne de Cristal.

Il courut à en perdre haleine, puis décida de se servir de ses facultés surnaturelles. Il lui fallait se presser, car le soleil se couchait et bientôt, il ne pourrait plus s'orienter. Il sonda la région comme son professeur lui avait appris à le faire et capta la présence d'un énorme animal très loin, probablement dans un autre royaume. Il se concentra sur l'image de Stellan et se transporta magiquement jusqu'à lui. Il apparut alors près d'un cours d'eau, ignorant s'il s'agissait de la même rivière qui passait près de chez lui. Il appela à nouveau le reptile et l'entendit gémir. Il était tout près ! Nartrach fonça et trouva Stellan, empêtré dans les roseaux. Il reposait sur le ventre, une aile repliée sur le dos et l'autre dans la rivière.

– Depuis quand les dragons aiment-ils l'eau ? s'étonna l'enfant.

Il s'approcha et aperçut l'écorchure sur le côté de la tête triangulaire du monstre.

– Est-ce que tu t'es battu, toi ? Montre un peu.

Stellan tendit son long cou pour permettre au petit humain de lui venir en aide. Nartrach n'avait rien d'un guérisseur, mais il savait reconnaître une lésion produite par le feu, pour s'être déjà brûlé plusieurs fois. En jouant les grands, il alluma sa paume et la passa sur la blessure. Les petites écailles noires se refermèrent sur la plaie. Stellan se mit à ronronner et frotta sa joue sur la poitrine du gamin.

– On dirait que je passe mon temps à te soigner, dis donc, lui dit-il affectueusement.

Nartrach s'approcha des pattes de l'énorme animal. Elles étaient ligotées par des joncs.

– Mais comment as-tu fait ça ?

L'enfant ne pouvait évidemment pas savoir que le dragon avait tenté de s'accrocher à tout ce qu'il touchait sur le lit de la rivière Amimilt, tandis que le courant l'entraînait.

– Si tu veux que je te libère, il te faudra rester immobile. Je ne suis pas aussi habile que mon père en magie, alors pas un geste.

De toute façon, le dragon était incapable de bouger. Nartrach examina l'enchevêtrement de plantes aquatiques. Il y avait très peu d'espace entre les pattes de Stellan. L'enfant décida tout de même de tenter la délicate opération : il approcha la main et lança un mince rayon incandescent. Sentant ses liens se desserrer, la bête chercha à se redresser.

– Aïe, doucement ! Je suis là, moi !

Il se hâta d'arracher les derniers joncs pour ne pas être écrasé sous le poids massif de l'animal. Stellan remonta sur la berge, traînant son aile droite sur le sol.

– Est-elle cassée ? s'alarma Nartrach.

Épuisé, le reptile se laissa tomber sur le ventre, ce qui permit au garçon de s'approcher de la membrane alaire trempée, qui avait la forme de celles des chauves-souris.

– Je suis désolé, Stellan, soupira-t-il après un examen sommaire. Il fait trop noir pour y voir quoi que ce soit. Le mieux, c'est d'attendre demain matin.

Il alla s'asseoir dans l'herbe, s'appuyant contre l'épaule de son ami écaillé. Même s'il se trouvait au milieu de nulle part, il n'avait pas peur.

– Aucun prédateur n'oserait s'attaquer à un dragon, se rassura-t-il.

Stellan braqua le cou pour observer le visage de l'enfant. Ce dernier aurait pu lui servir de repas, mais même ce terrifiant carnassier savait faire preuve de gratitude. Il émit une succession de petits cris amicaux, puis coucha sa tête sur les genoux de Nartrach.

Ils dormirent jusqu'au matin. Dès qu'il eut les yeux ouverts, le gamin poursuivit son examen du dragon. Il soigna ses plaies au museau et au poitrail, mais ne trouva rien sur l'aile. Elle avait séché durant la nuit et ne semblait pas avoir été écorchée ni brisée.

– Peux-tu la mouvoir ?

La bête la souleva au-dessus de la tête de son sauveteur.

– Pas mal du tout. Es-tu capable de l'agiter comme si tu voulais voler ?

Stellan lui obéit sur-le-champ.

– Éprouves-tu de la douleur quand tu fais ça ?

L'animal émit un sifflement retentissant. Il déploya l'autre aile pour conserver son équilibre. Avec beaucoup de grâce, il les remua de haut en bas et s'éleva doucement dans les airs.

– Tu es magnifique ! s'écria l'enfant, émerveillé.

À sa grande surprise, Stellan saisit le col de sa tunique entre ses dents et le déposa sur son dos. Nartrach serra tout de suite les jambes sur son cou, comme il avait appris à le faire sur la selle d'un cheval. Cependant, les dragons ne portaient pas de bride. Il n'avait aucune idée de la façon de diriger sa nouvelle monture. Stellan n'attendit pas ses ordres. Il continua à monter vers le ciel jusqu'à ce qu'il soit au-dessus des arbres, puis se laissa porter par le vent.

Nartrach savait qu'il y avait plusieurs royaumes entre la Montagne de Cristal et les falaises de Shola, mais il lui était impossible d'en situer les frontières à une telle altitude. Il vit un troupeau de chevaux sombres et comprit que c'était celui de Kira. Le dragon poursuivit sa route vers le nord-ouest, cherchant visiblement quelqu'un ou quelque chose.

Des daims bondirent alors hors de la forêt, se dirigeant rapidement vers la rivière. Aussi silencieux qu'un oiseau de proie, le dragon piqua vers le sol. Nartrach étouffa un cri d'effroi et s'accrocha de sa seule main à la dernière des épines qui servaient de crinière au reptile volant. Il n'eut pas le temps de commander à l'animal de se redresser. Avec ses pattes arrière, Stellan agrippa un retardataire parmi les cervidés. Il lui cassa prestement le cou et le laissa retomber sur la plaine. Content de lui, le dragon effectua un grand arc de cercle avant de se poser près de sa prise. Il lui arracha le cœur, l'avala goulûment, et extirpa le reste de ses organes.

– C'est dégoûtant, gémit Nartrach en fermant les yeux.

La viande crue redonna des forces au prédateur. Il poussa un long sifflement de victoire et prit son envol.

– Un peu de modestie, tout de même, le gronda Nartrach. Ce daim ne t'a même pas vu arriver.

Ils planèrent au-dessus du Royaume d'Opale pendant un moment, puis obliquèrent vers le sud. Ils longeaient les denses forêts des Elfes lorsque leur parvint un flot de cliquetis saccadés. Stellan dressa la tête, tentant de repérer celui qui l'appelait.

– De qui s'agit-il ? demanda l'enfant, inquiet.

Un énorme scarabée sortit soudain de la sylve... ou venait-il tout simplement d'apparaître devant les arbres ? Nartrach n'eut aucune difficulté à le reconnaître : c'était Amecareth en personne !

– Non ! cria le gamin en enfonçant brutalement ses talons dans le cou du dragon.

Stellan reprit de l'altitude. L'Empereur Noir répéta donc son commandement. Instinctivement, l'animal fit demi-tour pour revenir vers lui.

– J'ai dit non ! hurla Nartrach.

L'animal ne savait plus vers qui se tourner.

– Stellan, écoute-moi bien. Tu ne peux pas servir deux maîtres. Tu dois choisir entre lui et moi. Tu es peut-être encore trop jeune pour faire la différence entre le bien et le mal, mais moi, je l'ai appris. Fais-moi confiance. Ce monstre en bas a l'intention de détruire mon monde. Si tu retournes auprès de lui, il exigera que tu me mettes à mort.

Le reptile ne se posa pas devant l'empereur, mais choisit plutôt de voler en rond au-dessus de lui en tentant de prendre une décision. Tellement de mains l'avaient nourri depuis sa naissance... Il se rappelait encore le visage couleur d'océan de Miyaji, ainsi que sa voix aussi douce que le vent. Elle avait disparu lors de leur premier raid sur ce pays recouvert de verdure. Asbeth, puis Amecareth, s'étaient ensuite occupés de lui, mais aucun n'avait fait preuve de la même gentillesse que le petit humain.

– Ramène-nous à Émeraude, je t'en prie, l'implora ce dernier.

Stellan ne connaissait évidemment pas le nom des pays d'Enkidiev. Nartrach fit donc ce que Liam faisait lorsqu'il voulait faire comprendre quelque chose à Pietmah. Il visualisa le château et posa sa main sur les écailles noires. Au grand désarroi du seigneur des hommes-insectes, le dragon s'éloigna. Furieux, l'empereur lança un appel aux Midjins.

Lorsqu'il vit que son nouvel ami le ramenait chez lui, Nartrach poussa un cri de joie et transmit une vague d'amour à l'animal. Ils foncèrent vers la grande montagne qui dominait le continent.

– C'est là que j'habite, indiqua l'enfant au dragon. La dernière fois qu'il y est venu, ton maître a détruit une tour, et dans cette tour, il y avait de petits enfants comme moi. Ils sont tous morts, sauf mes amis Fabian et Atlance.

Stellan écoutait attentivement les babillages de l'enfant. Il ne comprenait pas tous les mots, mais il en captait les émotions. Il poursuivit sa route vers la forteresse comme le désirait son petit maître.

37

La méprise

Jahonne, Amayelle et Hawke s'acquittaient de leur tour de garde sur les passerelles du Château d'Émeraude. Quant à Morrison, il n'avait nullement l'intention d'aller se cacher dans les tunnels avec les autres. Il s'assurait plutôt que les magiciens ne meurent pas de faim et de soif tandis qu'ils surveillaient les alentours. Il leur apportait de l'eau et de la nourriture, en plus de participer aux patrouilles de Jahonne. Lorsque venait le temps pour elle de se reposer, il l'emmenait dans sa maison et l'installait sur son lit. Tout comme Jahonne, il voulait préserver cette place forte.

Hadrian avait annoncé aux deux femmes et au magicien d'Émeraude la mort du chef des Chevaliers en utilisant le mode de communication qui lui avait été enseigné jadis, c'est-à-dire en s'adressant uniquement à eux, et non à tout le monde. Il voulait ainsi éviter que les enfants magiques ne sèment la panique parmi les habitants du château et que ces derniers ne quittent la sécurité des grottes.

Jahonne avait pleuré dans les bras du forgeron, Hawke s'était retiré à la bibliothèque et Amayelle avait préféré se recueillir seule sur la passerelle, accoudée au merlon. Si l'ennemi avait réussi à vaincre Wellan d'Émeraude, il possédait donc la capacité d'éliminer toute son armée. La princesse aimait Nogait, malgré tous ses défauts. Elle le laissait partir à la guerre, car c'était son métier, mais, chaque fois qu'il quittait le palais, elle priait les dieux des Elfes de le protéger. « Qu'arrivera-t-il si les guerriers de l'empereur réussissent à éliminer les Chevaliers ? » se demandait-elle fébrilement. Où les humains pourraient-ils aller pour fuir la tyrannie d'Amecareth ? Les volcans étaient infranchissables. Quant à la Forêt interdite, elle s'étendait au pied de hautes falaises et personne ne connaissait les dangers qu'elle recelait...

Le cœur gonflé de tristesse, la Princesse des Elfes venait à peine de commencer son guet lorsqu'elle perçut une vague menace. Elle ne voyait plus d'imagos dans la campagne. Sans qu'elle se l'explique, ils dépassaient la forteresse sans l'attaquer et continuaient à avancer vers la Montagne de Cristal. Craignant que cela ne fût qu'une diversion, elle s'employait tout de même à ratisser les environs, surtout les abords des remparts. Nogait lui avait raconté que ces larves n'avaient pas peur de l'eau et qu'elles creusaient des tunnels dans le sol. Hésiteraient-elles à descendre dans les douves afin de passer sous des murailles aussi épaisses ?

Un serviteur sortit alors de l'écurie, en sueur, comme s'il avait couru pendant des heures.

– Lady Amayelle ! s'écria-t-il.

– Qu'y a-t-il ? s'alarma la princesse.

– Nartrach a disparu ! Nous l'avons cherché partout dans les grottes et les tunnels !

Un frisson d'horreur secoua la pauvre femme.

– Est-il le seul à manquer à l'appel ?

– Oui, milady.

– Dites à Armène de ne pas s'inquiéter. Nous le retrouverons.

L'homme la salua avec respect et tourna les talons. Amayelle se mit aussitôt à chercher le garçon avec ses sens magiques dans tous les bâtiments de la forteresse. Avait-il pu quitter la cour sans qu'elle ou Jahonne ne s'en aperçoivent ? Elle se tourna vers le chemin qui traversait la campagne d'Émeraude. La silhouette du dragon se dessina dans le ciel !

Sans réfléchir, Amayelle chargea ses mains et lança un rayon en direction du monstre. Stellan l'évita habilement.

– Aïe ! protesta Nartrach.

Les tirs se firent plus rapprochés.

– Arrêtez, c'est moi !

Amayelle ne pouvait évidemment pas l'entendre à pareille distance ! *Ne tirez pas !* s'écria-t-il avec ses facultés télépathiques.

– Nartrach ? s'étonna la princesse.

Comment le dragon avait-il réussi à s'emparer de lui alors qu'il était en sécurité dans les abris souterrains ? Les autres enfants étaient-ils aussi en danger ?

Surtout, ne crains rien, mon petit. Je vais te délivrer, le rassura la princesse. *Mais je ne suis pas prisonnier !* riposta Nartrach. *J'ai sauvé Stellan de la mort et maintenant, il est à moi !* Amayelle dut aussitôt apaiser Nogait, qui, comme tous ses frères, avait entendu cette conversation dans son esprit.

Ce n'était surtout pas le moment d'inquiéter les Chevaliers. *Je vois, ce n'est qu'un jeu !* affirma-t-elle sur un ton enjoué. Heureusement, Nartrach ne répliqua pas.

Les dragons n'avaient jamais été les alliés des humains, d'aussi loin que pouvaient se rappeler les Elfes. L'animal feignait sans doute d'être l'ami de l'enfant afin de se rapprocher de la forteresse. Amayelle n'eut cependant pas le temps de questionner Nartrach : le dragon se posait déjà dans la cour du château !

Épouvantés, les chevaux se réfugièrent dans l'écurie ou défoncèrent les clôtures pour aller se mettre à l'abri dans les jardins du palais. De son côté, Hardjan prit son envol et atterrit sur le balcon des appartements du roi. Stellan toucha brutalement le sol. Ses ailes battantes levèrent un nuage de poussière et renversèrent des charrettes abandonnées par les paysans.

Alerté par le tremblement de terre sous ses pieds, Morrison bondit à la porte de sa maison et empoigna sa hache. Quelle ne fut pas sa surprise de se retrouver devant un immense dragon !

– Par tous les dieux !

Le forgeron leva son arme au-dessus de sa tête et fonça.

– Non ! hurla Nartrach en se laissant glisser sur le sol.

Le gamin se planta devant le reptile, forçant Morrison à s'arrêter.

– Ôte-toi de là ! ordonna-t-il à l'enfant.

– Vous ne comprenez pas ! Il n'est plus notre ennemi !

Amayelle dévala l'escalier et courut se placer entre les antagonistes. Hawke sortit du palais au même instant.

– Morrison, arrêtez ! ordonna la femme Elfe.

– Cet animal est une menace, s'énerva le forgeron. C'est l'empereur qui l'a envoyé pour se débarrasser de nous.

– C'est faux, protesta Nartrach. Stellan vient de choisir entre moi et l'empereur.

– Quoi ? s'exclamèrent en chœur les adultes.

– J'étais en haut dans le ciel, sur le cou du dragon, lorsqu'il l'a appelé. Je l'ai vu sur le sol. Il lui ordonnait de venir le chercher.

– Il aurait pu te tuer, jeune fou, grommela Morrison.

– Justement, j'ai dit à Stellan que s'il retournait vers son maître, il me mettrait certainement à mort. Au lieu de me remettre entre ses mains, il m'a ramené ici.

– Peut-être avait-il uniquement l'intention de te mettre à l'abri, suggéra Amayelle.

– Regardez-le ! A-t-il l'air pressé de partir ?

Comme pour donner raison à l'enfant, la bête plia son long cou et l'approcha de la tête de Nartrach. Ses grands yeux rouges examinèrent les trois créatures qui donnaient du fil à retordre à son petit maître.

– Il ne peut pas rester ici, décréta le forgeron.

– Il est doux comme un agneau ! ronchonna Nartrach.

– Morrison a raison, l'appuya Hawke, et un dragon n'est pas un agneau. Il serait préférable de lui trouver un perchoir temporaire jusqu'au retour des Chevaliers, qui décideront de son sort.

Dans l'esprit de Nartrach, les oiseaux se perchaient dans les arbres, mais certainement pas les dragons ! Y avait-il un endroit suffisamment grand pour abriter son nouvel animal de compagnie jusqu'à la fin des hostilités ? Il vit alors, derrière le forgeron, la majestueuse montagne.

– Mais oui ! se réjouit-il.

Il forma une fois de plus une image dans son esprit. Le dragon le saisit brusquement par-derrière et le déposa sur son dos, provoquant de la terreur dans le cœur des adultes.

– Descends tout de suite de là ! l'intima Morrison.

– Il faut que je lui montre son perchoir !

– Nartrach, c'est trop dangereux, l'avertit Hawke.

– Je serai revenu avant qu'il fasse noir, promis.

Stellan poussa sur ses pattes postérieures en ouvrant ses ailes. Voyant que le forgeron s'élançait pour le frapper, Hawke utilisa spontanément sa magie pour l'immobiliser.

– Il ne doit pas l'emporter ! protesta Morrison.

Le magicien d'Émeraude le libéra dès que le dragon eut pris suffisamment d'altitude.

– Pourquoi m'avez-vous arrêté ? se fâcha le forgeron.

– Parce qu'un dragon blessé est une bête imprévisible.

– Si Jahonne, Hawke et moi n'avons pas pu le terrasser avec nos pouvoirs, un coup de hache n'aurait réussi qu'à le rendre furieux, renchérit Amayelle.

– Les parents de ce gamin ont suffisamment souffert. Que leur dirons-nous si ce monstre décide d'en faire son repas de ce soir ?

Morrison regagna sa maison en bougonnant. « Décidément, les hommes ne règlent pas les conflits de la même manière que les femmes ou les Elfes », songea Amayelle en retournant sur la passerelle. Hawke l'y suivit, en se demandant si une telle bête pouvait vraiment se ranger du côté des humains. Côte à côte, les deux Elfes observèrent le vol du dragon qui grimpait vers le ciel.

Nartrach prenait goût à ce mode de transport inhabituel. Il aimait sentir le vent dans ses cheveux et voir rapetisser les choses sous lui. Stellan atteignit le sommet de la montagne en très peu de temps. Il faisait beaucoup plus froid là-haut qu'au château. Curieusement, l'animal refusa de se poser sur une corniche pourtant suffisamment grande pour lui.

– C'est tout à fait sécuritaire, je t'assure, affirma le gamin.

Le dragon tourna autour du pic en l'examinant de près, mais ne voulut pas s'y arrêter.

– Bon, céda Nartrach, trouvons autre chose, mais c'est à toi de choisir, maintenant.

Stellan plana vers le sud.

38

ÉTAT DE GUERRE

Les Chevaliers d'Émeraude marchèrent entre les grosses pierres carrées d'où saillaient des têtes, des jambes et des bras de scarabées argentés qui avaient péri durant le bombardement, au pied de la falaise de Zénor. Hadrian avait tout naturellement pris la tête des vaillants défenseurs d'Enkidiev, et personne ne s'y était opposé. En silence, il évaluait le nombre de morts dans les rangs ennemis. Il y en avait à peine quelques centaines, ce qui signifiait qu'une importante armée s'était dirigée vers le sud.

– Ils se sont arrêtés devant le premier bras de la rivière Mardall, qui se jette dans l'océan, l'informa Chloé.

– Que font-ils ? voulut savoir l'ancien roi.

– Ils sont confus... Si seulement je pouvais comprendre ces sifflements, comme Kevin.

– Moi, j'aimerais bien posséder mes facultés de jadis, regretta ce dernier.

– Si tu le permets, j'aimerais tenter quelque chose, proposa Chloé.

Le Chevalier aux yeux bandés avait confiance en ses aînés. Il laissa donc sa sœur d'armes poser ses mains de chaque côté de sa tête. Au début, il ne ressentit rien, puis il perçut des cliquetis.

– J'entends les hommes-insectes, s'étonna-t-il.

Chloé était entièrement concentrée sur cette opération magique. Elle ne pouvait pas faire de commentaires sans risquer de perdre le contact télépathique.

– Que disent-ils ? s'enquit Hadrian.

Les commandants des autres groupes de Chevaliers se rapprochèrent afin d'apprendre, eux aussi, ce que faisait l'ennemi.

– Il s'agit d'une seule voix, expliqua Kevin. Elle ordonne à tous les guerriers de pénétrer à l'intérieur du continent.

– Ils ont donc un chef, déduisit Dempsey.

– C'est l'empereur lui-même, le renseigna Kevin.

– Ça, ce n'est pas une bonne nouvelle, soupira Nogait.

– Il peut donc leur donner ses directives à partir d'Irianeth, se découragea Santo.

– Attendez, s'assombrit Kevin. Il est encore ici !

– Où ça ? rugit Swan, en tirant son épée.

En tournant sur elle-même, elle aperçut son époux en retrait, face à la mer dont les vagues scintillaient comme des joyaux sous les rayons du soleil. Il semblait écouter lui aussi une voix mystérieuse. Pendant que ses compagnons tentaient tous de localiser l'Empereur Noir, elle alla à sa rencontre.

– Es-tu souffrant ? s'alarma-t-elle. Tu n'as pourtant presque rien bu, hier soir.

– Je réfléchis.

Elle arqua un sourcil.

– Pourquoi cela te surprend-il ? ricana le roi.

– Habituellement, tu préfères l'action.

Elle prit place sur un gros bloc, d'où ne dépassaient que deux pieds grisâtres pourvus de quatre orteils griffus.

– À quoi pensais-tu ?

– La mort de Wellan n'était pas accidentelle.

– Tu ne vas pas me dire qu'il s'est laissé tuer, tout de même !

– Cet homme tenait bien trop à la vie pour faire un geste pareil, et il était bien trop habile au combat, confirma Onyx. Quelque chose l'a distrait pendant un instant. Quelque chose de magique.

– Et comme par hasard, nous venons d'apprendre que l'empereur est dans les parages.

– Ce n'était pas lui. En revenant vers vous, j'ai senti un puissant mouvement en provenance du ciel.

– Les dieux ?

– Je commence à croire que Parandar a délibérément rappelé Wellan.

– C'est ridicule, Onyx. Pourquoi ces êtres mille fois plus puissants que nous auraient-ils soudainement eu besoin de lui ?

– C'est à cela que je réfléchissais, justement.

Hadrian observait le couple de loin. Le calme de son ancien lieutenant était toujours de mauvais augure. Les mains sur les hanches, l'ancien Roi d'Argent tentait de réunir toutes les informations qu'il avait accumulées sur les agissements de ses adversaires, afin d'établir une stratégie qui ne le priverait pas d'autres bons combattants.

Il promena son regard sur la poignée de soldats magiques dont il disposait pour repousser une invasion très différente de celle qu'il avait connue durant sa première vie. Ils étaient frais et dispos après cette bonne nuit de sommeil, mais leurs âmes étaient en peine. Hadrian savait qu'il ne pourrait jamais remplacer Wellan auprès de ces magnifiques Chevaliers, mais aucun d'entre eux n'avait le cœur de commander.

Il commença donc par les réunir devant le château en ruines. Même Onyx les y rejoignit, silencieux et songeur.

– Nous devons nous préparer à repousser les insectes qui ont commencé à faire demi-tour sur cette plage, annonça-t-il d'une voix forte. Mais je dois aussi savoir ce qui se passe dans les autres royaumes.

– Je me porte volontaire, déclara Falcon.

– Non..., geignit Wanda, qui ne voulait pas le voir partir seul.

– Je suis agile, rapide et silencieux.

– Tu pourrais malencontreusement aussi arriver face à face avec Amecareth.

Falcon prit les mains de son épouse dans les siennes.

– Tu me connais mieux que quiconque, Wanda. Tu sais que je suis le seul à pouvoir renseigner Hadrian avec célérité.

– Et en plus, il possède des bracelets magiques, ce qui n'est pas négligeable, ajouta Nogait avec un sourire espiègle.

Wanda lui décocha un regard chargé de reproches.

– Dépêche-toi, Falcon, le pressa Hadrian.

Le Chevalier embrassa sa femme et croisa ses poignets, formant un éclatant tourbillon de lumière à quelques pas de lui. Wanda ferma les yeux tandis qu'il s'y engouffrait.

– Il sera prudent, voulut la rassurer Ellie.

– Wellan l'était, lui aussi, répliqua nerveusement la pauvre femme.

Ce n'était pas une bonne idée de la laisser miner le moral des troupes.

– Moi, j'ai une question, lança soudain l'un des Écuyers.

Ils se tournèrent tous vers Nikelai, que Jasson avait abandonné la veille.

– Parle, lui indiqua Hadrian.

– Où avez-vous envoyé mon maître, et pourquoi est-il parti sans moi ?

En réalité, ces adolescents étaient presque assez vieux pour devenir Chevaliers. Ils se battaient déjà avec intelligence et endurance, bien souvent sans que leurs aînés ne les surveillent. Mais le code était clair au sujet des obligations d'un maître envers son apprenti.

– Je n'ai rien fait de tel, Écuyer, répondit Hadrian.

– Moi, je le cherche et je l'appelle mentalement depuis hier soir, avoua Bergeau. Étrangement, je l'ai trouvé à une dizaine d'endroits différents, ce qui me paraît insensé.

– À moins qu'il ne soit en train de rassembler des gens ou des animaux, raisonna Kagan.

– Pourquoi ferait-il une chose pareille ? s'étonna Wimme.

– Je pense qu'il se rend quelque part, mais qu'il a besoin de s'arrêter de temps en temps pour crier sa rage, laissa tomber Dempsey. Sans le laisser ouvertement paraître, il était très attaché à Wellan.

– Tu as raison, mon frère, observa Bergeau. Il est sorti de son vortex dans des endroits où nous avons, en effet, vécu des situations très éprouvantes.

Swan étudiait le visage parfaitement serein de son mari en se demandant ce qu'il mijotait. Pourquoi ne leur parlait-il pas de ses soupçons ?

– Si je me souviens bien, dans notre temps, nous appelions ce genre de fuite de la désertion, laissa finalement tomber Onyx.

Il s'agissait d'une accusation très grave qui surprit les Chevaliers.

– Il ne nous laissera pas tomber, le défendit Bergeau.

– Nous avons tous notre propre façon d'évacuer notre peine, ajouta Chloé, surtout qu'il a aussi perdu Liam.

– En attendant son retour, préparons-nous à recevoir les soldats de l'empereur, les stoppa Hadrian. Je suis prêt à entendre toutes vos suggestions.

Son intervention leur fit oublier le geste inexplicable de Jasson. Seul Bergeau tint rancune à Onyx d'avoir pensé une seule seconde que son frère et ami puisse avoir fait preuve de lâcheté.

Pendant que ses compagnons se préparaient à repousser l'ennemi, Falcon apparut au sommet d'une colline du Royaume de Cristal où il avait souvent monté la garde dans le passé. Elle était plus en retrait de l'océan que les autres, mais c'était le plus haut promontoire de la région. Le spectacle qui s'offrit à lui le sidéra. Les hommes-lézards semblaient avoir abattu tous les scarabées argentés. Ils les traînaient sur les galets par les pieds et les empilaient en plusieurs petits monticules.

Falcon dévala rapidement la pente. Les reptiles le regardèrent passer sans s'en prendre à lui. Il n'était pas facile de les différencier, mais le Chevalier se souvenait que Kasserr était très grand. Il le trouva finalement devant une nouvelle pile de cadavres que ses congénères venaient de créer.

– Vous êtes d'une admirable efficacité, le félicita Falcon.

Le chef des hommes-lézards se contenta de l'observer en silence. Ils ne parlaient pas la même langue, mais l'admiration que Kasserr voyait dans les yeux de cet humain ne nécessitait aucune traduction. Avant de quitter le Royaume de Cristal pour aller voir ce qui se passait au Royaume d'Argent, Falcon tenta d'enflammer l'un des amoncellements de coléoptères. Il prit feu sur-le-champ.

Kasserr hocha vivement sa tête verdâtre pour indiquer son assentiment. Le Chevalier alluma donc tous les bûchers, puis forma son vortex et s'y enfonça, provoquant des sifflements d'émerveillement parmi ses alliés.

Falcon choisit de réapparaître à l'extérieur du village d'Argent, où les Chevaliers avaient jadis passé beaucoup de temps, lorsqu'ils avaient décidé de planter des pieux pour défendre les Argentais contre les hommes-lézards. Il sortit du maelström en se disant qu'il préférait décidément que ces créatures soient dans son camp. Il entendit aussitôt des sifflements aigus, ainsi que des soldats humains qui aboyaient des ordres.

Le Chevalier courut entre les chaumières et vit que les scarabées avaient réussi à percer une brèche dans la palissade que ses frères et lui avaient dressée autour de l'armée impériale. Il n'y en avait qu'une poignée, mais ils attaquaient sauvagement hommes et montures avec leur lance ou leurs griffes. Falcon chargea ses deux mains et fonça parmi les troupiers du Prince Rhee. Créant de très larges rayons incandescents, il attaqua les insectes à la hauteur de leurs têtes. Plusieurs eurent les yeux crevés, mais les plus intelligents se plièrent en deux. Sans doute les différentes divisions avaient-elles eu le temps de s'informer de la stratégie des humains.

Le prince et ses meilleurs escrimeurs se précipitèrent pour occire les survivants. Le choc des lances contre les sabres ressembla bientôt aux cliquetis des coléoptères. Falcon tira son épée pour couvrir le personnage royal, comme le voulait le code de son Ordre. Le combat dura de longues minutes. Lorsque le dernier scarabée tomba enfin, le Chevalier put constater le travail des archers d'Argent. Au milieu de l'enceinte formée par les pieux, les cadavres gisaient, pêle-mêle, les yeux criblés de flèches.

Falcon rengaina son épée et se servit de ses pouvoirs de lévitation pour repousser les fuyards à l'intérieur, au-dessus des autres insectes. Il demanda ensuite au Prince Rhee et à ses soldats de reculer et créa un immense brasier.

– Ils sont coriaces, déclara le jeune homme épuisé, en enlevant son heaume. Je suis content de l'efficacité de mes hommes.

– Avez-vous subi des pertes ? demanda le Chevalier.

– Seulement quelques soldats qui se trouvaient devant les pieux lorsque ces monstres les ont défoncés. Leur sacrifice n'aura pas été vain. Ils auront des obsèques dignes de celles d'un roi.

Rhee passa la main dans ses cheveux noirs trempés par la sueur.

– Mais dites-moi, sire Falcon, pourquoi êtes-vous le seul Chevalier à revenir vers nous ?

– Mon rôle, aujourd'hui, est celui d'un éclaireur. Toutefois, je ne pouvais pas vous laisser repousser les insectes qui s'évadaient sans vous épauler.

– Nous vous en sommes reconnaissants.

– Puis-je vous suggérer de surveiller ce bûcher, au cas où des survivants se seraient réfugiés sous les corps de leurs semblables ?

– Nous ne partirons que lorsqu'il ne sera plus qu'un amas de cendres.

Falcon se courba alors devant le prince et croisa ses bracelets magiques. Sa prochaine destination était le Royaume des Fées.

39

La débâcle

Les choses s'étaient passées fort différemment dans les royaumes plus au nord. Malgré toutes leurs bonnes intentions, les Fées n'étaient pas des combattantes hors pair. En fait, ces créatures semi-matérielles n'aimaient qu'une chose : le plaisir. Elles avaient donc commencé par s'amuser à lancer des projectiles sur les scarabées coincés derrière les écueils qui protégeaient les plages de leur territoire, mais au bout d'un certain temps, elles s'étaient lassées.

Kardey eut beau leur expliquer encore une fois que la survie de leur société dépendait de leur détermination à repousser l'envahisseur, petit à petit, elles retournèrent au château de verre de leur monarque. C'est l'âme en peine que l'ancien capitaine regarda les coléoptères filer vers le sud. Dès qu'ils auraient atteint les murailles d'Argent, ils n'auraient aucun mal à pénétrer au Royaume d'Émeraude.

Lorsque Falcon sortit de son vortex, il trouva le pauvre homme assis au sommet d'un rocher, les pieds pendant dans le vide.

– Vous avez réussi à exterminer tous les scarabées ? s'égaya le Chevalier.

– Malheureusement, non. Les Fées n'en ont plus eu envie, soupira Kardey.

– Je ne comprends pas...

– Elles ont pilonné ces insectes de malheur jusqu'à ce matin, trouvant très divertissant de les débusquer dans le noir, mais lorsqu'elles ont commencé à avoir faim, elles ont quitté le champ de bataille. Nous n'avons éliminé que la moitié des soldats impériaux.

– Ce n'est pas une bonne nouvelle, se découragea Falcon.

– À qui le dis-tu ?

– As-tu suffisamment d'autorité parmi les Fées pour les obliger à poursuivre l'ennemi jusqu'au Royaume d'Argent ?

– J'en ai évidemment fait la demande à mon roi dès que mes troupes se sont mises à s'envoler, mais je n'ai pas encore reçu de réponse de sa part.

« Décidément, les monarques ne sont pas tous taillés dans le même bois », songea le Chevalier. Quiconque aurait reculé devant l'ennemi sous les ordres d'Onyx n'aurait effectivement pas fait long feu.

– Je suis vraiment désolé, Falcon, s'excusa Kardey.

– Ce n'est pas ta faute et surtout, ne t'en fais pas, nous les rattraperons bien avant qu'ils n'atteignent notre forteresse.

– Si seulement je pouvais quitter les frontières de ce pays...

– Tu nous serais certainement très utile, mais tu dois aussi respecter les lois de ton roi.

– Dans ce cas, salue Wellan de ma part.

Un masque de tristesse voila le visage de Falcon.

– Non, ne me dis pas que..., s'étrangla le capitaine.

– Il est tombé au combat.

– Je ne te crois pas.

Kardey se laissa glisser sur le sol et se planta devant son ancien compagnon d'armes.

– Il était le plus brave et le plus fort de tous les Chevaliers, se rappela l'homme Fée. Il n'avait été blessé qu'une seule fois depuis que vous affrontiez les forces de l'empereur.

– Cassildey, l'un de nos apprentis, prétend qu'il a été aveuglé l'espace d'un instant, et qu'il n'a pas vu venir la lance de son adversaire.

– Vous êtes des magiciens, par tous les dieux ! Ne vous protégez-vous donc pas avec des forces surnaturelles lorsque vous n'y voyez plus rien ?

– C'est arrivé trop rapidement. Aucun d'entre nous n'aurait pu l'aider.

– Avez-vous ramené son corps à Émeraude ? Si tel est le cas, je demanderai à Tilly une permission spéciale pour aller lui rendre mes derniers hommages.

– Nous avons préféré l'incinérer à Zénor.

Le capitaine se cacha le visage dans les mains, incapable de retenir ses larmes plus longtemps. L'homme qu'il admirait le plus au monde venait de quitter cette vie dans la fleur de l'âge. Avec sa force et son endurance, Wellan d'Émeraude aurait encore pu se battre pendant une centaine d'années !

– Nous sommes tous affligés par sa mort, sympathisa Falcon.

– Sa fille n'avait même pas atteint l'âge adulte...

Il savait maintenant à quel point un homme pouvait s'attacher à un petit être issu de sa propre chair. Améliane était encore si petite...

– Jenifael est sur le point de devenir Chevalier, l'informa Falcon. Elle est très brave.

Kardey demeura immobile un moment, puis essuya ses yeux.

– Je veux vous aider, affirma-t-il. Qui vous commande, maintenant ?

– Nous n'avons pas encore officiellement nommé un nouveau chef, mais Hadrian assume cette fonction, pour l'instant.

– Alors dis-lui que je trouverai un moyen d'obliger les Fées à poursuivre les combats.

– Je lui ferai ton message.

Les deux hommes se serrèrent les bras à la manière des Chevaliers, un geste qui rassura profondément le capitaine. Falcon forma son maelström et quitta ce royaume pour s'enquérir de l'état de la guerre dans le suivant.

Une fois seul à l'ombre des gros rochers noir, Kardey poussa un grand cri de désespoir, comme les soldats d'Opale lorsqu'ils perdaient l'un des leurs. Le Roi Tilly ressentit aussitôt sa détresse, comme toute sa cour, d'ailleurs. Le souverain quitta son hall et fila vers la côte. Il fut bien surpris de trouver son gendre en parfaite santé, bien qu'ébranlé, en train de tourner en rond devant le mur de rochers.

– Je vous ai cru blessé, s'étonna Tilly.

– C'est mon âme qui souffre, Majesté, pas mon corps. À cause de l'insouciance des Fées, les soldats de l'empereur ont réussi à s'échapper, et c'est maintenant vos voisins qu'ils menacent.

– Même les Fées doivent se sustenter, Kardey.

– Je leur ai demandé de se diviser en groupes qui pourraient se relayer, mais elles ne m'obéissent pas !

– Votre colère est provoquée par une peine bien plus profonde.

– Un héros est mort, s'étrangla le capitaine.

– Sire Wellan ?

– Oui, Wellan. Si ces insectes de malheur sont capables d'abattre le plus grand de tous les guerriers de ce monde, imaginez ce qu'ils feront des autres.

Les larmes se remirent à couler sur les joues de Kardey.

– Si vous ne voulez pas participer à cette guerre, libérez-moi du sortilège qui m'empêche de quitter vos terres, implora-t-il.

– Mais votre fille...

– C'est pour elle que je dois me battre. Je veux qu'elle grandisse dans un monde d'amour et de partage, loin de la tyrannie et de la peur.

La grande envolée de son nouveau sujet ne laissa pas le monarque indifférent.

– Venez, lui ordonna-t-il.

Il le saisit par le bras et disparut avec lui.

En mettant le pied chez les Elfes, Falcon découvrit qu'ils avaient essuyé des pertes. La rangée d'arbres, qui était censée les protéger, semblait avoir été défoncée par un dragon ! De jeunes archers soignaient les blessures de leurs compatriotes avec des herbes. D'autres alignaient les morts dans une clairière afin de procéder aux rites funéraires ancestraux. Falcon commença par observer la scène avec stupéfaction, puis il aperçut Katas sur la plage. Il retirait ses flèches des yeux des scarabées qu'il avait tués.

– Que s'est-il passé ? s'exclama le Chevalier en franchissant le trou béant dans les arbres.

– Nous avions pris l'avantage, lorsqu'un homme-insecte différent des scarabées argentés est arrivé de nulle part. Sa carapace était noire comme la nuit, et il était plus grand qu'un homme.

– Amecareth ? s'alarma Falcon.

– Nous n'avons pas eu le temps de bien le voir. À l'aide de sa magie, il a ouvert cette brèche. Nous avons continué à nous battre, mais le nouveau venu a lancé des rayons violets qui ont tué beaucoup d'archers.

– Il aurait fallu nous prévenir, Katas.

– Cela vient juste de se produire.

Falcon étudia rapidement la situation. Ainsi, l'envahisseur était en train de traverser les forêts des Elfes et se dirigeait sans doute vers les terres de Diamant, contiguës à celles d'Émeraude. Il se mit alors à penser à son fils, qui s'était une fois de plus enfui du château. Il avait entendu les communications entre Amayelle et Nartrach, et avait craint le pire. Mais la Princesse des Elfes avait rassuré les parents de l'enfant : Nartrach, qui adorait les dragons, s'imaginait pouvoir venir en aide aux adultes en s'emparant du dragon de l'empereur. Amayelle avait clos leur court échange en lui disant qu'elle avait repéré le gamin à l'extérieur des murs et qu'elle s'apprêtait à aller le chercher.

En fait, la princesse était tout aussi terrorisée que lui, mais ne voulait pour rien au monde le distraire de son travail de défenseur du continent.

– Je dois rapporter à Hadrian ce que je viens de voir, annonça Falcon pour chasser ses sombres pensées.

Katas tira alors du fond du cœur du Chevalier ce qu'il ne lui disait pas.

– Les Elfes seront peinés d'apprendre la perte de votre grand chef, murmura-t-il, affligé.

« Même le Roi Hamil ? » se demanda Falcon.

– Surtout lui, affirma l'archer.

Il s'inclina devant le Chevalier en ramenant sa main droite sur son cœur.

– Que les dieux vous assistent.

Pressé par le temps, Falcon se contenta de le saluer d'un mouvement de la tête. Il croisa ses bracelets et fonça dans le vortex.

40

L'isolement

Après avoir enlevé Lassa sur le champ de bataille, Abnar regagna son antre dans la Montagne de Cristal. Le porteur de lumière tourna sur lui-même dès qu'il fut matérialisé. Il ne connaissait pas ce lieu, dont les murs étaient recouverts de cristaux transparents. Dans un coin de la vaste caverne se dressait un autel, adossé à la paroi brillante. Une source coulait le long d'une rainure à sa surface et tombait dans un grand récipient qui, pourtant, ne débordait pas.

– Je n'ai nul besoin du même confort que les humains, expliqua le Magicien de Cristal, mais je comprends leurs besoins.

Il fit alors apparaître, à l'autre bout de la pièce, un grand lit, une petite table, deux chaises et une grande bibliothèque, ainsi que plusieurs chandeliers sur pied.

– Vous n'avez pas l'intention de m'enfermer ici pour toujours ! s'alarma Lassa. J'ai passé toute ma vie dans une tour ! Je refuse de la finir dans une caverne !

– C'est temporaire, je t'assure. Je dois d'abord calmer les volcans, puis évaluer la menace que représentent les larves et les nouveaux envahisseurs réunis. Dès que ce sera fait, je reviendrai te chercher.

Abnar salua l'adolescent, puis disparut dans une pluie d'étoiles argentées.

– Non ! hurla Lassa.

Sa voix se répercuta sur les murs et lui écorcha les tympans. Il se boucha aussitôt les oreilles avec ses mains. Dès que les vibrations cessèrent dans sa tête, il se précipita sur la paroi de verre lisse, cherchant désespérément une issue. Après avoir fait un tour complet de l'endroit, il dut se rendre à l'évidence : la seule façon de quitter la caverne était d'utiliser la magie. Il ferma donc les yeux pour visualiser la falaise de Zénor, où les Chevaliers se trouvaient probablement encore, mais rien ne se produisit.

– C'est parce que je suis énervé, se dit le porteur de lumière pour se rassurer.

Il essaya encore, encore et encore. Cette grotte était certainement protégée par un puissant sort. Découragé, Lassa alla s'asseoir en tailleur au milieu du lit. Les derniers événements s'étaient passés si rapidement qu'il n'avait pas eu le temps de les assimiler. Quelques minutes auparavant, il se battait encore contre de répugnants scarabées à la carapace argentée. Son groupe était parvenu assez facilement à les éliminer, puis son maître était tombé. Lassa n'avait pas vu le coup fatal porté au grand chef, seulement sa chute. Il avait cru que Wellan avait glissé, mais le cri d'angoisse de Cassildey lui avait fait comprendre qu'il avait été blessé.

Il avait suivi les autres dans le tourbillon de Falcon sans même réfléchir. On avait déposé Wellan par terre, sur la falaise qui surplombait l'ancienne ville de Zénor. Une lance était plantée dans sa cuirasse...

Lassa éclata en sanglots amers. Tous ceux qui avaient reçu la mission de le protéger jusqu'à ce qu'il accomplisse son destin avaient disparu : Liam était tombé dans les volcans, Kira était emprisonnée dans le passé et Wellan était mort. Même le Magicien de Cristal venait de lui fausser compagnie. Il leva les yeux vers le plafond étincelant de la grotte en priant les dieux.

– Je ne veux plus de ce destin qui m'a été imposé à ma naissance, sanglota-t-il.

Il ne perçut pas l'approche des sentinelles.

– Je ne suis pas assez fort pour tuer l'Empereur Noir. Je ne le serai jamais...

Un animal posa les pattes de devant sur le bord du lit pour voir qui pleurait ainsi. Lassa sursauta en apercevant sa tête bleuâtre.

– Je ne veux pas mourir dévoré par un reptile ! s'effraya Lassa.

– Pouah ! répliqua la bête, pas plus grosse qu'une poule.

Elle se hissa sur les couvertures avec ses griffes, à la manière d'un chat.

– Les humains ont bien trop mauvais goût.

– Et les animaux ne sont pas censés parler, balbutia l'apprenti.

– Tu me traites d'animal ?

– Non, mais enfin... Je ne sais pas ce que vous êtes.

– Je suis une sentinelle.

– Moi aussi ! s'exclama un autre dragon, rouge celui-là, en grimpant au pied du lit.

– Il y en a plusieurs comme vous ? s'enquit Lassa.

– Nous ne sommes que deux dans ce monde, mais là d'où nous venons, il y en a des milliers, répondit le dragon bleu.

– Dans les Territoires inconnus ?

– Pourquoi sont-ils inconnus ? s'étonna le rouge.

– Parce que personne n'y est jamais allé, évidemment, expliqua Lassa, en s'essuyant les yeux.

– Nous ne sommes pas originaires de cette région, je pense, dit le reptile bleu.

– Alors, d'où venez-vous ?

– Nous sommes nés dans les forêts scintillantes qui appartiennent à Parandar, s'enorgueillit le dragon rouge.

– Je n'en ai jamais entendu parler, je le regrette.

– Mais comment est-ce possible ? s'indigna l'animal bleu. C'est le plus bel endroit de toute la création ! C'est même là que règne le plus noble animal auquel les fondateurs ont donné la vie !

– Vous devez croire que je suis bien ignorant...

– Après tout, ce n'est qu'un enfant, fit remarquer le dragon rouge à son compère.

– Apparemment, on ne leur enseigne pas les choses essentielles.

– N'étaient-ils pas censés vivre sans le moindre souci dans un paradis lointain créé par Parandar pour sa douce ?

Lassa écouta leur interminable panégyrique des dieux en étudiant leurs traits physiques. Ils ressemblaient à des dragons miniatures, car leur corps était recouvert de minuscules écailles et ils avaient de petites ailes repliées sur le dos. Leur cou était toutefois plus court que celui des dragons de l'Empereur Noir, et leur tête était également différente.

– À quoi ressemble ce noble animal créé par les fondateurs ? les interrompit finalement l'adolescent.

– Comment le décrire vraiment ? se découragea le dragon rouge.

– Une image vaut mille mots, n'est-ce pas ? suggéra son compagnon.

– Vous savez dessiner ? s'illumina Lassa.

– Cela ne fait pas partie de nos talents, le détrompa le reptile bleu, mais le maître possède un grand livre de toutes les connaissances.

Un autre objet dont l'Écuyer n'avait jamais entendu parler. Le dragon bleu leva alors une de ses pattes antérieures. Un gros ouvrage apparut de nulle part et traversa la grotte par la voie des airs. Il atterrit lourdement sur le lit. Jamais Lassa n'avait vu un aussi gros livre. Il devait contenir des milliers de pages !

– Il renferme tout le savoir du monde, affirma le rouge.

– Absolument tout ?

Les deux bêtes mythiques hochèrent la tête avec enthousiasme. Lassa tendit la main pour ouvrir cet ouvrage, mais le grimoire recula à son approche.

– Pourquoi se dérobe-t-il ? s'étonna-t-il.

– C'est un livre ensorcelé. Il n'a besoin toutefois que d'un peu d'encouragement pour livrer sa science, l'informa le dragon bleu. Il faut lui dire qui nous sommes, puis lui poser une question.

– Je vois. Alors je suis le Prince Lassa de Zénor, maintenant Écuyer d'Émeraude, et peut-être un jour serai-je Chevalier. J'aimerais en savoir davantage sur le plus noble animal auquel les fondateurs ont donné la vie.

Le visage d'un vieil homme se forma aussitôt dans le cuir de la couverture. L'adolescent sursauta lorsqu'il ouvrit les yeux : ils étaient bleu comme le ciel et animés comme ceux des êtres vivants.

– Toujours les mêmes questions, soupira ce dernier d'une voix fatiguée. N'avez-vous pas envie de découvrir autre chose ?

– Une fois ma curiosité satisfaite, j'aurai certainement d'autres questions, répondit Lassa.

Les pages se mirent alors à tourner rapidement, puis s'immobilisèrent. Lassa s'avança pour voir ce qu'elles illustraient. L'image émergea du papier ! Effrayé, l'apprenti recula prestement sur ses mains. Son dos heurta le mur au moment où les contours lumineux d'un immense dragon se dessinaient devant lui.

– Le dragon doré est le premier animal créé par Aiapaec et Aufaniae, les maîtres du monde.

– Ces monstres ne sont pas dorés, ils sont tout noirs ! protesta Lassa.

– C'est une définition que vous désirez, ou une discussion ?

– Je ne connais aucun dragon de cette couleur.

– N'est-ce pas pour cette raison que vous m'interrogez ? Ne voulez-vous pas savoir pourquoi ils ont adopté d'autres teintes ?

– Oui, bien sûr...

Le livre prit une grande inspiration, comme pour manifester son impatience.

– Comme je le disais, le dragon doré est le premier animal créé par Aiapaec et Aufaniae, les maîtres du monde. Symbole de sagesse et de noblesse, ces bêtes magnifiques vivent sur les terres lumineuses appartenant désormais aux enfants de ces divinités. À une certaine époque, un dieu s'empara de plusieurs de ces dragons, ignorant qu'en leur faisant franchir les limites de la propriété des héritiers d'Aiapaec, il les condamnait à une vie terrestre. Le troupeau tomba du ciel et, en touchant la terre ferme, se divisa en deux races totalement opposées : les dragons noirs et les dragons blancs.

La projection du dragon doré fut remplacée par celle d'un dragon de l'empereur et celle d'un dragon des mers.

– Ceux-là, je les connais, admit Lassa. Redeviendront-ils un jour des dragons dorés ?

– Je ne suis pas devin.

– Pardonnez-moi. Comment pourraient-ils reprendre leur forme initiale ?

– Il faudrait trouver une façon de leur faire quitter le monde des hommes et de les renvoyer d'où ils viennent.

Ce qui paraissait improbable au jeune magicien. Personne ne possédait une magie suffisamment puissante pour accomplir un tel exploit.

– Je voudrais aussi savoir comment sortir de cette grotte, réclama astucieusement Lassa.

– Il faut connaître l'incantation magique qui...

Le petit dragon rouge bondit sur le vieux livre pour le faire taire.

– Mais que faites-vous ? s'indigna le grimoire.

– Le maître ne veut pas qu'il quitte ce sanctuaire pour l'instant, répondit le reptile bleu.

– Je ne passerai pas ma vie ici ! protesta le porteur de lumière.

– Il aura bientôt un important rôle à jouer, ajouta l'animal rouge. Il doit rester en vie.

– Dans ce cas, ne refaites appel à moi que lorsque vous aurez des interrogations de nature différente.

Le grimoire disparut sous les pattes du dragon rouge, qui s'écrasa dans les couvertures.

– Le maître ne sera pas content d'apprendre que vous ne pensez qu'à fuir, soupira le petit monstre bleu.

– Mettez-vous à ma place, maugréa Lassa.

– Nous sommes ici depuis très longtemps, rétorqua le dragon rouge. Ce n'est pas si mal. Nous créons nos propres jeux.

L'Écuyer croisa les bras sur ses genoux repliés et y appuya le front, en proie à une grande détresse. Comment faire comprendre à ces petites bêtes magiques qu'il venait de perdre le seul homme qui le traitait comme un père ?

– Nous aimons nager, poursuivit le reptile bleu pour le tenter. Nous remplissons la caverne d'eau et...

Voyant que sa proposition ne réjouissait pas le prince, le dragon s'approcha et passa son museau sous son bras.

– Nous pouvons aussi adopter un aspect qui vous plaira davantage.

– Vous n'êtes en rien responsables de mon chagrin.

– À l'origine, nous étions des bêtes lumineuses, ajouta le dragon rouge.

Leur corps devint phosphorescent, arrachant un sourire à l'apprenti.

– Vous pourriez nous montrer un nouveau jeu, s'enthousiasma le reptile bleu.

– Plus tard, sans doute. En ce moment, j'ai besoin de pleurer la mort de mon maître, ainsi que la disparition de tous ceux que j'ai aimés.

– Nous ne savons pas vraiment quoi faire dans une telle situation, se découragea le dragon rouge.

– Laissons-le nous dire ce qui lui est arrivé, suggéra son compagnon.

Lassa leur raconta alors toute sa vie. Collés l'un contre l'autre, les deux dragons l'écoutèrent avec attention, sans jamais l'interrompre. Eux aussi avaient été arrachés à leur mère et catapultés dans un monde différent, un monde dans lequel ils ne connaissaient pas très bien leur rôle. Abnar leur avait uniquement demandé de monter la garde dans son antre, sans vraiment leur expliquer comment.

– Le livre de toutes les connaissances pourrait sans doute me dire comment faire revenir Kira dans le présent, songea soudain Lassa.

– Peut-être bien, mais nous l'avons offusqué tout à l'heure, l'en dissuada le dragon bleu. Attendons un peu, ce sera plus prudent.

– Avez-vous faim, maître Lassa ? demanda le reptile rouge.

– Cela fait longtemps que je n'ai pas avalé quelque chose, mais je n'ai pas vraiment le cœur à manger.

Les deux dragons se chuchotèrent mutuellement des phrases inaudibles dans les oreilles. Lassa les connaissait à peine. Il ne savait donc pas s'il pouvait leur faire confiance.

– Qu'est-ce que vous mijotez ? voulut-il savoir, méfiant.

– Nous tentons d'établir, selon votre âge, votre poids et la couleur de vos yeux, la sorte de nourriture que vous préférez.

L'adolescent arqua un sourcil.

– Vous vous moquez de moi.

– Vous mettez en doute nos facultés divinatoires ? s'offusqua le dragon bleu.

– J'ignore de quoi vous êtes capables.

À tour de rôle, ils firent apparaître devant l'apprenti des mets exotiques comme il n'en avait jamais vus, puis expliquèrent qu'ils se servaient uniquement de leur imagination pour en matérialiser les différentes composantes. Puisqu'ils n'avaient jamais visité le monde extérieur, ils ignoraient évidemment ce dont se nourrissaient réellement les humains. Lassa se laissa prendre au jeu. Il leur décrivit ce que servaient les cuisinières du château. Excités, les dragons tentèrent de se surpasser l'un l'autre pour créer ces mets le plus fidèlement possible. Bien que très ressemblants, les aliments avaient cependant un goût particulier. L'Écuyer se lança alors dans une volubile explication de la saveur.

Il se rendit compte, au bout d'un moment, que sa peine s'amenuisait. Il mangea un peu, puis pria les dieux à voix haute, leur recommandant de faire passer rapidement son maître sur les grandes plaines de lumière, de protéger Kira, peu importe où elle se trouvait, et de faire en sorte que Liam revienne un jour parmi eux. Les dragons l'écoutèrent religieusement.

– Vous avez des noms ? leur demanda finalement Lassa.

– C'est la première fois qu'on nous le demande, s'extasia le reptile rouge.

– Mais c'est aussi la première fois que nous avons un invité, rétorqua son compagnon. Habituellement, ce sont des voleuses qui tentent de s'introduire ici.

– Au moment de notre naissance, notre mère nous a appelés Ramalocé et Urulocé.

– Qui est qui ?

– Je suis Ramalocé, se présenta le dragon bleu.

Ce fut à leur tour de lui relater le peu de temps qu'ils avaient passé dans le domaine des grands dragons dorés, puis leur isolement dans cette caverne. Ils firent ensuite disparaître toutes les victuailles pour permettre au jeune homme de se coucher sur le lit.

– À mon réveil, je vous décrirai le monde extérieur, s'engagea Lassa.

Cette promesse fit sauter de joie les petites bêtes. Elles se roulèrent en boule près des jambes du porteur de lumière et s'endormirent en même temps que lui.

41

La justice céleste

Même s'il possédait un savoir approfondi sur bien des sujets, Wellan ne prétendait pas connaître la façon de penser des êtres magiques. Or, au lieu de l'emmener directement à la source du problème du panthéon, soit à l'entrée du palais que le dieu déchu Akuretari tentait de détruire, la Reine Fan lui fit emprunter des dizaines de détours. Le Chevalier se régalait évidemment de tous ces paysages qu'aucun mortel ne verrait jamais, mais étant aussi un homme d'action, il n'aimait pas faire les choses en catimini.

Ils aboutirent bientôt sur un sentier qui serpentait derrière une immense roseraie. À la grande surprise de Wellan, les pierres colorées s'allumèrent sous ses pas. Ils arrivèrent finalement devant un ruisseau argenté, d'où s'élevait une fine vapeur.

– Wellan de Rubis, murmura Fan.

Un pont de verre s'étira aussitôt vers eux. Il donnait accès à l'Île de la déesse, perpétuellement enveloppée de brouillard. L'Immortelle mena Wellan sans hésitation jusqu'au pied d'un monticule rocheux, sur lequel se dressait une rotonde immaculée. De longs voiles rouges flottaient entre ses colonnades.

Fan releva légèrement sa robe et grimpa ces marches taillées pour des géants. Ils arrivèrent enfin à l'antre de Theandras. Le maître magicien souleva l'un des rideaux et fit signe au Chevalier d'entrer.

Ils trouvèrent la déesse du feu en train de marcher nerveusement autour d'une grande vasque de marbre. Son inquiétude sembla s'envoler lorsqu'elle posa les yeux sur son plus fidèle admirateur. Elle traversa la pièce et prit les mains du soldat.

– Merci, Fan, soupira-t-elle, soulagée.

L'Immortelle s'inclina devant elle, puis quitta le pavillon.

– Où va-t-elle ? s'enquit Wellan.

– Elle retourne sur Enkidiev, car si les volcans se sont calmés, ils sont tout de même encore dangereux. Venez.

Theandras l'invita à s'asseoir sur un grand canapé doré. Wellan l'observait avec incrédulité : il n'avait jamais pensé que les dieux puissent être si inquiets. N'étaient-ils pas les plus puissantes créatures magiques de tout l'univers ?

– Nous avons besoin de l'arme dont Danalieth vous a fait cadeau, l'informa-t-elle.

– Je suis entièrement à votre service, déesse. J'aimerais toutefois conserver mes mains, si vous n'y voyez pas d'inconvénient.

– Je n'avais pas l'intention de vous les couper, le rassura-t-elle avec un sourire amusé. En fait, je voudrais que vous affrontiez pour nous celui qui tente de nous détruire.

Wellan n'avait pas vraiment le choix. S'il ne le faisait pas, ce serait toute la création qui disparaîtrait, y compris Enkidiev et ses habitants.

– Je ne peux rien vous refuser.

– Merci, Wellan. Vous serez récompensé.

Gardant sa main dans la sienne, elle l'entraîna vers un autre sentier, qui menait au palais. Le Chevalier la suivit en silence, préparant mentalement son plan d'attaque. Il se rappela que le Roi Onyx avait failli détruire le gavial grâce à sa griffe, mais que ce dernier lui avait échappé à la dernière minute. Il l'avait aussi entendu dire que les spirales enflammées étaient bien plus puissantes que sa bague en forme de dragon. Les paroles de Danalieth lui revinrent également en mémoire. Les spirales savaient ce qu'elles avaient à faire. Il suffisait de les pointer dans la bonne direction.

Ils grimpèrent les marches d'un pavillon cent fois plus grand que celui de la déesse, mais de la même forme. Wellan se rendit compte, au bout de quelques pas, qu'il venait de pénétrer dans le palais divin de Parandar. Au lieu de le gonfler de fierté, ce grand honneur le remplit plutôt d'humilité. Il posa un genou en terre en arrivant devant le dieu suprême et inclina la tête.

– Qui m'emmènes-tu, ma sœur ? demanda Parandar, d'une voix souffrante.

Wellan risqua un œil sur le chef du panthéon. Ce dernier portait un long vêtement blanc, attaché sur son épaule par une broche étincelante, et serré à la taille par une ceinture ornée d'étoiles. Son visage ressemblait à celui de Danalieth, avec ses cheveux noirs aux épaules et ses yeux perçants.

– C'est Wellan, le chef des Chevaliers d'Émeraude.

– Un mortel ?

Theandras souleva les mains du soldat pour que Parandar puisse voir ses paumes. Les spirales brillaient de mille feux.

– Comment est-ce possible ?

Wellan n'avait certes pas l'intention de mettre Danalieth dans l'embarras. Rien ne prouvait d'ailleurs qu'il arriverait à stopper lui-même le dieu déchu. Il ne dévoilerait la survivance de cet Immortel qu'en dernier ressort.

– J'ai découvert, dans une caverne, une boîte incandescente et j'ai tenté de m'en emparer, répondit-il plutôt.

Ce qui n'était pas tout à fait faux...

– J'ai alors ressenti une cuisante douleur dans mes mains et j'ai perdu connaissance. À mon réveil, j'ai découvert ces brûlures sur mes paumes. C'est le Roi Onyx qui m'a expliqué ce qu'elles signifiaient, et à quoi elles servaient.

– C'est justement parce qu'il a fabriqué des armes capables de tuer ses maîtres que j'ai dû me débarrasser de Danalieth, grommela Parandar.

– Ne revenons pas en arrière, lui dit tendrement Theandras. Peu importe l'origine de ces spirales, Wellan est en mesure de nous sauver en les utilisant contre Akuretari.

– Qui aurait pensé qu'une de nos créations nous sauverait un jour la vie ? se calma son frère.

« Certainement pas moi », songea le Chevalier. Il avait toujours su que son destin serait différent de celui des autres hommes, mais jamais à ce point.

– Notre sort repose entre tes mains, Wellan d'Émeraude, accepta Parandar, à regret. Fais ce que tu dois.

Le Chevalier s'inclina et demanda à être conduit jusqu'à son adversaire. Tout le panthéon étant occupé à repousser le paria, ce fut Theandras qui s'en chargea. Wellan marcha près de cette femme magnifique, trouvant curieux que les flammes qui émanaient d'elle ne le brûlent pas.

– Ta bravoure n'a pas d'égale, le complimenta-t-elle.

– N'en soyez pas aussi certaine, déesse. Je connais plusieurs loyaux soldats qui ont autant de courage que moi.

Ils traversèrent la rotonde en direction des longues marches blanches qui y donnaient accès. Les paumes de Wellan devinrent alors incandescentes. Il ferma aussitôt les poings pour ne pas mettre Akuretari sur ses gardes. Les spirales n'étaient fatales qu'à une courte distance. Onyx avait été catégorique à ce sujet.

Theandras laissa Wellan continuer seul son chemin jusqu'au mur invisible qui protégeait le palais. Elle s'assurerait qu'il puisse le franchir sans problème le moment venu. Le soldat poursuivit donc sa route en se demandant comment empêcher un dieu de s'en prendre à ses semblables. Il atteignit finalement le sommet du colossal escalier de marbre et regarda à travers la barrière d'énergie. Un alligator sur deux pattes tentait désespérément d'abattre cette dernière.

– Wellan ? s'étonna le monstre, en croyant reconnaître la silhouette de l'humain derrière l'obstacle magique.

Le Chevalier serra davantage les poings pour empêcher les spirales de se mettre à l'œuvre. Il ne devait pas attaquer

Akuretari avant d'être directement devant lui. Le gavial prit alors une forme plus familière. Sous les yeux de Wellan, il redevint Nomar.

– Ne me dites pas qu'ils vous ont fait mourir pour défendre leur misérable vie ? feignit-il de s'étonner.

– Pas seulement la leur, vous vous en doutez bien.

– Que vous ont-ils offert en échange de ce terrible sacrifice ?

Wellan garda le silence.

– La vie éternelle ? Le trône d'un roi ? Toutes les femmes dont vous avez toujours eu envie ?

– Un Chevalier n'a pas besoin d'un dédommagement pour accomplir son devoir.

– Oui, bien sûr. Mais ne trouvez-vous pas injuste d'avoir terminé ainsi votre belle carrière militaire ?

– Comment pourrais-je être sûr que ce n'était pas là mon destin ?

Le dieu déchu grimpa quelques marches pour tenter de mieux distinguer les traits du soldat, qu'il avait jadis accueilli dans son antre du Royaume des Ombres.

– Croyez-vous vraiment que cette poignée de dieux vaniteux s'intéresse au sort de ses sujets ? Vous n'êtes que des jouets qu'ils ont déposés sur un grand continent, sur lequel leur but premier était de faire pousser des fleurs. Ils vous ont ensuite laissés vous multiplier en espérant que vous ne détruiriez pas votre environnement et que vous ne feriez pas de bêtises. En cela, ils vous voulaient plus parfaits qu'eux-mêmes.

– Est-ce bien là la vérité ? Vous m'avez déjà empoisonné l'esprit avec vos mensonges, Nomar.

– J'avoue, avec le plus grand repentir, que je ne vous ai octroyé que peu de pouvoirs lors de votre séjour à Alombria. Vous devez cependant comprendre que je m'étais brûlé les doigts avec l'un de vos congénères.

– Onyx...

– Je lui ai offert l'immortalité à mes côtés. Il a accepté mon enseignement, mais pas les responsabilités qui y étaient rattachées. Il s'est vite retourné contre moi.

– Vous auriez dû en apprendre davantage sur les humains, avant de lui proposer un tel marché.

– C'est pour cette raison que je vous ai étudié pendant dix ans, mon cher Wellan.

– Mais vous ne m'avez pas accordé la puissance des maîtres magiciens.

– Vous étiez trop jeune et trop colérique. Maintenant, c'est différent.

– Maintenant, je suis mort, rétorqua le Chevalier, mécontent.

– N'est-ce pas justement le moment d'obtenir ce que vous désirez si ardemment depuis votre premier souffle ? Vous pourriez reprendre la tête de vos troupes sous une forme inaltérable, vaincre l'empereur et vous assurer que plus jamais un envahisseur ne menacera le bonheur des vôtres.

– Et vous me donneriez tout cela pour que je vous laisse entrer dans le palais de Parandar ?

– Il ne lui a jamais appartenu ! hurla Akuretari. Les maîtres ont confié à tous les dieux le soin de préserver leur domaine jusqu'à leur retour. Or les dieux ne sont pas des êtres parfaits, loin de là. Quand j'ai compris que Parandar entendait utiliser sa suprématie pour soumettre notre communauté à sa volonté, je m'y suis opposé. C'est parce que mon pouvoir était incommensurable qu'ils m'ont exilé.

– Ils m'ont dit que vous aviez tenté de créer une nouvelle forme de vie, se souvint Wellan.

– Nous l'avons tous fait !

Ébranlé, Wellan commençait à fléchir.

– Aidez-moi à détruire ces fantoches et à remettre le sort du monde entre les mains d'un dieu unique, et je vous récompenserai au centuple !

– Ne l'écoute pas, Wellan, l'avertit Theandras, qui s'était avancée derrière lui. Il ment pour te charmer. Aucun de nous n'a commis le sacrilège de concevoir des créatures dotées de leur propre volonté. Akuretari n'a créé des abominations volantes que pour impressionner ses courtisans.

– Mais Parandar nous a donné l'existence..., murmura le Chevalier, confus.

– Les maîtres n'ont octroyé ce privilège qu'à lui seul.

– Elle vous ment afin de conserver sa pérennité ! se fâcha le dieu déchu. Au lieu de chercher la vérité dans ses paroles, regardez dans votre propre cœur. Quand Parandar a-t-il exaucé une seule de vos prières ?

– Les hommes n'ont pas le droit d'exiger que le ciel soit à leur service, protesta Wellan, en se rappelant les paroles que lui répétait jadis son père.

– Parandar ne s'est jamais soucié un seul instant de vous, Wellan. Il vous a uniquement fabriqués pour plaire à sa femme. Pourquoi n'intervient-il jamais dans vos vies lorsque vous souffrez ?

Le Chevalier n'en savait franchement rien.

– J'ai fréquenté les humains pour apprendre à mieux les connaître, poursuivit le faux Immortel.

– Tu t'es caché dans leur monde pour échapper à Parandar, rectifia Theandras.

– Wellan, vous devez me laisser purger cet univers des dieux et des déesses qui s'en sont emparés en l'absence des maîtres, et qui l'ont corrompu.

– Nous n'en avons rien fait, s'en défendit la déesse du feu.

– Si c'est vrai, expliquez à votre fidèle serviteur pourquoi vous avez envoyé dans son monde un Immortel qui n'a même pas le pouvoir de sauver ses hommes ni de les aider à repousser prestement ses ennemis.

Wellan se tourna vers Theandras.

– Seul Aiapaec et Aufaniae ont ce droit, l'éclaira cette dernière. Nous sommes allés aussi loin que nous le pouvions pour empêcher un massacre.

– Vous avez désobéi aux maîtres ! tonna Akuretari.

– Nous aimons les êtres courageux, honorables et justes auxquels Parandar a insufflé la vie. Wellan, fais donc ce qu'il demande : interroge ton cœur. Il est venu à mes oreilles que tu avais aussi recueilli les propos d'un autre défenseur des hommes, qui ne les a jamais laissés tomber même s'il mettait ainsi sa propre existence en danger.

Elle faisait évidemment référence à Danalieth.

– Tu es suffisamment intelligent pour discerner le mensonge de la vérité.

Wellan ne se laissa pas uniquement guider par son raisonnement, car il savait que toute déduction comportait une certaine dose de vérité. Il était aussi facile de trouver des arguments pour appuyer les dires d'Akuretari que ceux de Theandras et du reste du panthéon. Il n'avait toutefois pas le temps de les soupeser un à un et, pire encore, de risquer de ne pas choisir la bonne réponse. Il eut donc recours à son intuition : une arme terrible entre les mains d'un Chevalier d'Émeraude.

– Laissez-moi franchir l'écran de protection, requit-il finalement.

Theandras joignit nerveusement les mains. Elle avait toujours aimé ce soldat au cœur vaillant et, surtout, elle avait confiance en lui. Malgré ses appréhensions, elle ouvrit une brèche dans le mur invisible, puis s'assura que les autres dieux n'interprètent pas son geste comme une percée d'Akuretari.

Le Chevalier se faufila sans hésitation dans l'étroite ouverture. Il descendit quelques marches en masquant de son mieux la douleur que lui infligeaient les spirales déchaînées. Il chercha à interpréter le regard de Nomar, car Élund lui avait maintes fois répété que l'on pouvait juger l'âme de toute créature en fixant ses yeux. Il n'y vit que de la haine et de la rancune.

– Qu'avez-vous décidé, Wellan ? s'impatienta le faux Immortel.

Le soldat n'eut même pas le temps d'ouvrir la bouche. À la vitesse de l'éclair, Nomar reprit son aspect de gavial et lança sur lui une décharge aveuglante. Wellan sentit ses bras se lever par eux-mêmes et ses doigts s'ouvrir. Sans attendre son commandement, les spirales ripostèrent en formant tout d'abord un bouclier giratoire, puis en lâchant deux vrilles enflammées sur le dieu déchu.

Akuretari repoussa l'extraordinaire charge de son mieux avec ses mains. Mais les blessures magiques qu'il avait subies aux mains d'Onyx et de Danalieth ne lui permirent pas de résister longtemps à cette violente pression. Les flammes s'abattirent en hélice sur le paria et s'attaquèrent à sa peau reluisante comme un banc de petits poissons carnivores. Akuretari poussa des hurlements de terreur tandis que la magie de Danalieth le dévorait vivant. Ses cris secouèrent tant le royaume céleste que les dieux cessèrent de travailler ensemble pour protéger le palais. Le mur d'énergie disparut d'un seul coup.

Wellan tomba sur ses genoux, les paumes en feu. Les dieux, même ceux qui s'étaient détournés du droit chemin, possédaient de vastes pouvoirs. Il n'était pas impossible que le gavial lui porte un dernier coup avant de disparaître.

Alors le Chevalier lutta courageusement contre la douleur jusqu'à ce que son adversaire ne soit plus qu'un tas de cendres à ses pieds.

Des bras saisirent Wellan par les épaules et le remirent sur pied. Il vit une main de femme se poser sur une plaie lumineuse sur son bras. Le tir fulgurant de son adversaire avait eu le temps de lui entailler la peau avant que les spirales ne réagissent.

– Je ne saigne pas ? s'étonna-t-il.

– Ta constitution a changé, Wellan, lui expliqua Theandras, en le soignant.

Il tourna la tête et vit son regard attendri. Il y retrouva avec nostalgie les petites flammes qui animaient les yeux de sa fille...

– Ne t'inquiète pas pour elle, le rassura sa protectrice. Jenifael est bien plus forte qu'elle ne le croit.

– Les spirales ont-elles enfin eu raison de votre frère ?

– Son règne de terreur est terminé, grâce à toi. Que désires-tu en retour de ton sacrifice ?

– Je veux retourner auprès de ma femme, de ma fille et de mes hommes.

– Tu as malheureusement été incinéré. Il faut à une âme un vaisseau physique pour qu'elle puisse évoluer sur le plan terrestre. Tes compagnons auraient dû te déposer dans la crypte du Château d'Émeraude.

– Dans ce cas, murmura tristement Wellan, ramenez-moi à l'étang de l'antichambre de la mort.

– Pourquoi veux-tu retourner à cet endroit, où aucune évolution n'est possible ?

– Je veux surveiller la progression de mon armée.

Theandras serra sa main dans la sienne sans craindre les spirales, maintenant assouvies. Ils se retrouvèrent instantanément devant la mare tranquille.

– Ce corps, que les dieux t'ont temporairement prêté, ne survivra pas longtemps à l'extérieur des grandes plaines de lumière, le prévint-elle. Il finira par disparaître, et ta conscience avec lui.

– Dans combien de temps ?

– Je ne sais pas mesurer le temps à la façon des humains, mais c'est très peu dans cet univers. Je te suggère de franchir ces portes dès maintenant.

– Je m'y rendrai quand je m'en sentirai le courage.

– Je t'en conjure, ne tarde pas.

Il embrassa la main enflammée de la déesse, tentant en vain de lui cacher sa peine. Après tout, ce n'était pas la faute de Theandras si Jenifael avait incendié sa dépouille.

– Je me sens ingrate de ne pas t'accorder une plus belle récompense, ajouta-t-elle.

– Alors, dites-moi sans détours lequel de vous deux m'a dit la vérité, tout à l'heure.

– C'était moi.

Elle caressa le visage du héros avec douceur.

– Akuretari a reçu de nos parents le don de séduire quiconque par la parole. Et, en définitive, c'est ce qui a causé sa perte. Oublie ses mensonges.

Theandras quitta son Chevalier préféré, le laissant près de l'étang, selon son vœu. Elle s'empressa de retourner au palais. Les survivants du carnage d'Akuretari y entouraient Parandar. Il était couché sur le sol et semblait s'être évanoui. La déesse du feu les écarta prestement pour se pencher sur son frère aîné.

– Il continue à perdre des forces, l'informa nerveusement Cinn.

– Nous devions être trois pour gouverner le ciel, souffla faiblement Parandar. C'est pour cette raison que je ne me décidais pas à exécuter Akuretari.

– Tu ne m'as jamais parlé de cette condition, s'étonna Theandras.

– Était-il vraiment utile que tu la connaisses avant aujourd'hui ?

– Que se passera-t-il si nous ne sommes que deux ?

– Nous cesserons d'exister.

Les dieux les observaient en silence, pétrifiés. Theandras se donna un air brave afin de ne pas les effrayer davantage.

– Il nous suffit donc d'élever l'un de tes enfants à un statut supérieur, conclut-elle.

– Non, protesta son frère. Seul un descendant du dieu qui disparaît peut le remplacer. Akuretari n'ayant jamais pris femme...

– Pas officiellement, du moins, les informa Cinn.

Tous les dieux se tournèrent vers elle.

– Abnar m'a raconté qu'il a jadis aimé une femme d'Enkidiev, et qu'elle a eu un enfant de lui.

– Qui est cet héritier ? la pressa Theandras.

– Il s'agit de Fan de Shola.

42

L'ÉTANG RÉVÉLATEUR

Assis sur l'une des grosses roches qui entouraient l'étang de l'antichambre de la mort, Wellan demeura inerte un long moment. Sa vie terrestre avait pris fin si abruptement qu'il en était encore sous le choc. Même si Theandras avait agi pour le bien de tous, le Chevalier sentait une amère rancune s'emparer de son cœur. La déesse l'avait privé de sa victoire sur les hommes-insectes. On ne chanterait jamais ses louanges comme on chantait celles d'Hadrian. Les générations montantes le connaîtraient comme le Chevalier d'Émeraude qui n'avait jamais achevé sa mission.

Wellan eut envie de pleurer, mais aucune larme ne monta à ses yeux. Il n'était plus qu'un fantôme déçu de ses créateurs et des circonstances de sa mort. Personne ne saurait jamais ce qu'il avait accompli dans les cieux, car les dieux gardaient jalousement pour eux tout ce qui se passait dans leur royaume, comme si les humains étaient dénués d'intelligence et de compréhension.

Le défunt chef des Chevaliers n'avait tué aucun être humain durant sa vie. Au moins de cela était-il encore fier. Il n'avait abattu que des hommes-lézards, lorsque ces derniers avaient tenté de ravir des Cristalloises, ainsi que des hommes-insectes, qui tentaient de s'approprier Enkidiev... et il venait de détruire un dieu. À bien y penser, ces êtres célestes ne donnaient pas un bon exemple aux hommes : ils se jalousaient, complotaient dans le dos des autres et n'éprouvaient aucun remords à s'entretuer. « Tout compte fait, les habitants du monde physique font mieux d'ignorer ce qu'ils font chez eux », décida Wellan.

Il tourna les yeux vers la surface sombre et lisse de l'étang. Devait-on posséder des facultés extraordinaires pour le mettre en marche ? Wellan y trempa le bout d'un doigt. La mare fut aussitôt parcourue de beaux arcs-en-ciel.

– Où est ma femme ? implora-t-il.

Des images apparurent sur l'eau. D'abord floues, elles se précisèrent graduellement. On aurait dit que l'étang voulait donner le temps au cerveau du Chevalier de s'ajuster aux pouvoirs magiques qu'il possédait dans son nouveau monde.

Wellan vit le visage impassible de Bridgess. Il la connaissait cependant trop bien pour ne pas deviner ce qu'elle ressentait. Au fil des ans, il avait appris à reconnaître ses humeurs à ses traits. Il comprit tout de suite qu'elle souffrait en silence. Ce qui le chagrina le plus fut l'intense désir de vengeance qu'il discerna sur son visage. Attentive aux observations qu'Hadrian transmettait aux Chevaliers, Bridgess bouillait intérieurement. Wellan savait que, malgré sa douleur, elle obéirait à son nouveau commandant. Autrefois, c'était elle qu'il avait choisie pour le remplacer s'il devait lui arriver malheur. Il n'avait jamais imaginé que sa mort ébranlerait sa femme à un point tel qu'elle ne pourrait pas se concentrer sur son travail de défenseur d'Enkidiev.

Il demanda ensuite à voir sa fille. Pelotonnée contre Swan, Jenifael ignorait les propos de ses aînés. Le maître et l'apprentie avaient toutes deux les yeux rouges. Wellan aurait tellement aimé les serrer dans ses bras une derrière fois, vœu que la lance plantée dans sa cuirasse l'avait empêché de réaliser. Il avait encore tant de choses à dire à sa petite déesse...

Cassildey, pour sa part, était assis non loin de Jenifael et semblait déchiré par la perte d'un deuxième maître. Peut-être le destin de ce jeune homme était-il d'acquérir de la maturité plus rapidement que les autres Écuyers ?

Avec tristesse, Wellan fit le tour de ses hommes, en commençant par les plus vieux. Santo était affligé par son décès, mais il se concentrait sur les commentaires de son nouveau chef. Bergeau, lui, était ivre de rage. Il ne voulait que retourner au combat et réduire tous les coléoptères en bouillie. Chloé et Dempsey se tenaient par la main. Wellan savait que l'apparent détachement de Dempsey cachait le grand vide qu'il ressentait dans son âme. Les sept premiers Chevaliers étaient reliés entre eux comme aucun autre groupe de soldats ne le serait jamais. La disparition de celui qui avait toujours su les comprendre, les motiver et les pousser à donner le meilleur d'eux-mêmes se faisait cruellement sentir dans le cœur des survivants de cette dernière attaque. Chloé montrait plus ouvertement ses sentiments. De sa main libre, elle essuyait constamment ses yeux remplis de larmes, tout en s'efforçant d'écouter les plans d'Hadrian. Falcon se tenait aux côtés de l'ancien Roi d'Argent, brave et fiable comme toujours. Cet homme avait vécu de grandes tragédies depuis son adoubement. C'était aussi celui de la première génération qui avait le plus progressé. Il demeurait impassible, mais Wellan savait ce qu'il éprouvait.

« Où est donc passé Jasson ? » se demanda Wellan, en le cherchant parmi ses camarades d'armes. Il passa toute son armée en revue sans le trouver. « Serait-il tombé lui aussi au combat ? » s'inquiéta-t-il. La mare refusa de lui montrer ce qu'il était advenu de lui. L'instrument magique ne lui permettait de localiser que les mortels évoluant dans le monde physique. Si Jasson avait déjà franchi les portes donnant accès aux grandes plaines de lumière, Wellan ne le reverrait qu'en s'y rendant lui-même.

Les Chevaliers et les Écuyers avaient la mine plutôt sombre. Même Nogait gardait un silence inhabituel, lui qui aimait plaisanter dans les moments les plus inopportuns, et taquiner sans cesse ses compagnons. Kagan, Bailey, Volpel et plusieurs autres soldats regardaient leurs pieds pendant que l'ancien Roi d'Argent s'adressait à tout le groupe.

Hadrian était magnifique dans sa cuirasse verte. Il marchait de long en large devant ses troupes en parlant lentement. Il était véritablement le grand commandant que Wellan avait toujours rêvé d'être. « Que les dieux l'accompagnent », souhaita-t-il. Il regretta aussitôt cette prière, car maintenant il savait que ces derniers étaient bien trop occupés à régler leurs conflits internes pour venir en aide à leurs créatures. Toutefois, si quelqu'un pouvait encore sauver l'humanité, c'était bien Hadrian.

Onyx se tenait près de son vieil ami, silencieux et morose. Malheureusement, l'étang ne permettait pas de sonder les pensées des personnes qu'il montrait au requérant. À quoi le renégat songeait-il ? Était-il lui aussi peiné d'avoir perdu le chef de ses Chevaliers, ou échafaudait-il quelque noir dessein ? Wellan n'avait aucune façon de le savoir.

Le défunt Chevalier voulut ensuite s'informer de son fils. Son image apparut aussitôt à la surface de l'étang. Dylan pourchassait des larves avec l'armée de Jade, suivi de près par la Princesse Shenyann, qui continuait à lui enseigner l'art du combat. « Il est entre de bonnes mains », se rassura Wellan. À présent que Dylan était mortel, il épouserait sans doute une jolie fille qui lui donnerait une ribambelle d'enfants... à condition que les Chevaliers triomphent de l'envahisseur.

– Mais où est Lassa ? s'énerva soudain Wellan.

La mare l'informa que son Écuyer ne se trouvait plus parmi les siens. Il le vit assis dans une grotte peu éclairée, replié sur lui-même, des larmes coulant sur ses joues. « Quel est donc cet endroit ? » s'alarma le Chevalier. L'empereur avait-il réussi à enlever le porteur de lumière ? Tout était-il perdu pour Enkidiev ?

– M'entends-tu, Lassa ?

– L'étang révélateur n'a pas cette fonction, lui répondit une voix féminine.

Une déesse sortit d'entre les arbres transparents. Elle portait un vêtement blanc qui laissait voir ses mollets et était ceint à la taille par un cordon d'étoiles. Ses longs cheveux noirs coulaient en cascades jusqu'à sa taille, et ses yeux étaient de la couleur de la lune.

– Rassurez-vous. Votre apprenti est en sécurité dans la Montagne de Cristal. Je suis Cinn, fille de Parandar et mère de l'Immortel Abnar.

– Je suis votre humble serviteur, déesse, assura le Chevalier en s'inclinant avec respect.

– Vous en avez assez fait pour nous, Wellan le brave. Le moment est venu de rejoindre vos ancêtres et de jouir d'un repos bien mérité.

– Comment pourrais-je en profiter tandis que ma patrie est assiégée ?

– Vos soldats se défendent bien et Abnar se chargera d'aider le porteur de lumière à accomplir son destin.

Elle prit place sur une autre pierre, non loin de Wellan, et lui fit voir ce qui se passait sur la côte d'Enkidiev. Le Chevalier se montra satisfait des progrès de son armée, jusqu'à ce qu'il constate que plusieurs divisions de scarabées argentés avaient réussi à percer les défenses des Elfes et des Fées.

– Hadrian le sait-il ? se troubla Wellan. Il faut le prévenir sur-le-champ !

– Ce n'est pas mon rôle de communiquer avec les humains.

– Était-ce le mien d'intervenir dans les affaires des dieux ?

– Vous ne comprenez pas notre monde et ses lois.

– Uniquement parce que vous n'avez pas cru bon de nous en parler. Vous nous demandez de vous vénérer, mais vous nous gardez dans l'ignorance. Il n'y a que la déesse de Rubis qui m'ait adressé la parole durant ma vie terrestre.

– Je sais que c'est difficile à comprendre pour un simple mortel, mais nous n'avons pas établi les règles de cet univers, même si nous sommes des dieux. Les maîtres du monde l'ont fait pour nous. Ils ne veulent pas que nous intervenions dans la vie des créatures de Parandar. Elles doivent apprendre de leurs propres erreurs. Malgré tout, Parandar leur a donné les Immortels pour les aider, en cas de grand besoin.

– Si c'est à Abnar que vous faites référence, je dirais plutôt qu'il a les mains liées dans le dos depuis cinq cents ans.

– Il en a fait plus qu'il ne le pouvait pour vous. Il est souvent venu implorer mon père de lui accorder plus de latitude.

– Ce qu'il ne lui a jamais octroyé.

– Parandar est aussi tenu de respecter nos lois.

– Saviez-vous que les humains ont l'impression que les dieux ne s'intéressent pas du tout à eux ?

– Ils font erreur. Clodissia les aime plus que tout au monde.

« Et non Parandar », ne put s'empêcher de penser Wellan.

– Il vous a créés pour elle, lui rappela Cinn.

Le Chevalier garda le silence un long moment. À la surface de la mare, les envahisseurs continuaient à se faufiler entre les arbres. Ils atteindraient bientôt les villages et les fermes de Diamant.

– Vous avez vécu une vie de héros et vous passerez à la légende, Wellan, affirma la déesse. Laissez-moi vous aider à franchir les portes du repos éternel.

– Votre offre est bien tentante et je vous en remercie, mais je veux rester ici encore un moment.

Elle ne lui fit pas la morale et ne tenta pas de le faire changer d'idée. Elle s'évapora tout doucement, comme Fan l'avait si souvent fait, jadis.

43

Le déserteur

À son arrivée à Émeraude, Jasson était un peu plus jeune que les six Chevaliers de la première génération. Il n'avait pas encore tout à fait cinq ans. Contrairement à la plupart d'entre eux, il ne provenait pas d'une famille royale. Il était né dans un petit village de Perle, sous la protection du Roi Giller. Jasson ne se rappelait pas les traits de ses parents. Il se souvenait seulement qu'ils étaient gentils et heureux. Il avait cinq frères et sœurs plus vieux que lui, auxquels il aimait jouer des tours. Même s'ils n'étaient pas très riches et qu'ils ne mangeaient pas toujours à leur faim, les membres de sa famille s'aimaient beaucoup.

Il n'avait donc pas compris pourquoi son père l'avait conduit au Château d'Émeraude au début de la saison chaude, juste avant son anniversaire. Le brave homme lui avait répété au moins cent fois durant le trajet à pied entre le Royaume de Perle et le Royaume d'Émeraude que c'était pour étudier la magie. Ne comprenant pas ce qu'était la magie, Jasson avait cru que les siens se débarrassaient de lui parce qu'il était turbulent. Il était évidemment impossible pour un si petit enfant de comprendre que son destin était différent de celui de ses frères.

Les six autres futurs Chevaliers avaient déjà commencé leurs leçons auprès du magicien Élund lorsque le jeune Perlois avait fait son entrée dans la tour. Intimidé par les regards de ces jeunes étrangers, Jasson s'était immobilisé sur la dernière marche. Wellan s'était tout de suite approché de lui. Il l'avait pris par la main pour l'emmener s'asseoir parmi les autres.

Jasson revoyait ces images de son passé lorsqu'il émergea de son vortex, à proximité de sa ferme. Il se laissa tomber sur les genoux et éclata en sanglots amers. Certains de ses frères d'armes avaient perdu la vie, mais il n'avait jamais pensé que le plus grand d'entre eux s'éteindrait ainsi. En raison de son imprudence, il avait plutôt imaginé que lui-même partirait pour les grandes plaines de lumière avant Wellan. Jasson revit aussi le visage souriant de son fils disparu et resta un long moment à pleurer sur la route qui menait jusque chez lui.

Ce fut son vieux serviteur qui le découvrit finalement, en revenant des enclos où il continuait à nourrir les bêtes.

– Maître Jasson, êtes-vous blessé ? s'écria-t-il en laissant tomber ses seaux pour se porter à son secours.

Il lui saisit les bras et, malgré son âge avancé, obligea le Chevalier à se relever.

– Est-il arrivé quelque chose à la maîtresse ? s'énerva-t-il.

Le paysan dut attendre que Jasson calme ses sanglots avant d'obtenir une explication.

– Sire Wellan a été tué au combat, arriva-t-il à articuler.

– Sommes-nous perdus ?

– Je ne sais pas ce qu'il adviendra de nous, Verne, hoqueta son maître. Les Chevaliers font tout ce qu'ils peuvent, mais je crains que ce ne soit pas suffisant. Mon devoir, à présent, c'est de sauver au moins ma famille.

– La maîtresse s'est réfugiée au château avec votre fille et Lérine.

Jasson ne sembla pas ébranlé de l'apprendre. Il se dirigea vers les bâtiments qui abritaient son équipement de ferme, agrippa solidement les brancards de sa charrette et la tira jusqu'à la maison.

– Voulez-vous que j'aille chercher votre meilleur cheval, maître Jasson ?

– Ce ne sera pas nécessaire. Là où je vais, les chevaux ne sont pas en sécurité. Tu peux rester ici si tu veux, mon vieil ami, ou venir avec nous.

– Je n'ai pas peur des hommes-insectes.

– Ils seront bientôt des milliers à tout ravager.

– Je suis trop vieux pour partir à l'aventure. Je prendrai soin de vos biens jusqu'à votre retour.

– Et si je ne devais pas revenir ?

– Mon intuition me dit que vous n'abandonnerez pas ces terres que vous aimez tant.

Le Chevalier n'avait pas le temps de discuter avec son serviteur. Il voulait disparaître sans laisser de trace, pour ne pas faire de peine à ses frères d'armes.

– Merci pour tout, Verne.

Jasson croisa ses bracelets, forma son vortex et s'empressa d'atteindre la cour du Château d'Émeraude. Le tourbillon lumineux attira l'attention de Morrison.

– Sire Jasson, puis-je vous être utile ? cria-t-il de la passerelle.

Le Chevalier ne répondit pas. Il fonça dans l'écurie, ouvrit le panneau de bois au fond de l'allée et dévala l'escalier jusqu'à la longue galerie souterraine. Il se servit de ses facultés surnaturelles pour localiser l'énergie magique de sa fille, car il y avait de nombreuses grottes sous le palais. Il ne remarqua même pas les visages inquiets des paysans et des serviteurs sur son passage. Une seule pensée occupait son esprit : éviter aux siens une mort certaine aux mains de l'ennemi.

Jasson trouva finalement la caverne où Sanya et Catania avaient abrité leurs enfants. Sa femme ouvrit grand les yeux en le voyant surgir en trombe du tunnel.

– Sanya, Katil, venez tout de suite, ordonna-t-il.

– Est-il arrivé un malheur ? s'énerva la paysanne en apercevant sa mine déconfite.

La petite, qui normalement lui aurait sauté dans les bras, se réfugia dans les jupes de sa mère.

– Obéissez-moi, insista Jasson.

Cette attitude ne lui ressemblait pas du tout, mais Sanya jugea préférable de ne pas exiger une explication devant tout le monde.

– Prenez vos affaires, dépêchez-vous.

Heureusement, Sanya n'avait pas encore eu le temps de tout déballer. Lérine l'imita et souleva les besaces. Dès que le trio fut près de lui, le Chevalier créa un vortex dans l'entrée de la grotte. Il les saisit toutes les trois par les bras et les força à s'y engouffrer avec lui.

En mettant le pied à l'extérieur du maelström, Sanya laissa tomber son fardeau et fit volte-face devant son mari.

– Dis-moi ce qui se passe, le somma-t-elle.

– Wellan est mort, laissa-t-il tomber, en se précipitant vers la maison.

– Quoi ?

Il ne s'arrêta pas pour répondre.

– Jasson ! l'interpella-t-elle.

– Maman..., hoqueta sa fille, bouleversée.

– Reste avec Lérine, ma chérie. Je suis certaine que papa est seulement désorienté.

Sanya s'empressa de rejoindre son mari Chevalier. À sa grande surprise, elle le vit s'emparer de la table de la cuisine et revenir sur ses pas.

– Mais qu'est-ce que tu fais ? suffoqua-t-elle.

– Je rassemble nos affaires, tu le vois bien.

Il passa devant elle et sortit de la chaumière. Sanya lui emboîta le pas jusqu'à la charrette, où il déposa le meuble, les pattes vers le haut.

– Pourquoi ?

– Nous quittons Émeraude, l'informa-t-il en retournant vers la maison.

Cette fois, la pauvre femme ne le suivit pas. Elle tentait désespérément de comprendre ce qui se passait dans la tête de son époux. Jasson revint avec les bancs.

– J'apprécierais que tu me donnes un coup de main, lâcha-t-il sans se rendre compte qu'elle était terrorisée.

Avant qu'il ne recommence le même manège, Sanya lui saisit les poignets.

– Tu aimes cette ferme plus que tout au monde. Pourquoi veux-tu en partir ?

– Parce qu'une nouvelle vague de soldats impériaux vient de débarquer sur la côte. Ils ont réussi à tuer Wellan, alors ils anéantiront très certainement notre ridicule petite armée, puis marcheront sur les villages et les châteaux.

– Tu as abandonné tes compagnons ?

– Mon cœur m'a poussé vers ceux que j'aime le plus au monde. Vous ne finirez pas dans les mandibules de ces monstres.

– Mais si ce que tu dis est vrai, ils envahiront tout le continent. Nous ne pourrons nous cacher nulle part.

– Je connais un endroit où ils n'oseront pas aller.

– Que fais-tu de Catania et de ses enfants ? Et de ceux d'Onyx et des Chevaliers, encore au château ?

– Je connais mes frères et mes sœurs d'armes. Ils prendront la même décision que moi dans les prochaines heures. Si chacun sauve sa propre famille, alors la race humaine a une chance de survivre.

Il se dégagea et alla chercher ses outils. Sanya vit alors Verne qui les observait, appuyé sur la clôture de l'enclos. Le vieil homme ne disait rien. Il savait, tout comme elle, que rien n'arriverait à convaincre Jasson de changer d'idée. La paysanne n'eut d'autre choix que d'aller chercher les pots d'épices et les ustensiles qu'elle n'avait pas apportés avec elle au palais.

Une fois la charrette chargée jusqu'à en faire craquer les roues, Sanya supplia une dernière fois son mari d'aller chercher les autres enfants à Émeraude. Il ne voulut rien entendre. Les parents de ces petits prendraient leur propre décision. Habituellement, la paysanne arrivait toujours à amadouer son mari grâce à des arguments convaincants, ou même par la menace, parfois. Mais ce jour-là, elle sentait au fond de son âme une grande peine qu'il ne laissait pas sortir.

Jasson souleva Katil, Lérine et Sanya, et leur fit prendre place sur le chargement afin de ne pas les perdre durant le déplacement magique. Il se plaça derrière la voiture, croisa ses bracelets et la poussa dans le vortex en utilisant son pouvoir de lévitation. Quelques secondes plus tard, toute la famille se tenait sur le bord de la falaise de Fal. La petite poussa un cri de surprise en découvrant ce paysage tout à fait différent de celui qu'elle avait connu toute sa vie.

– Où sommes-nous, Jasson ? s'inquiéta sa femme.

– Nous sommes juste au-dessus de la Forêt interdite.

– C'est là que tu nous emmènes ?

– Il n'y a véritablement aucun accès à cet endroit. Personne n'a excavé de sentier dans le roc. Pour nous y rendre, il nous faudrait marcher pendant des semaines dans le Désert sans trouver d'eau. Les scarabées ne tenteront ni l'un, ni l'autre.

Un des affluents de la rivière Dillmun se jetait de la falaise et tombait dans la forêt. La végétation y était si luxuriante qu'on ne voyait même pas le cours d'eau qu'elle y creusait.

– Il y a sûrement une raison pour laquelle on l'a qualifié d'interdite, tu ne crois pas ?

– Nous avons perdu beaucoup de livres d'histoire et de géographie, soupira Jasson. Nous ne savons même plus pourquoi elle porte ce nom.

– Si c'est là que nous allons, pourquoi nous avoir fait atterrir ici ?

– Les bracelets ne nous emmènent que là où nous sommes déjà allés.

– Alors, comment descendrons-nous dans la forêt ?

– Accrochez-vous bien.

– Jasson, non !

Elle sentit la voiture vaciller sous elle. Instinctivement, elle enroula un bras autour de sa fille et se cala entre les meubles, s'agrippant tant bien que mal aux pattes de la table. La charrette vola dans les airs, arrachant un cri de terreur à Lérine. Malgré son chagrin et sa peur, le Chevalier se concentra afin d'éviter un écrasement brutal dans la jungle. Katil ferma les yeux quand les larges feuilles des arbres frappèrent les côtés de leur moyen de transport pour le moins inhabituel.

Lorsque la charrette s'immobilisa, Jasson utilisa le même pouvoir pour se propulser à proximité. Jamais il n'avait vu une forêt semblable. Quelques-uns de ses arbres ressemblaient aux palmiers de Fal, mais les autres étaient uniques au monde.

– Cet endroit est-il dangereux ? s'enquit Sanya.

Jasson sonda attentivement les environs. Il percevait la présence de petits animaux, d'oiseaux et d'insectes, rien de plus.

– Je n'en sais rien, avoua-t-il. Le mieux, c'est que vous m'attendiez ici tandis que j'explore les alentours.

– Sans pouvoirs magiques pour nous protéger ! s'exclama peureusement son épouse.

Le Chevalier jeta un coup d'œil inquisiteur à sa fille de six ans. Katil possédait des facultés presque aussi puissantes que les siennes, mais elle s'entêtait à ne pas vouloir s'en servir. C'était le moment idéal de lui donner l'élan décisif.

– Katil veillera sur vous, déclara-t-il.

L'enfant protesta aussitôt contre sa décision, mais Jasson fit la sourde oreille. Il s'enfonça entre les feuilles pennées et les grappes de fleurs, posant ses pieds sur le sol avec précaution. Dans les forêts denses, il y avait souvent des serpents et il ne voulait certainement pas risquer une blessure stupide. Il avança pendant de longues minutes, scrutant le terrain avec attention, puis arriva devant une très bizarre formation végétale. Son esprit le ramena brusquement dans son passé. Il avait déjà vu ce large rectangle de plantes enchevêtrées quelque part... « Le temple où Kira s'est réfugiée lorsque Sélace la poursuivait sur cette île étrange ! » se rappela-t-il.

Avec les rayons produits par ses mains, il dégagea la façade du monument. Celui-ci avait la taille de trois maisons. Une rampe en pierre, à la surface lisse, donnait accès à une large ouverture ovale. Il y avait encore des gonds en acier enfoncés dans l'encadrement, mais la porte avait depuis longtemps disparu. Jasson s'y aventura, surprenant les familles d'oiseaux qui nichaient sur les poutres soutenant le plafond. Ils s'envolèrent par les fenêtres en poussant des cris d'effroi.

Le temple était composé d'une immense pièce centrale qui donnait accès à un balcon à son extrémité, ainsi que de nombreuses petites pièces de chaque côté.

– C'est parfait, murmura le Chevalier, soulagé.

BIENTÔT

Les Chevaliers d'Émeraude

TOME XII